我是 深雪

關於外表，無辦法，就是柔弱纖巧精精細細。
而內裡，是很相反很相反的。我是很極端的人，充滿矛盾感。
關於自己，我永遠說不清，也看不清。
但我寫的小說就是這麼一回事，我沒說是代表我，但那也是我。
我不知道啊。可能，唯一清晰的時候，是當我愛你的時候，
忽然，我的一切，都一面倒地好。我愛你。

二姝夢

LET ME DROWN IN FIRES

深雪 ZITA LAW

C o n t e n t s

CHAPTER 01
2 DREAMERS

Bonjour！我是Tiara。

呵呵呵呵。

我的願望是財色兼收。

呵呵呵呵呵。

厲害吧？有志氣吧？我的願望，也就是世上所有女人的願望！

嘻！了不起！

無論如何，我一定要得到一個有財有勢兼且深愛我的男人。

大口氣？不不不。憑我，一定行！

爲什麼不？我是Tiara嘛！一頂華貴的后冠。一個人的名字，要與那個人配襯才行，叫Candy的女孩子要似糖果般甜美；喚作Angela的，要似天使般善良純眞。而我，就如我的名字，矜貴無雙，珠光寶氣。

后冠，不是人人襯得起的，要夠身分要有勇氣，才夠派頭把鑽光耀眼的后冠戴到頭上。那天我看雜誌，Catherine Zeta Jones就戴了一副價值二十五萬美元的后冠來襯一襲Christian Lacroix的晚裝。而英國皇室的國君冠冕，就用了四百四十顆寶石與半寶石，戴在頭上，有權又有勢，一呼百應，萬人之上。而我最想要的冠冕，是Chaumet設計的公主式后冠，典雅、精巧、青春、女性化，採用了最純淨的鑽石，佩戴在秀髮上，所有女人都變成仙界公主。

有些女人是特別適合戴皇冠的，相信我。

呵呵呵呵呵。

就算今日我穿的是上班的套裝，我也不會失禮於我的名字。你要即時爲我加冕？來吧，我讓你把后冠放到我的頭上來。

只要你付出得起，我不介意爲你下跪。Why not？

在未得到令我財色兼收的那個人之前，我每天上班，穿著最得體優雅的上班服，喀喀喀地踏著 Chanel 高跟鞋，走到我的辦公室裡頭。我喜歡我的工作，這工作令我更顯氣派。我幹哪一行？我是一所瑞士銀行的 Private Banker。

你們明白我每天對著些什麼人嗎？我手頭上十二個 client，全部非富則貴。瑞士總行那邊的最低戶頭金額爲五千萬美元，香港分行的最低戶頭金額是五百萬美元。即是說，最窮的那名 client，也有四千萬港元的流動資金。

我今年二十五歲，入行三年，當中十二個客戶中，有五個是我獨立處理的，我爲他們投資在股票、債券、地產、珠寶之上。一直以來我都得心應手，不只因爲我有眼光；更重要的是，我的客戶認爲我和他們是同一類人，我總能得到他們的信任。

是的，我說法文、義大利文，我懂得品嘗美酒佳餚，我有一個珠寶鑑證文憑，兼且早在十六歲那年考取了八級鋼琴。我雖然是上班一族，但我的涵養、學問、見識都比許多富家子弟高，我還有什麼及不上他們？我所擁有的，全是我努力爭取回來。近一年，我的高爾夫球技術亦進步神速，這個夏天，我甚至會開始學滑水和駕駛小型飛機。

明白嗎？我是個出類拔萃的女人，我沒有辜負我的名字。

我預計我會扶搖直上，成爲行業中的翹楚，到時候，我的薪酬將會足夠我買豪宅、跑車。只是，我做人非常有計畫，我希望可以雙向發展。工作有成績之外，我要財色兼收。

呵，呵呵呵。

我有目標人物，他是我兩個月前剛接手的client，一個大家族中的第二代，四十歲，三年前離婚。去年剛與律師女友和歌星女友分手，無兒無女，現在絕對單身。

我將他化名爲Mr. Cocoa，因爲，看見他就自然會想起巧克力。

第一次與Mr. Cocoa見面時，他就在他那一千呎辦公室內爲我以及我的上司煮巧克力泡泡沫，他用傳統的巧克力壺煮出香滑的熱巧克力，壺蓋上有一小圓孔，當中放有一枝長棒，伸進壺內之後，便能攪拌出泡沫。他用精巧的杯子盛載飲料，繼而遞給我們。那濃郁的可可香氣，飄散在辦公室四周。

我喝了一口，呵呵呵，眞的不得了。

『加添了香草和肉桂。』我說。

Mr. Cocoa眼睛亮了亮，然後微笑。『你的味蕾很敏銳。』

我笑得很燦爛。直覺上，喜愛巧克力的男人，會喜歡甜美的女人，是故整個會面，我都掛上了稚氣的笑臉，我笑得似個沒計謀的中學生。

那次會面很順利，我留意著Mr. Cocoa的一舉一動，長得高而健碩的他濃眉大眼，動作敏捷但優雅、神采飛揚。我猜想，他注重健康，生活也正常。書架上有張舊照片，裡面的他正熱熾地投籃，而據資料顯示，他的學士和碩士學位來自費城，這男人，大概是很美國式的大男孩：崇尙運動、個性自然、價值觀健康。

通常與新client會面的時候，上司與我會循例介紹我們銀行的投資計畫，與客人有問有答之後，就會閒聊幾句。上司與Mr.Cocoa談起ＮＢＡ本季籃球賽的賽果，我就適時地搭腔：『眞懷念在美國讀大學的日子，無拘無束。』

Mr. Cocoa望著我，他掛上一個認同的表情，然後說：『那個時候……返回不了。』

我知道費城的冬天很冷，於是我說：『最懷念寒冬坐在火爐旁喝熱巧克力的情懷，雪花飄降在窗外，多美。』

Mr. Cocoa的目光內掠過一片溫柔，我知道我說中了；而從此，他會覺得，我大概是一名知音。

要令一個男人對自己有好印象有多困難？我是箇中能手。無論他是運動型、財經型、藝術型、實幹型，我都有能力迎合。聰慧的女人，總帶有易融合的氣質，我什麼都懂一些，只要他是成功的男人，我就有本事合得來。

呵呵呵，爲什麼不？事在人爲。

回家後我就翻查巧克力的資料，而我知道，從今之後我就成爲巧克力專家。

我的上司對我說，Mr. Cocoa是聶氏家族的新一代掌權人，建築師出身的他，現掌管家族的地產發展。身家呢，怎樣也有數十億吧！這名client，我的公司是志在必得。

第二次會面的地點在我們的辦公室，我事前特地學會了煮熱巧克力。Mr. Cocoa喝了一口，就嘖嘖稱奇：『比得上羅馬那佛納廣場那巧克力專賣店的味道！』

我笑著說：『你喝著的是金錢呢！』的確，這包可可粉的價值，等於一個Hermes皮包。看吧，我是誠意投資在這個人身上。

Mr. Cocoa 說：『就像抽雪茄那樣矜貴，燃燒眞金白銀。』

我說：『對啊，可可豆是南美洲人的「快樂錢幣」。』

他揚了揚眉：『我以爲除了我之外，無人懂得可可豆的另一個名稱。』

我笑著接下去：『兩百顆可可豆等於一隻公火雞。』

Mr. Cocoa 斜眼看著我，俏皮地讚賞：『厲害厲害。』

我燦爛地綻放嬌美的笑容，延續上回那一種純眞中學生式的美好感覺。

呵呵呵。Give me five！看啊，我又成功地接近了我與目標人物的距離。

我並不一定非要 Mr. Cocoa 不可，只是，但凡品質佳的男人，我都不願意放過。

告訴你，我無可能忍受與一名層次欠佳的男人一起，低一點點也不可以。就因爲我試過，所以我絕對有理由抗拒。

我的家境原本很好，父母把我栽培成小公主，我學鋼琴、芭蕾舞、法文、義大利文；而我，十分接受學貫中西高人一等的形象，自小我已是上進的少女。

到了讀中六時，父親因炒房地產失敗，將設於國內的廠房賣給了別人，我們一家人由渣甸山搬到灣仔舊區。我與母親相擁哭了一整晚。後來我就想通，不用怕的，生活的打擊只是一種磨練，做大事的人，一定要經風雨。我發憤，將來要過好日子。

我的讀書成績很好，足夠考進本地大學，但父母爲求讓我多見點世面，便送我到美國去。有名遠親住在南部的德克薩斯州，於是我便在當地的大學過了三年貧苦學生的日子。

德克薩斯州的天氣酷熱，而這南方地帶的居民作風老實，就算是富有人家，看上去並不時髦。或許我可以直接說一句：『鄉里的、老套的。』金璧輝煌式的豪華，就是當地富豪對品味的理解。雖然我仰慕權勢財富，但我亦講求那種 sophisticated 的感覺。在那裡我完全感受不到。

爲著前途，我主修財經。而在第一年的大學生活中，我交了男朋友，他是一名美日混血兒，很英俊，讀市場學。我很喜歡他，常常窩在他的宿舍煮東西吃，看電視，很無憂無慮。假期來臨，我們去露營，又駕車到鄰近的州份小住。

他的家人都住在德克薩斯州，小康之家，沒什麼特別。而他，個性很隨意，對自己的前途亦然，沒什麼理想，甚至不奢求離開這南方世界。有一次我說想去紐約過暑假，他卻說寧願留在德克薩斯州做暑期工。我很不開心，那份暑期工根本幫不上什麼忙，錢少之外，對他將來的工作亦沒幫助。

終於，我自己飛到紐約度暑假，住在父親舊下屬的家。我看音樂劇，逛博物館，在時髦的大街上逛。這個大城市我喜歡得不得了，這種大都會，與我才是天作之合。

回到南部後，我便與他分手。而事實上，他也在當暑期工的公司內結識到更合他性情的女孩子，我們分手時，他比我更輕鬆。

而我哭了，我爲一段感情的完結覺得難過。最難過的是，我懷疑我們根本沒相愛過。這兩年來，我們都只是對方的玩伴，我們結伴玩樂結伴浪費青春。如此而已。

談什麼愛情？男女之間的事，說多無聊有多無聊。

看吧，我比他條件好上那麼多，卻是他更早變心。你說天理何在？

還是正經事要緊，我要趕快畢業返回香港。留在那種鄉下地方，簡直是折磨。

我是屬於華衣美服，醒目又有派頭的那一群。我是Tiara嘛！呵呵呵。

努力！努力！我要榮華富貴出人頭地！

呵呵呵呵！我擁有的，是世界上最美好的前途。萬兩黃金正等著我。

我相信，命運無理由會埋沒我這種質素的女人。

回來香港前我已開始找工作，我有優異的成績，明星一般的外貌，極佳的語文能力，最後，我被聘用了。後來我才知道我是後補的，原本他們打算聘用一名大家族的千金，她卻忽然另有計畫，機會才落在我這個無有利背景的少女身上。

人生就是常遇上這種不公平；但不用擔心啊，有實力就一定能戰勝。

在正式踏入社會之後，我就更加確定我的人生方向——財色兼收！

當你看見巨型豪華房車停泊在你家門外時，你有什麼感受？儘管那只是公司車，但那種顯赫奪目，已足夠令人精神一振。那次我要赴一個與業務有關的宴會，上司負責接送我，當我衣著華麗地踏進房車內時，大街上的路人全都以爲看見現代灰姑娘。

嘿，終有一天，接送我的會是我的有錢男朋友，以及他的司機。

我實在喜歡我的工作，無時無刻我都在亢奮中度過。看見合約的金額我會亢奮。『呵呵呵！』與富可敵國的client會面我會亢奮。『呵呵呵呵！』參加富貴人家的宴會我當然更亢奮。

『呵呵呵呵呵！』每一天，從我的心內，不住地爆發出呵呵呵呵這叫聲。

『呵！呵呵呵！』

但當然，那『呵呵呵』全部隱藏在心裡，我是一個淑女，不折不扣的淑女，臉上表情一定要高貴大方，當然亦偶爾要甜蜜可愛。我相信，有錢人對著那些庸脂俗粉太久，會希望見一見我這種脫俗清新的臉。是故，我永遠書卷氣、化淡妝，似個大學生。

我說的每句話，擠出的每個表情，全部經過思考與部署。這不等同於虛假，而是周詳小心。

這三年來，我試過與一名工程師交往，但只維持了半年。那一次，因爲飛行里數的優惠，本來搭乘商務客位往新加坡公幹的我，有機會升級搭乘頭等客位，就在機艙內，我們碰上了。

我以爲他是有錢人，原來他也是打工的。然而，他很有型呢，有種極強的男子氣概，皮膚黝黑，目光銳利。我們一直絮絮不休地交談，當下機之時，我發現我已愛上了他。

他也一樣吧？他特地轉換了酒店，住到我那邊來。於是，那公幹的三天，我這段戀愛就萌芽了。

性感的男人總令女人招架不來吧？而所有的戀愛，在開始的時候總那麼美好。我們由新加坡熱戀回香港，又一起走過了上海、東京、倫敦，然後我發現，我愛他愛得忘記了我有多麼喜歡錢和權勢，差一點，我以爲，因爲愛情，我變成另一個人。

直到有一天。那一天他帶我見他的同事，那是一次同事間的聚會，在一家平民性質的卡拉OK舉行。十多名男女，喝啤酒唱唱歌，而我的男朋友表現得那麼投入開心。

說眞的，我不介意表演唱歌，只是，不是在這些人跟前，亦不是在這種烏煙瘴氣的地方。如果，他也認爲這種聚會有不妥當之處，我會覺得心寬，只是，他實在玩得太高興。

那是我們交往的第五個月。他帶我見家長，又常常把我帶出去見朋友，每次不是燒烤就是火鍋，吃得我心煩氣躁。

我問他，人生有什麼抱負，他居然說要我替他生兩個小孩。是在那一刻，我全身起了雞皮疙瘩，我知道，這又是另外一次的誤會。

就在我生日的那天，他答應送我一個ＬＶ錢包，於是我們一起走進名店內。我挑選了錢包，然後駐足欣賞一個古董ＬＶ大衣箱，我說了一句：『有一天，我要把這大衣箱帶回家。』

而他，居然這樣說：『這種東西要來做什麼？當棺材用嗎？』

我愕然地望著他，他卻嬉皮笑臉，自以為幽默。

我嘆了口氣。請告訴我，我該如何與這種人在一起。

記得某個星期三的上午，我的一名女同事在公司收到九百九十九朵玫瑰，秘書說，那是一名馬來西亞client送給她的禮物。於是，那個早上，我一直咬緊牙關面無表情，最後左邊的頭痛得要命。

看吧，那個姿色平庸的女人也有富有的男人追求，為什麼我沒有？

你可能認為得到一個ＬＶ錢包已經要知足，然而，這是Tiara的人生啊！Tiara要的是皇族氣派，而不只是普通一個辦公室女郎的人生！

於是，我義無反顧地與他分手。ＬＶ錢包還給他，別侮辱了我。

這一次我沒有哭。我向自己發誓，歷史不可以重演又重演。

愛情有很多種，我不要cheap的這些！

我的Chaumet后冠呢？Van Cleeps & Arpels的鑽石手鏈啊！Frette的真絲床單與睡袍！

以及三千呎法國南部情調海景豪宅……我要的一向是這些。我的名字叫 Tiara，不是 Tina 不是 Tracy 不是 Tammy，我是矜貴無雙的后冠啊，我怎可以糟蹋我自己？

我不要再感情用事，不要再被動。我已二十五歲了，是時候用心爲自己的幸福好好計畫一番。

相信我，如果我嫁給一個平凡男生，我一定會精神分裂。我不可以忍受在白天時對著十數個零位數，而晚上則返回一個七百呎的小康之家。

不要以爲我不懂得什麼是幸福。我懂的，太懂了。幸福，就是願望成眞。

我要財色兼收！

某某嫁了億萬富翁，怎麼我不可以？一直以來，我太純情了，只懂坐著等男人來追。不，從今以後，我要被動地主動。

因此，我熟讀了所有男女心理學叢書，以及中外、東西各方的愛情大全。我要掌握我的愛情，掌握我的人生。

與同事、client 打高爾夫球時，我總是眼觀四周，看看有沒有獵物。參加宴會時，我會儘量向在場的所有男性技巧地放電。就算出外公幹，我也時刻保持最佳狀態，爲求不會錯過碰上白馬王子的機會。

我深信有志者事竟成！我一定行！

既然我比一般人都高程度，我的人生也要非一般。如果香港有皇族的話，我一定排隊報名選王妃。

對啊，我不踏實。但你能奈我何？我有本錢不踏實。要我在減價之時才能去 Prada、Gucci、Chole買衫？天啊！我會委屈得躲起來哭。我要每天都有能力地買買買，而且，買的要是五克拉黃鑽、地中海的度假小島、西班牙的古堡別墅、富挑戰性的國際企業……

我是 Tiara，我怎會與你一樣。

就在 Mr. Cocoa 把我與上司接到私人會所午膳時，我就知道，我變身皇族公主的機會是確定了。當吃罷最後一道菜後，侍應奉上甜品，那是一頂巧克力后冠。

我亮起純真的美目，等待 Mr. Cocoa 的解釋。『這個巧克力是我自己做的，我用裝飾的后冠做了一個模，然後製造出只為你而出現的巧克力。』

呵呵呵呵呵呵！

我嚐了一口，表現得快樂但平靜。我問他：『聶先生，我可以做什麼報答你？』

他望了望我的上司，又望了望我，然後說：『貴機構有沒有規定職員不准與客戶看電影？』

呵呵呵！叮！

叮叮叮叮叮叮！

我的上司聳聳肩，這樣說：『只要你的戶頭有五千萬美元以上就成了！』

兩個男人帶著些許奸詐地笑出聲來。而我，垂下眼羞怯地微笑。我知道我臉紅了，這是我拿手的。

每個女人都有私人秘技，而我，是隨時隨地臉紅自如。

我偷偷望向 Mr. Cocoa，他看著我的臉，似乎享受極了。

在我與Mr. Cocoa第一次約會之後，消息很快就傳開了，公司的同事半開玩笑地恭喜我。我倒是心情平和，沒什麼啊！這一切我應得。

疑慮不是沒有，我怕Mr. Cocoa對我的興趣只會是一年半載的事。我不可以被拋棄，一定要一擊即中。

與Mr. Cocoa約會了三次，進展良好。只是，斯文人對斯文人，難免偶然會有冷場。有時候，當他看上去有點心不在焉之時，我就會敏感起來，千萬……千萬不要出現些什麼意料之外的破壞事情。

我沒忘記做女人的守則：對著男人要懂得笑。然而除此之外，我再無什麼特別可行的招數。帶著這種心情過日子，實在忐忑。

在一個不用與Mr. Cocoa見面的黃昏，我下班之後就在中環閒逛，不期然的，我走進一條平日甚少留意的小巷。在那裡，我看見一家非常出眾的內衣店。

該如何形容這家內衣店？雕花圓柱裝飾，垂幔處處，巨型水晶燈如流星瀉下。這種豪華的裝潢投資甚巨，完全超越一般內衣店的格局。

內衣店的招牌寫著『Mystery』。

我站在垂幔前打量人形模特兒身上的內衣，不久，垂幔後就走出一名女子，是她，教我吃驚得不得了。她有環球選美佳麗般的姿容，身形完美得叫人驚歎，她梳髻，身穿紫色corset束腹型內衣，配襯suspenders襪帶，另外加上一雙黑色絲襪與三吋高跟鞋。

店內正舉行內衣show嗎？這種質素的女人，似乎是頂級內衣模特兒。

當我茫然之際，她卻謙恭地朝我微笑，然後對我說：『請內進，我們 Mystery 有更多的選擇。』

不期然地，我像被催眠了那樣，跟隨她走到垂幔之後。而那裡，竟然是一個更教人大開眼界的地方。

垂幔一被掀起，我就發現自己正置身一間華麗的歌劇院之中，四面都是觀看歌劇的包廂，圓拱形的天花板上畫有天使嬉戲作樂的畫像；而我腳下，踏著的是用彩色階磚砌成的地板，地板上的圖案，是一朵又一朵由S和C形狀扭曲出來的花卉，在這約一萬呎的室內蔓延伸展。

極具氣派，神秘又堂皇。

我呢喃：『我踏在一個舞台之上，這裡是……』

穿corset內衣的美女雙手一揚，立刻，一排排的人形模特兒就由四面八方自動運送出來。轉眼間，我就被數百個人形模特兒包圍，穿在它們身上的，都是一些華貴的內衣、泳衣和睡袍。氣勢之雄壯，就如一隊隊內衣軍隊那樣。

穿 corset 內衣的美女對我說：『我們 Mystery 的選擇很多。』

我的心跳動得很厲害，望了望她，又望了望眼前這班如城牆列陣的內衣隊伍，我禁不住說：『別告訴我，騙人的黑店也肯如此落重本。』

經我這麼一說，穿corset內衣的美女不獨沒任何不滿的表情，反而，笑容更亮麗燦爛。隨著她這笑容，奇景就來了，在垂幔之後魚貫走進一批與這名美女長得一模一樣的女子，為數八、九十人，全部像是由工廠生產出來的美女兵團那樣，整齊地分佈在內衣叢中。當腳步停下來後，這群美女全朝我望過來，她們向我發射出殷勤閃亮的笑容，再然後一致地點頭，齊聲說出一句：『歡迎光臨 Mystery，粉紅鑽石小姐。』

我自然大惑不解，『什麼？』

我懷疑，是下班時分的中環人太擠，在城市的煩囂煙塵中我產生了幻覺……

面前這群美女的笑容，教我更加迷惘。

『粉紅鑽石小姐……』

有聲音叫喚我。我抬頭，看見在三個包廂上，各站著一個女子，她們三人分別穿上內衣、睡袍和泳衣。她們比身穿 corset 內衣的美女更艷麗，這三個女人有完美的輪廓，寶石般華麗的眼珠、又直又挺的鼻子、一流的臉形；而身形呢，是無懈可擊的 34D、24、36，身高約五呎九吋，長髮及腰，鬈曲的、女性化的。

這三個女人，看得我目瞪口呆，世界上，無可能有女人如此艷麗和完美。她們穿著不一樣，髮型亦略有分別，但樣貌與身形則如出一轍。奇異極了，她們是三胞胎。

她們的笑容嫵媚而閃亮，我由穿內衣的那個看到穿睡袍的那一位，當最後把穿泳裝的也注視過之後，我發現，我竟然有點暈眩。

不得了，居然比后冠上的鑽石更令我目眩神馳……這三名絕美的女人……

三胞胎朝我報上名來。

『我是阿大。』身穿桃紅色胸罩和內褲的美女說。

『我是阿二。』這個是身穿米白色短身睡袍的美女。

『我是阿三。』她身上是一件頭黑色泳衣，配上藍色幻影圖案。

我問：『你們是誰？』

三胞胎齊聲回答：『我們是協助你達成愛情願望的人！』

她們的眼珠子就如寶石那樣，閃耀出激情的光芒。

我的心就這樣軟化下來，她們的話打動了我！令我猶像看見十克拉美鑽般感動。

她們說，能夠協助我達成愛情願望。

阿大站在中央的包廂上說：『我們知道你需要Mystery。』

阿二說：『聶先生的確是首屈一指的人才。』

阿三說：『而你，亦能與這種人才相配。』

我深呼吸，說：『是的，我們正在交往中。』

阿大的笑容晶光四射。她問：『你喜歡志在必得嗎？』

頃刻，我知我找到了知音。我也不怕坦誠相告：『我就是要志在必得。』

阿二在左邊的包廂上說：『但你與聶先生有段距離。』

我嘆了口氣。『我也察覺到，偶爾我有點跟不上，始終我不是大家族的千金小姐出身。我害怕他在衡量過後，認爲我不夠資格成爲他的另一半。我明白，男人對於發展一段認眞的感情常會思前想後，我最怕他會忽然告訴我，我並不是理想的伴侶人選。』

阿三在右邊的包廂上說：『不用怕呢，我們樂意訓練你。』

我怔了怔。『訓練我？愛情也可以被訓練的嗎？』

阿二說：『有我們 Mystery 在，要怎樣的愛情都可以。』

我開門見山。『好吧，告訴我條件。』

阿大就說：『訓練成功之後，你在今後與聶先生一起生活中所得到的所有利益，無論是金錢抑或物質，我們將獲得百分之十五的回報。』

說及利益，我就沉默起來。快速地，我在心中盤算。

阿大再說：『你放心，我們收取利益的方法你不會發覺，因此亦不會肉痛。每一次，當聶先生要給予你任何餽贈時，他都會潛意識地調低百分之十五。即是說，原本一百萬的餽贈，最後變成八十五萬，那當中的十五萬，對他來說只是思想上的差異；但實際上，我們在不知不覺間從中收取。』

忍不住，我笑出聲：『呵呵呵呵！你們太便宜了女人！』我讚賞道：『這造成了貴機構與客人一個雙贏局面。』

阿二攤攤手。『我們 Mystery 向來擅長寵壞女人。只要你們開心，我們一樣開心。』

『是否所有女人都有此般禮遇？』我問。

阿三說：『有緣的話，她必定能要風得風。』

我揚了揚眉。『有緣……』然後我再問：『我會接受什麼訓練？』

阿大說：『看看你的青春有什麼話要說。』

說罷，她就俯身捧起一個玻璃盒子，把盒子打開來後，一顆巨型的粉紅鑽石就旋動出幻光。

忽然，我心血來潮，希望提出意見。『請等一等！』

阿大望著我。『請說。』

我告訴她：『我素來對珠寶有點研究，粉紅鑽石不是我喜歡的類型。既然寶石代表我的青春，可以讓我自由選擇嗎？』

阿二笑起來。『果然是個厲害的貨色。』

阿三聳聳肩。『有主見的女人有意思呀！』

阿大問我：『你想要什麼？』

我說出我心意：『能與我的青春匹配的，只有英國國君權杖上那顆非洲之星，它的形狀呈心形，五百三十克拉，是世上其中一顆最大最耀目的鑽石。』

三胞胎互望一眼，然後齊聲答應：『好！』

阿大說：『從今之後，非洲之星就代表你的青春，而你的代號是非洲之星小姐。』

阿二補充：『從來沒有客人用過這代號，所以你從今就是非洲之星A1。』

我很滿意。『謝謝你們。』

阿大說：『我有預感，這次我們會史無前例地成功。』

我說：『發生在我身上的事，無可能不成功。』

阿二阿三一起拍掌。『了不起！』『值得驕傲！』

阿大也笑得一臉歡愉。『來吧，看看你的青春有什麼話要說。』

神秘的歌劇院舞台驟然漆黑一片，從我的青春盒子內旋動出的幻光就是唯一的光源，我的青春照亮了這家詭異的歌劇院。

影像就在舞台上流瀉而出。而我，面對著自己的青春，淡定如常。

我的青春該有什麼話要說？還不是這一句：『財色兼收！』

＊　＊　＊

我的名字是小蟬，此刻，我在地鐵車廂中。

旁邊站著我的男朋友阿光，他正拿著一本週刊忙於閱讀，沒理會我。

不知道其他人會不會覺得我們是一雙情侶？對啊，我們已交往了兩年，而阿光說，一年之後會和我結婚。

他是認真的，上星期他才和我逛了一趟婚紗展，雙方家長也知道我們有意結婚的事。

他是我的男朋友啊！而我，在十分鐘之前，在月台之上，意圖殺死他。

殺死他殺死他。

推他跌落路軌、從他背後插他一刀、高空擲磚塊擊中他的頭……總之，最好給我快快死掉。

我是不是很差？太差了吧。

我既差又變態，兼且精神失常。

阿光忽然對我說：『那篇功課你替阿美打字了沒有？她下星期趕著要交。』

我告訴他：『阿美傳眞來的字跡不清楚。』

阿光說：『那你不會叫她再傳眞一遍嗎？』

我說：『阿美的功課該她自己應付。大學生，沒理由不懂得打字。』

阿光怪責我。『你當秘書的嘛！你打字的速度快嘛！你之前都肯替阿美打字的，你根本沒理由不幫她。』

我委屈地說：『阿美是你的妹妹，你這樣做只會寵壞她。大學生，連打字都不會。』

『諸多藉口！』阿光狠狠瞪了我一眼。

我明白的，他最不喜歡我逆他的意思。

都是我的錯。第一次當阿美問我可否幫忙給她打字時，我不好意思拒絕；於是，便有第二次第三次。

我就是這樣，從不知怎樣拒絕別人。

基本上，我甚至不懂得如何表達自己。

這陣子益發不想與阿光一起，但又不知道怎樣向他表達我的感受；於是，我日日夜夜想著如何殺死他。殺死他，他死了，我就不用爲了表達自己而傷腦筋。

我不喜歡你，但我不想罵你，不想說出口，只想你自動消失。

明白什麼是悶悶不樂嗎？明白何謂抑鬱嗎？我快要窒息了，下一秒……下一秒……阿光未死，我卻會比他更早死。

地鐵車廂車門打開，我比阿光早一個站，我去看電影，他回家吃飯。我走出了車廂，我們沒說再見。當擦身而過之時，我們就像一對陌生人。

他不喜歡我看電影，因爲那些電影他不明白；但凡他不明白的東西，他都認爲不會是適宜存在之物。

基本上，我喜歡的，他都不喜歡。我愛看歐洲的小眾電影，我認爲當中的趣味別致；我喜歡看書，一書在手，心靈特別寧靜；我喜歡藝術，我覺得只有懂得藝術之美，我們的靈魂才會昇華。

但阿光統統不喜歡，亦不理解。就因爲不喜歡又不理解，他就鄙視了。『所有賺不到錢的都是多餘！無存在價值！』

我曾經嘗試告訴他：『畢卡索一幅作品價值連城，藝術有價。』

他就一臉厭惡：『不要與我談藝術！我不懂得欣賞！』

那麼，我爲何與這個男人一起？

我們一起，是因爲他已經是我的最佳選擇。

認識阿光那年我已二十七歲，今年，我快步向二十九歲了。之前，我五年沒談過戀愛，上一個男朋友，與我交往了三個月之後，騙了我與家人十萬元，他說替我們投資股票，結果連人帶錢失蹤了。家人責怪我，我傷心欲絕，最後病了半年，又用了三年把錢還清給父母與兩名姊姊。我還以爲我不會遇上好男人了，直至碰到阿光。

是的，基本上，阿光是個好男人。

我們由親戚介紹，然後一見鍾情。

阿光長得英俊正派，當土木工程師，比我年長三歲，之前與一名女孩子交往了五年，是對方變心才分手。他和我約會了兩次就告訴我，他的目標是結婚，叫我放心與他一起，他不會騙我，不會辜負我。

在那一刻，我熱淚盈眶，多久了，沒這樣觸動過。阿光這番話，教我安心了許久許久。我的下半生，終於有人願意照顧吧！居然，有一個男人，肯眞誠地與我建立眞正的關係。

起初，我們的確很好。就像一對戀愛中的男女，我們儘量投入對方的生活。我與他的同事、家人朋友混熟；而他，亦陪我看看電影與畫展。我知他不喜歡這些活動，但他願意陪伴我，這已教我很快樂。

但後來，當然就不一樣啦，變得只有我遷就他，他不再遷就我。

我不怪責他，他工作辛苦，下班之後只想以他喜歡的生活方式消磨，於是他會打麻將、打桌球、看足球比賽、泡三溫暖。我眞的不介意。我介意的是，他因爲無法同化我而遷怒於我。

有一次我在閱讀《生命中不能承受之輕》，我對於當中『永劫回歸』的概念消化不了，因而我就在他跟前說起來：『我看不明白作者的理論，看了五頁，還是不明所以。』

阿光就說：『你這種人簡直自討苦吃！』

他的表情鄙夷又醜惡。

我非常愕然。我還以爲，他會溫柔地把我的書捧到他眼前，努力地爲我理解那些不明白之處。我想不到結果只是換來他的嘲笑。

不久之後我生日，你猜他送了什麼給我？一隻 Hello Kitty 布偶和一盒金莎巧克力。

我靜默了半分鐘，然後我決定，我要裝出笑臉。

我不忍心令他丟臉，於是，我選擇不去抗拒。當然，我失望極了。原來我在他心目中，只是一名配襯 Hello Kitty 與金莎巧克力的女孩子。

我很想告訴他我不是，但怎開口？

其實，他沒理由不知道的吧。他清楚我平日看什麼書，到哪裡看電影。只是，他不認爲，愛我，就要靠近我的心。

張三李四是這樣對待女朋友，他就有樣學樣了。阿光的姨丈常常毒打他的阿姨，大概阿光認爲男人不打女人，那個女人已是得到寶。

慢慢，我就明白，我與阿光的靈魂不會有溝通。

我們是兩種人。我不欣賞他的生活態度、圈子，他又不屑理會我對生活的要求。兩個人走在一起，並沒有互相融合與調和。他是他、我是我。

太奇怪了吧？這個男人有心與我結婚，卻又無心理會我是個怎樣的人。

有一次，我跟著他出席他同事的卡拉ＯＫ聚會，我一如平日，都是靜悄悄的。我喝著可樂，望著那數名男同事，然後我猜想，當中可會有任何一人，能與我眞正溝通得了。或許，那個戴眼鏡的會欣賞爵士樂的幽怨；而穿粉藍色襯衫的，讀過 James Joyce 的《尤里西斯》；胖胖的那位會不會渴望到南美洲探索古瑪雅文明？或許笑起來便看見齙牙的那名男生是印象派的支持者。

不知道呢！世界上，是否會有一個男人，他既愛我，又能與我溝通？

愈想愈不快樂。然後我看見，穿粉藍色襯衫那名男士所帶來的女伴，似乎也不享受是次聚會，她的神情冷冷的、輕蔑的，時不時強顏歡笑。

她看上去很矜貴，衣飾很講究，坐姿斯文優雅，像個大家閨秀。她見我瞪著她來看，便朝我輕輕一笑。

我與她交換了微笑。我可以肯定，她與我同樣感到格格不入。

與阿光一起，完全教我領會到何謂寂寞。心靈不能交流，做任何事也有形無神。

我不快樂，但我亦無勇氣離開。我失去他，便難以再找到另一個願意認眞的男朋友。我很明白現在的男人那些只求刹那快樂的品行，他們都不希望結婚。

是我沒用。不滿足、不快樂，但又無資格離開。

那麼，阿光，你爲何不自殺身亡？假如你死了，我就可以名正言順擺脫你。我沒能力跟你分手，因爲我知道，如果是我離開，我會後悔。但要是你死了，就再沒什麼後悔不後悔。

你肯死，就乾淨俐落。

我們每隔一陣子就會租住那些小酒店度週末。阿光愛躺在床上喝啤酒看電視。電視播出歐洲的旅遊片段，當中有一幕是街頭藝術家在拉奏小提琴，路人走過時會抛下金錢。看到這裡，我的心不住地牽動，這情景這氣氛，多麼的浪漫呀！我未到過歐洲，但我嚮往得不得了。

是在此時，阿光說：『這些乞丐，我見一個打一個。』

他喝了口啤酒，表情像個流氓。

我的心，瞬即冰寒起來，我完全不能接受這種反應。

一股猛裂的衝動激盪心間，我相信，我的表情變了，呼吸亦開始不暢順。我很想開口罵他，但一如以往，我開不了口。

我僵硬地躺在他身邊，我的頭仍然枕在他的臂彎中。我的眼眶溫熱了，我忍著快要滴下來的眼淚。

我深呼吸，叫自己冷靜。然後，我的視線隨意地落在房間的窗戶之上。頃刻，我湧出了一個念頭：『爲何，你不去跳樓死？』

接下來，我的視線放到橫樑之上。我的心又說：『又或是，吊頸死？』

當眼睛掃向床邊的玻璃杯時，打滾在唇邊的是這一句：『不如，割脈死吧！』

那是我第一次萌生殺掉阿光的衝動。而自此，如何逼他自殺、如何幹掉他這些念頭，無時無刻都在我心中徘徊。

揮之不去。

去死吧去死吧去死吧……

求求你。

給我死掉。

明不明白我的難受？

你們是否會支持我？

天啊！

那一天當我捧著一本葉慈的詩集來看之時，阿光忽然伸過手來把我的書搶走，他說：『你不知道我星期三跑馬的嗎？』

我咬住唇，委屈得很。

『看書看書看書！輸了的話由你來賠嗎？』

我走進浴室，對著鏡子掩臉落淚。怎可能，怎可能……

——不如，在浴缸中淹死他。

其實，剛才做愛的時候，我早已經想用枕頭悶死他。

怎可能……這個男人會是我的伴侶。

我說過我要殺掉他，我一直想著如何殺掉他。我無時無刻都想高呼狂叫，我無法制止這種既悲哀又殘酷的毀滅能量。

『卡夫卡不是乳酪，他是名作家……你只能看懂山水畫，這不代表山水畫才是畫……爲什麼一定要有歌詞的歌你才說不悶……看不懂的東西不代表是裝模作樣……想購物之時，不要只想起深圳……』

阿光阿光，我很想很想告訴你。我答應你，在我殺死你之前，我一定一字不漏地告訴你。

今夜，我和阿光又相見。本來我要加班，但因爲他說：『你今晚不出來，便以後不用出來了！』

於是我就鼓著一肚子氣下班。後來我才記起，今日是他媽媽的生日。其實，如果他願意收斂他的惡霸式語氣和態度，往往就能大事化小。我討厭極了他的粗心大意、毫無技巧的相處方式。

根本，他是個粗人。

阿光媽媽的壽宴設在一家街坊酒樓中，他們全家人的氣質都相像，都是充滿戾氣和粗魯的，阿光已經算是出類拔萃，斯文光鮮的了。我和他們一向沒什麼話題，但無人介意，我這種靜默的個性，向來與人無尤。說眞的，他們都對我有好感，因爲我看上去是個文靜斯文有禮貌的女孩，從來不曾對他們說不。

飲宴後阿光說想吃糖水，於是我伴他走到相熟的糖水店，每人要了一碗。他說著買樓的事，說了幾個一般住宅區的名字，我聽進耳裡又記不入腦中。你叫我如何熱衷？半生悠悠長，相對的是這個人……

我不喜歡中式糖水，我一向愛吃西式的。麵包布丁、香橙舒芙蕾、紅酒燴梨子、冰砂……阿光知道我的口味，但除了最初數次約會他願意與我吃西餐之外，這一年多來，他都沒有與我一起品嘗過。永遠是他想吃什麼，就要我跟著他吃什麼。

我討厭他，討厭他只肯用他自己喜歡的方式去對待我。我的感受呢？他有體會過我的感受嗎？

糖水吃了一半，我就吃不下去。阿光沒問候也沒關心，他胃口很大，把我剩下的一半吃光。我的表情明顯是不快樂啊！但他從來不會問上一句：『有心事嗎？不舒服嗎？』

爲什麼，我的男朋友會是如此。

吃完糖水，我們就並肩走向地鐵站，我比他早兩站下車，而他永遠不會送我回家，這麼近也不肯送。

要怪責的，似乎眞是數不完。

而忽然間，有一陣風迫近我的左邊，接下來，左手手肘一陣痛。

我定神一望，一名高大的男子擦身而過，而我的手袋——已落在他的手中。

『搶劫！』我高聲呼叫。『搶——』

餘音仍在，阿光已急不及待追上前。他比那劫匪長得矮小，但他跑得非常快，在半條街之後，阿光已追上他。

阿光扯著劫匪不放，然後二人揮拳相向，像兩頭兇惡的狗，勇猛地搏鬥。我也朝他們的方向走去，我按著心房，一步一驚心。

劫匪把阿光壓在地上，而阿光死抱著我的手袋。劫匪揍了他兩拳，阿光意圖還手，撲了個空。然後有人大喊警察來了，那劫匪才悻悻然跑掉。

我終於跑到阿光跟前，他被打得頭破血流。

我扶起他，他說話：『你沒有被嚇著吧？』

是在這瞬間，我淚如泉湧。從迷糊淚眼中我看見，阿光那披血的臉上掛著溫柔的微笑。

我只有哭得更淒涼。

——爲什麼，我一直想這個男人死？

——爲什麼，你的愛意要在這些時刻才肯表露？

——爲什麼，你愛我卻不肯用心去對待我、了解我、迎合我、遷就我？

——爲什麼你愛我愛得格格不入？

——爲什麼你不能有些許藝術氣質，然後與我從同一個角度觀看世界？

——爲什麼你是個庸俗的人？

——爲什麼，我和你不是同一類人？

抱著他，我終於忍不住說：『我知道你愛我……但爲什麼……』

——爲什麼，我仍然想殺掉你。

你是不是要死了？

看著阿光被抬進救傷車，我在想，如果你這次死不掉，在重生之後，你可不可以變成另外一個人？

經過這晚以後，我只有更膽小如鼠。

因爲，我更加不能放棄你。

你肯爲我流血，你肯英雄救美。作爲一個男人，你已表達了你的愛意。這樣一個男人，我更加不能夠分手。分開了，我會很後悔很後悔。

我已無法看得起我自己。我一邊不滿意你，但又一邊無法失去你。

世界上，沒有比我更無用的女人。

他們把你送進急診室，而我，呆呆坐在長椅上，無聲無息地落淚。

算了吧，我該不該認命？這個世界上，惟有你肯愛我，但我和你，不可能溝通得了。

世事竟然如此不完美。今後，我只能夠委身到一段寂寞的被愛關係中。

算了吧，我不會再企圖殺掉你了。我認命我認命。

醫生前來告訴我阿光無生命危險。我爲他辦理入院手續，又向警察錄了口供。我站在病床邊，阿光回復了些許精神後就又開口埋怨我：『一早叫你不要用那種小手袋，麻麻煩煩……』

我溫柔地撫摸他的臉，馴服地點下頭。他望了我一眼，見我似乎聽教聽話了，便不再責罵下去。他做了英雄，心情應該滿好的。

我離開他的病房，擾攘了半晚，也是時候回家。

我已經回復平靜。阿光死不了，明天又是差不多模樣的一天呀，他會粗鄙地做上一些事情，而我又會將不滿屈悶在心中。

沒完沒了，直至白頭偕老。

算了，不要他死了。或許，五年、十年、二十年之後，我會完全習慣他這種人，說不定，甚至能被他同化。到時候，我變得愛打麻將、常常大驚小怪、旅行定要參加旅行團、外國人等於外星人、認同藝術是不事生產的無聊事、古典音樂是扮高級、追求生活上的美感是最多餘兼且惹笑的事……

我走進升降機之內，從金屬的反映中我看見自己的表情，我既無奈又淒然，嘴角掛上了晦暗不明的冷笑。

認命吧。

升降機往地面輸送去，中途停了下來，鋼門開啟。垂下眼的我，先是看見三對穿著高跟鞋的修長小腿，那三對高跟鞋分別是粉紅色麂皮、黑色鑲閃石以及米白色縛繩的類型。

與醫院的環境格格不入。

然後我向上望，就赫然看見三個美艷的女人，她們有張美得不可思議的臉，那些眼珠子是透明的！她們三人梳著不同的髮型，但當我看仔細一點時，就看得出這三名美女是三胞胎。

她們身穿醫生袍，親切地向我微笑。

我說：『醫生，你們很美！』

三胞胎就嬌笑起來，儀態萬千地做出掩嘴、雙手按著臉龐、開心得忘了形等等姿勢。

不合情理地傻氣。

其中一人說：『對啊，我們是世界上最美艷的醫生。』

另外一人接下去：『我們醫盡女人的心。』

最後一人說：『而你，將會成爲我們其中一名最出色的病人！』

我聽不明白，於是多問：『我？病人？』

『小蟬……』她們叫喚我。

我的心一怔。『你們知道我的名字！』

她們朝我嫣然一笑，接著在升降機內脫掉醫生袍。

不由得不雙眼一亮，居然，醫生袍之下是內衣、睡袍和泳衣！

粉紅色鬱金香圖案蕾絲內衣醫生說：『我是阿大。』

黑色低V領半透明睡袍醫生說：『我是阿二。』

米白色斜肩女神型泳衣醫生說：『我是阿三。』

然後我說：『幹什麼？我是在夢遊仙境嗎？』

阿大望了望升降機上的閃燈指示：『到了！』

天啊，必定是在踏進升降機的一刻，我走錯了空間。

阿二對我說：『你會喜歡的！』

阿三說：『因爲你極有品味！』

升降機的門打開，我看見，門外是一間畫廊，白色、灰色的牆身上掛滿畫作。

『這……』我隨她們步出升降機。

我沿路向前走，看見了《馬戲家庭》、《吉他》、《坐在扶手椅裡的女人》、《佛拉套畫》……不得不停步。我低叫：『畢卡索的畫廊。』

走在我前方的三胞胎一起停下來，回頭望向我：『喜不喜歡？我們還有更多。』

我問：『全是眞蹟？』

阿大燦爛地笑：『哈哈哈哈哈！我們 Mystery 哪會收藏廉價贗品！』

阿二神情忽然激動。『畢卡索一生中最輝煌的代表作，我們全數擁有！』

阿三卻是一臉惘然。『說眞的，雖然我看不透當中意思，但我也頗喜歡！』

我走向左又走向右，眞的不得了……《鏡前的女孩》、《格爾尼卡》、《躺臥的裸女》、《牛頭》……

『天啊！他的傑作都在這裡！』我掩住嘴，完全不相信我所看見的。

阿大對我說：『果然是個資深的藝術愛好者。』

阿二含淚稱呼我：『我們的海藍寶石小姐！』

『什麼？』我定了定神。

阿三捧來一個玻璃盒子，她的神情恍如作夢一般。『這是你的青春。』她對我說。

我伸手把玻璃盒子的盒蓋掀起，內裡裝著一顆巨型的海藍寶石，寶石之上旋動出柔和的幻光。

『足足有二百克拉。』阿大告訴我。

我目瞪口呆，從沒看過如此名貴的珠寶。

阿二激動地說：『這就是你的青春！』

我眨了眨眼，急忙搖頭：『不不不，我的青春價值低廉，怎及得上這……』寶石太耀眼了，望著它，我想說的話都說不下去。

阿三滿眼憧憬：『你這價值連城的青春，將會為你達成你的愛情願望。』

我望向她們三人。『我的愛情願望？』

阿大饒富深意地笑起來：『我們什麼都懂。哈哈哈哈哈哈！』

阿二伸手擦掉流下來的淚，嗚咽地說：『你想甩掉阿光。』

阿三接著說下去：『然後與一名與你心靈有交流、富藝術細胞的男人一起！』阿三精靈地拍動長長的睫毛，『不是嗎？』

我退後一步，按住了心房。『你們……』

阿大依然是這一句：『我們什麼都懂。』

阿二聳聳肩：『你日日夜夜想著如何謀殺男朋友也沒辦法的呀！始終，你要的是一個更清晰的出路。』

阿三攤攤手。『阿光不會如你所願跳樓死又或是吊頸死。』她一臉無奈：『你的阿光會長命百歲！』

這三個女人看穿了我，我站在她們跟前，完全無秘密可言。我變成了一個透明的女人。我輕輕皺眉，一點也不好受。尤其是，她們看清楚的是，我心腸壞的那一面。我深呼吸，然後斷然否認：『我已放棄了要他去死的念頭，我早在未碰上你們之前就決心以後跟定他！』

『哈哈哈哈哈！』阿大仰臉大笑，笑完之後便說：『你以爲糟蹋自己之後騙得了誰？』

聽罷，我的臉便驀地通紅。又被說穿了。

我咬了唇，不得不承認。『我只騙得了我自己。』我低聲說。

阿二的眼眶又再湧上眼淚。『我們就是不忍心看著你忍受沒完沒了的煎熬。青春，該消耗在快樂與美感之上。』

我抽了口冷氣，默然不語。

快樂、美感……和阿光？完全組合不了。我眞的覺得很悲傷。

阿三誇張地把雙手按在胸脯上，眼望上方表情興奮：『一段充滿美感的愛情之旅正擺在你的跟前，只要你願意參與，你的靈魂就能與情慾一同昇華……』

我微笑：『阿三小姐你說得很吸引人。』

阿二說：『說中你的心事吧！』

我望向她們，輕輕苦笑。

阿大轉身，揚了揚手，說：『跟我來！』

阿大阿二阿三繼續在畫廊中向前走，我忙碌地欣賞兩旁的作品，同時，又急步跟著她們。這三個女人有女神一樣的姿態，神采飛揚所向無敵，跟在她們身後，忽然就覺得自己似個小孩子，又或是小貓小狗。能夠擁有她們百分之一的自信與光華，我的人生便能完全不一樣……

究竟她們是什麼人？而我又在什麼地方？

我走過畢卡索給他的情婦Marie-Therese瑪莉特麗莎所繪畫的畫像，他最愛把金髮健美豐滿的她畫成圓滾滾那樣，快樂又圓滿。然後，又看見一些哭泣的女人，她們的線條硬朗，尖角處處，當中的模特兒是Dara Maar朵拉，是畫家的另外一名情婦。她本身是攝影師，長得沉鬱冷峻，韻味獨特。再往前走，我看見長出眼耳口鼻的大花朵，這朵花，就是Francoise Gilot范思娃，曾經，畢卡索如此憐愛過她，她在他的心目中，是一朵芬芳的小花。

大畫家的生平逸事我全部都懂，他的畫作我更是瞭如指掌。畢卡索是我的偶像。

三胞胎停步，她們回頭對我說：『我們都知道。』

我怔了一怔。『知道？知道些什麼？』

阿三的笑容如夢似幻：『你喜歡畢卡索。』

我不以爲然。『很多人都仰慕畢卡索。』

阿二就說：『但你會是一名最幸運和特別的fans。』

當我正想詢問她此話何解，繼而我就看見，畫廊的盡頭不再是畫廊，而是……一間內衣店。

身穿不同款式內衣的櫥窗模特兒被一批長得一模一樣，全部穿著紫色corset束腹內衣的美女運送出來，我在內衣叢中迷茫地站著，一時間適應不了眼前的香艷和繁華，這些繽紛冶艷，令我自覺更加渺小。而阿大阿二阿三，則走在一個緩緩向上升的舞台上，舞台後的背景，亮出『Mystery』這個大大的英文字。

我仰望著她們，心中不由感歎：『太有型了！』看仔細一點，她們甚至轉換了身上的裝束。無論是內衣、睡衣抑或泳衣，統統是跳踢躂舞的情調，模仿黑白配襯的男裝禮服風格。

她們更從背後拿出枴杖。當把枴杖高舉，音樂就響起，那是《Moulin Rouge》的〈Lady Marmalade〉，彩帶、紙碎、羽毛從天而降，三胞胎載歌載舞，性感又風騷，台下那群穿corset的美女，一起拍掌扭腰助慶。

『Giuchie giuchie ya ya da da……』

『Giuchie giuchie ya ya here……』

『Mocca Choca lata ya ya……』

『Creole Lady Marmalade ohhh……』

突如其來的歌舞連場，看得我嘖嘖稱奇。爲了不顯得與眾不同，我也輕輕擺動身體，忽然間，數名corset美女前來圍住我，她們把名貴內衣一件疊一件穿到我身上，我在混亂中掙扎，又在心中低喊：『怎可能一次穿這麼多！況且我又沒脫掉衣服！』圍著我的美女的臉上全掛上誇張而興奮的笑容，我不知所措起來，掙扎得更起勁。

『不要碰我！』我低叫。『不……』

Corset美女的動作緩慢下來，她們終於肯放開我。我意圖站穩腳步然後喘氣，卻就在同一時候，七面全身鏡由地板中升上來，組成了一個疏落的圓形圍住我。我朝鏡內一望，啊，不得了，七面鏡中是七個穿著不同內衣款式的我。

酒紅色半罩杯內衣連襪帶和黑色絲襪，罩杯上的質料是透明的黑紗；蝴蝶展翅胸罩，左右兩邊杯位，就是蝴蝶的兩邊翅膀，中央部分，更配有立體的蝴蝶觸鬚；淡紅色薄紗短身睡袍，綴上蕾絲玫瑰；白色三點式泳衣，杯位的設計像是用粗繩子編織出來一樣，充滿熱帶風情；背心型兩截泳衣，圖案是萬千個小小的心；黑色縛繩束腹型內衣，質料是軟皮；天藍色背心型睡衣，配有雪白閃亮的獨角獸圖案，下襯三角內褲一條，花間仙子在內褲上飛呀飛。

我掩嘴大笑，眞的從來未如此性感過。

而且……

『海藍寶石小姐，Mystery 認爲，34B、23、35 的身形最適合你的氣質。另外以你五呎六吋的中等身高，配上四十一吋腿長就最完美不過。』其中一位 corset 美女對我說。

怪不得在鏡中望去，我的身形變了另一個模樣。她們連我的身材都改變了，我驚訝得說不出話來。

『Voulez vous couchez avec moi ce soir?』

『Voulez vous couchez avec moi ?』

音樂仍舊熱鬧興奮。而我，望著七個不同的自己，只懂得喃喃自語：『天啊，這不會是眞的……』

阿大阿二阿三在強勁的節拍中拾步而下，邊跳邊走到我跟前。

我又搖頭又掩嘴，不住的重複：『這個眞是我嗎？』『從今之後我就會擁有這種完美的身形嗎？』

我的肌膚發熱火燙，我入迷了。

阿大高笑三聲：『哈哈哈！』然後說：『要是你相信Mystery，Mystery就能令你夢想成眞！』

我抽了口氣，不知該如何回答，音樂跳躍又響亮，我伸手抓住往下墜的彩帶，感覺如夢似幻。

阿二看上去總是那麼感情豐富，她又再次淚盈於睫了：『除了阿光之外，你的青春還有別的選擇！』

我望著鏡中那完美但彷彿虛假的自己，這樣問：『還會有誰？』

阿三的表情猶如純情少女那般充滿憧憬。『試一個能與你心靈交流的男人好不好？』

我笑著說：『那會是誰？』

歌舞歡騰，喜氣洋洋，充滿希望。我深呼吸，讓自己從興奮之中平靜下來。

驀地，音樂聲驟然停止，Corset美女們止住了動作，全部整齊地站得直直。舞台仍然璀璨，但靜寂就令氣氛凝重起來。

阿大把那個玻璃盒子拿出來，然後掀起盒蓋。她說：『讓我們看看你的青春有什麼話要說。』

四周忽然漆黑一片，只餘下從我的青春中透出來的柔和幻光。

我終於肯相信，我的青春比我熟悉的更價值連城。我的人生，就從此刻開始燃亮希望。

在這黑暗中，我流下了激動的眼淚。

＊　＊　＊

第一〇七號當舖老闆加尼美德斯最近擴展業務，除了經營那所名聞遐邇、夜夜歌舞昇平的當舖之外，更開創了一個度假勝地：愛情島。

島上設施當然極盡豪華，務求令前來的客人得到最尊貴的享受。愛情島的職員會爲旅客實現最狂野、情深、難忘、幸福的愛情旅程，只要事先與職員計畫妥當，便能在這瑰麗的小島上享受最夢寐以求的愛情經歷。

無數的天使拍動雪白的翅膀在藍天下飛翔，他們爲單身前來的旅客製造最曼妙的愛情經歷。海洋中的人魚一群一群游動，當她們向愛情島揮手的時候，有緣看見的旅客就會得到最厚重的愛情祝福。島上的小孩全是愛情使者，他們每天都向旅客獻花，而每朵嬌美的鮮花都代表一次的愛情願望成眞。

現實中感情淡退的情侶，當到達愛情酒店後，一經check in，澎湃的戀愛慾望便立刻回歸；暗戀者光臨這小島的話，便能如願得到他所仰慕的人的愛情；失戀人士志在療傷？島上的電影院有催眠作用，只用花上一齣電影的時間，就能撇除失戀的創痛；相愛但困難重重的戀人，請走進愛情遊樂場，在擲飛鏢、射氣鎗等等的攤位上，可以隨意把可惡的愛情反對派擊敗，不同的攤位遊戲代表各種不同的惡勢力：情敵、父母、學業、金錢、環境、回憶……統統一應俱全，旅客可從遊戲中把這些因素任意消滅。

那些不再回頭的愛人，會含著淚在這小島上要求你與他重拾舊歡；就連原本無可能愛上自己的人，在藍天白雲下與你四目交投後，便會不由自主地愛上你。寂寞的單身人士請留意擦肩而過的俊男美女，只要你心動了，對方就會開始瘋狂地追求你。再沒有人是你匹配不起、愛不起，那個站在街角的萬人迷，下一秒就會迷戀上你。

愛情島上的旅客保證成爲愛情的大贏家，這裡的愛情不會令人創痛、不會包含背叛，不會出現暗湧；除非，是旅客特別要求的。愛情島上，只有幸福、激情、歡愉、感動。島上供應的所有食物，簡單如一塊煎蛋一杯牛奶，都蘊含最珍貴的愛情催化元素，令旅客愛得更眞更盡情更放心。

愛情島上的所有女旅客，都在愛人眼中變成最美麗最明媚最値得寵愛；男性旅客的愛人，一概認爲他們氣宇不凡、魅力出眾、威震四方。這裡的每一條綠草，每一口呼吸的空氣，每一絲微風都爲著愛情而存在。幸福的愛情早已沁進每一名旅客的髮膚與心坎，爲他們的人生點綴上最無懈可擊的一頁。

愛情島上設置浪漫小教堂，由加尼美德斯替被愛情眷顧的愛侶主持婚禮。

他是這樣說的：『我……我……加尼美……美美德斯……在此祝證你們結爲……爲合……合法夫妻……在愛情……情島的祝祝祝……福下，你們會白頭偕……偕……』

新婚夫婦等得不耐煩，而加尼美德斯還在糾纏於這個『偕』字之中。『偕……偕……偕……』

『老。』那名丈夫乾脆替他接上了。

『是……是的。』加尼美德斯吃力地點下了頭。

一男一女互相親吻，然後，愛情島上的愛情符咒就會伴隨他們的生命，永遠不會分離。

加尼美德斯看到終成眷屬的愛侶，自己也感動得雙眼濕潤。

加尼美德斯是人神之中最俊美的，簡直是美得發亮，絕對的風華絕代，只要他走在大街上，男男女女無不向他轉頭凝望，傾慕之情紛紛衍生。只是，當俊美的他一張口說話，別人剛在心頭湧上的愛慕之情就會立刻無奈地迅速瓦解。無辦法，第一〇七號當舖老闆兼愛情島島主患上了不治的口吃症，永遠無法順利地說完一句句子。縱然身分尊貴氣質高雅，他總予人一個傻傻的印象。

他更是著名的愛情失敗者。女人，凡人又或是神人，總是享受完他的美色之後就拋棄他。

誰叫加尼美德斯犯了尋愛的毛病？

這天，Mystery的阿大阿二阿三乘私人飛機到達愛情島。四周海天一色，陽光溫暖柔和，青草綠得像塗了油那樣，空氣清甜，微風溫柔怡人，飛翔的鳥兒也額外有靈性，牠們的歌聲猶如音樂盒中的音韻那樣清脆動人。

島上所有人都掛上戀愛中各色各樣的笑臉，甜蜜的、心滿意足的、昇華的、幸福的、激盪的、慵懶的、軟綿綿的、興奮的……

無窮無盡、沒完沒了、天昏地暗地愛愛愛下去。

阿二就說：『加尼美德斯這座愛情島搞得不錯呢！』

阿三也說：『加尼美德斯不失爲商業奇才。』

阿大說：『所以我們才千里迢迢到來與他商討合作細節。』

職員把三胞胎帶到加尼美德斯的辦公室。三人內進之後，卻發現一代首富加尼美德斯有那微震的背影，看上去怪淒涼的。

『怎麼了……』感情最澎湃的阿二走向前去安慰他。

加尼美德斯把身一轉，三胞胎便看見他淚流滿臉。

『哎喲，這麼可憐！』阿三憐憫地說。

『哈哈哈！』阿大最絕情。『不會又是給女人甩掉吧？』

『女人……』加尼美德斯說：『眞是沒……沒沒沒……良心。』

阿二撇著嘴問：『這次又怎麼了？』

加尼美德斯就淒淒地說：『有名旅客，本身也是當舖的客人，她因爲失戀，所以前來愛情島，我們的職員施盡渾身解數也不能使她開懷起來，無論我們派遣多少名一百分美男子，她也依然悲傷流淚。最後……我……我我……我……』

阿三揚起眉毛，說：『最後，你就親自出馬。』

加尼美德斯悲苦得面容扭曲，他淒然道：『她……她……她一看見我，眼淚就止住了，然後她主動對我……我說，可不可以……以讓她……她……她愛……愛上我……』

阿大怪笑：『哈哈哈哈！又是一個女色魔！』

加尼美德斯意圖反駁阿大：『我……我身爲島主，最應……應應該照顧旅客……客的心心情……而且，她長得很可……可愛，又似乎眞……眞心眞意喜……喜歡我。』

阿二疑惑起來：『你憑什麼認爲她眞心喜歡你？』

加尼美德斯說：『她看見我總是雙眼……眼……眼一亮，她又告訴我，我是唯一一個能令她心……心情平……平靜的男人。她還說，我有種魅力令女……女人覺……覺……覺……得可靠，如果她要找……找一個男……男……男人付託終……終生，她一……一定揀選我……』

三胞胎互望了一眼。

加尼美德斯嘆了一口氣，說：『我愛……愛……愛上她是因為，她令我……我知道，每次她一看見我，便不再流……流流……淚……淚。』

三胞胎開始面無表情。

加尼美德斯說：『我愛……愛令一個女人幸……幸福。』

阿大眨了眨眼，阿二撇下嘴，阿三雙眼翻白。

加尼美德斯又說：『她……她還說我是……是最……最棒的……她未見過有男……男人比我更……更棒！』

終於，三個女人忍不住齊聲大笑：『又給女人的甜言蜜語騙倒！』『女人來愛情島都只是為了度假的嘛！』『枉你身為島主！』『蠢材愛情狂！』

加尼美德斯惱恨塡胸：『我……我想要……要要愛……愛情！』

阿大教訓他：『就是因為你太心急要擁有愛情，於是每次也不看清楚對方的心意。怎可能對方一表示，你就整顆心送給她？沒理由所有女人都是你的眞命天女！』

阿三也忍不住說：『上萬歲的人，還不懂得與女人先做做朋友嗎？怎可能一次又一次失心瘋地一碰上便愛愛愛？』

加尼美德斯說：『爲什麼老是沒有女人肯爲我犧……犧牲？』

阿二洩氣了。『怪不得啦！你又向女人提出犧牲的要求？當她未愛上你，你就要她付出那麼多，她不跑掉才怪！』

加尼美德斯立刻仰臉悲哭：『我日日夜夜爲新人證婚，但我自……自己就……就……』

阿三攤攤手。『你還是魅力不夠，兼且緣分未到。』

加尼美德斯哭著問：『魅力？我還不算有魅力？』

『男子氣概！』三胞胎齊聲說：『你無！』

阿大告訴他：『一個男人，假如欠缺男子氣概，那麼無論他多善待女人，女人也不會愛上他。』

加尼美德斯有些如夢初醒的模樣：『是……是嗎？』

三胞胎一起點頭。

然後，加尼美德斯問：『如何才會有男……男子氣概？』

三胞胎交換了一個眼色，繼而阿大就說：『要是這次合作實行得了，你就眞的充滿男子氣概。』

加尼美德斯抹掉眼淚，輕輕說：『眞的嗎？』

阿二立刻擠出笑臉，告訴他：『上一回我們在第一〇七號當鋪向你提出過的那方案，成功實行的話，包管你從此威猛無敵！』

阿三解釋：『我們希望借用愛情島上的「名人模式戀愛計畫」。』

加尼美德斯明白了。『你們計畫把Mystery的客人與我們島上的模式名人配對。』

阿大點點頭：『還是有點出入。我們希望借用你們的時光控制技術，但重點是，我們的客人要與眞正的歷史名人談戀愛。』

加尼美德斯說：『野心很……大……』

阿三微笑：『我們Mystery有意思作出新嘗試。』

阿二則說：『Mystery不會虧待大名鼎鼎的第一〇七號當舖老闆兼愛情島島主，從今以後，我們會介紹更多的客人給你，而且……』

阿大閃亮一雙妙目：『我們會嘗試撮合你與我們的顧客。』

加尼美德斯精神抖擻起來：『眞的嗎？』

阿大告訴他：『Mystery有意拓展男賓服務。如能爲閣下達成萬年不果的愛情心願，將會令天下億億萬萬的男士對我們更添信心。』

加尼美德斯的神色凝重起來，思考片刻後才說：『那麼我們從詳……詳……詳計議。』

阿大阿二阿三互望一笑，她們倒是志在必得。

＊　＊　＊

私人飛機內正坐著Tiara和小蟬，她們被安排前往愛情島。

二人倒是一見如故。當四目交投時，熟悉的感覺教她們同時候怔住，各自在腦內搜索可靠的記憶。

還是小蟬心水清，她說：『我們在一次卡拉ＯＫ聚會中見過面。』

Tiara也想起來了。『啊，那一次……』然後她就擠出嘲諷的表情：『忘記它忘記它！不要告訴其他人我曾與那種男人一起！』

小蟬卻說：『不是呀，阿光說Terrance爲人不錯。』

Tiara皺起了眉頭：『這種男人怎襯得起我！』

小蟬倒也同意：『第一次看見你，我就覺得你似千金小姐。』

Tiara忍不住就亢奮起來。『呵呵呵呵！連你也這麼想啊！』面前女孩子長得清秀淡恬，Tiara對她也有幾分好感。她決定大方地與她分享快樂的事：『我也不怕說出來，不久之後我就會嫁進豪門呢！』

小蟬由衷地說：『那太值得恭喜了！』

Tiara說：『Mystery的三胞胎向我保證，他一定會娶我！』

小蟬瞪大了眼。『是嗎？又是Mystery嗎？阿大阿二阿三小姐也答應了會助我實現我的愛情願望。』

Tiara問：『你的愛情願望是什麼？』

小蟬羞怯地說：『她們會讓我試一試與一名能與我有足夠心靈交流的男人談一場教我極爲滿意的戀愛。』

Tiara呢喃：『心靈交流……我不否認這是一件好事。』

得到別人的認同，小蟬感到欣慰。她問：『Mystery可曾透露過用什麼方法幫助你夢想成眞嗎？』

Tiara回答：『她們說，要給我配襯一名偉大的男人，讓我好好學習如何與一個有財有勢的男人交手。到我學懂了，回到現實世界之後，就更知道怎樣與我的男朋友相處。你也明白的吧，有財有勢的男人，不是隨便招架得來的！』

Tiara說罷，就一臉驕傲。

小蟬倒是十分欣賞這種有點架式的女人，從來，人與人之間都是兩極相吸的。

小蟬問她：『那你知道是哪名偉人嗎？』

Tiara擺擺手。『我還未揀定。你呢？』

小蟬害羞地垂頭微笑。『我倒是揀定了，但要看阿大阿二阿三小姐她們的定案。她們說，要看看時空是否許可。』

Tiara的神情凝重起來。『也是的，這樣子的計畫眞是聞所未聞！』

小蟬抽了口氣。『所以我的心情很緊張。』

穿紫色corset的Mystery服務員爲她們送上午飯和飲料。

Tiara滿意。『是伊朗魚子醬，最高級的！而這種神戶牛柳要一萬元港幣一塊。』

小蟬目瞪口呆。『天啊！那我不能吃了！我怎會捨得吞進肚子中！』

兩個女孩子，一個嚮往奢華，另一個重視心靈滿足，卻又相處得不錯。

用餐後，Tiara翻閱飛機上的雜誌，她指著一張翡翠的照片，告訴小蟬：『當我五十歲的時候，我想擁有一只這種翡翠蛋面指環。你看啊，那色澤多麼通透豐潤，高雅又富貴！價錢也不壞啊，一百三十萬左右。』

『一百三十萬！』小蟬驚訝地叫出來。

Tiara又指著一條翡翠項鏈說：『這一件才名貴，一整串八十顆完美的翡翠，在拍賣行中的底價是一千萬港元。不過，翡翠項鏈令女人看上去似慈禧太后，還是指環貴氣但又顯得低調。』

小蟬讚歎道：『你的品味很昂貴！』

Tiara問小蟬：『那你喜歡什麼？』

小蟬快樂地說：『我酷愛藝術。』

Tiara覺得滿不錯。『說來聽聽。』

小蟬見有知音人，於是就愉快地分享她的喜好。『我喜歡一切藝術創作，畫作、音樂、電影、舞台劇、小說……只要富有美感、能打動人心，便具有精神昇華的美好感覺。而當中，我最酷愛畢卡索的作品，在十八歲那年初次接觸他的作品之後，我的身與心都被懾住了，當你了解到他為藝術帶來的變革和震撼，你就只能深深的敬佩他。他為整個二十世紀對美的觀感帶來全新面貌，他的破壞和創造，使他如神一樣的重要。』

Tiara聽罷，就點下頭來。『雖然我稱不上對藝術有研究，但我不得不承認，你的品味很高超！』

小蟬抓了抓頭皮。『不知道呢，自小我已很具美感的細胞。』

Tiara問：『你有沒有男朋友？是在卡拉ＯＫ的那個嗎？』

小蟬收起歡樂的表情，轉眼間就神情迷惘起來。『那個就是我的男朋友，但他不明白我。』

Tiara再問：『那你愛不愛他？』

小蟬輕輕說：『我也不知道。』然後自顧自笑起來。『但我無時無刻都在思考如何殺死他！』

Tiara立刻就亢奮了。『呵呵呵呵呵！』她掩住嘴大笑。『令女人洩氣的男人，女人都得而誅之！』

小蟬驚訝非常。『你也有過這種想法？』

『對呀！』Tiara坦白說：『討自己厭的人，最好立刻在世上消失！』

小蟬感到安慰。雖然只是一個念頭，但那邪惡的構想一直令她深感不安，眞是的，難得有人認同。

『還以爲無人會支持我。』小蟬感激地說。

Tiara笑起來。『放心吧！壞女人向來更吸引人。』

小蟬怔了怔，難道自己眞的算是壞女人？

不久，飛機飛到愛情島的上空，兩個女孩子不約而同把臉貼到窗前。

『愛情島！』小蟬興奮得叫了出來。

『我看見的卻是金銀島。』Tiara說。

當飛機降落地面的同時，島上的樂儀隊就奏出激昂的節奏。二人走出機艙的時候就有數百人夾道歡迎。

小蟬看得獃住。『太堂皇了！』

Tiara得意洋洋：『是我要求Mystery這樣配合的。怎麼說，我們都是貴賓！』

小蟬忍不住稱讚：『你的安排眞夠氣勢！』

Tiara便說：『所以，我怎可能不配襯一名超級有氣勢的男人！』

說罷，她就甚具風範地向在場人士揮手。

小蟬卻只懂得傻笑，怯怯地跟在Tiara身後。

Tiara在小蟬耳畔輕聲說：『幻想自己是五〇年代的女明星，奧黛麗赫本、葛麗絲凱莉。』

『是……是是……』小蟬發現自己的雙腿正抖震得厲害。

『又或是第一夫人賈桂琳甘迺迪。』Tiara揮手的姿勢顯得非常專業，彷彿她早已在家練習了千百次那樣。

正當她們享受著極具排場的歡迎場面時，Mystery的三胞胎以及加尼美德斯就在人群的中央向前邁進。這美麗得不可思議的四個異人，在他們的顧客跟前停步，然後熱情歡欣地說：『歡迎你們光臨愛情島。』

Tiara與小蟬的笑容同樣燦爛。Tiara說：『感謝你們這豪華的安排。』小蟬則說：『像極了大製作的電影中的大場面！』

阿大說：『既然滿意了，就該放心把命運交託給我們吧！』

Tiara聳聳肩。『我從來不曾看錯人。』小蟬說：『我相信你們。』

三胞胎齊聲笑起來，而加尼美德斯也興奮得臉紅紅，他吃力地吐出這句說話：『你……你……你們是……愛愛愛……情……情島的ＶＩＰ！』

Tiara與小蟬快樂地相視而笑，經歷尚未開始，但感覺已經那麼成功。

＊　＊　＊

Tiara和小蟬在愛情島上休息了兩日一夜，兩名女孩子都爲島上的設施著迷。Tiara的住所是一座古埃及宮殿，金壁輝煌，神秘又豪華。當中照顧了所有的細節，就連盛載洗髮露、沐浴露的瓶子也採用眞正的埃及古董，梳子鑲上寶石，浴袍是金色的絲綢，床鋪被枕由一縷縷金線編織而成。浴池有專人侍候，Tiara躺於內，接受了最華麗昂貴的水療，一千朵蘭花飄浮在肌膚之上，那滋潤髮膚的香液，來自一萬朵玫瑰的精華。每走一步都有侍女謙卑盡責地服侍，她們手持巨型的彩鳥羽毛作扇子，細心照料這名一夜皇后。只要Tiara擺一擺手，六名埃及壯男就會抬來金色大轎，讓Tiara安坐於內。既然身爲皇后，嬌軀極其矜貴，超過三十步的距離，也不該以雙腳步行。

小蟬居住的是禪意間，簡約的佈置，採用藍白灰的色調，房間外是一個沙園，住客可以站在小石路上爲兩旁的幼沙地磨劃出禪意的線條。室內幽香飄散，小蟬特意揀選了香檀木。晚上就寢之前，按摩師前來爲小蟬舒展身心，夜間的安詳寧靜，洗滌了原本紛擾的心靈。一夜無夢，醒來後的俏臉掛上了世上最幸福安然的微笑。早上用餐之際，就有畫眉站在庭園的枝椏上唱歌。當微風一送，大自然中的湖水、綠草、山巒氣息襲面而來，靈氣溢滿，令人忘卻了這仍是人間。

Tiara和小蟬隨自己的喜好享受愛情島的各項設備。Tiara得到一張無限額的支票，於是她往島上的拍賣行競標她喜歡的珠寶玉石，她得到了英國喬治三世的妻子夏綠蒂皇后的指環，這指環內鑲有喬治三世的肖像，皇后把這指環珍而重之地佩戴了一輩子。她又得到了Tiffany的最著名寶石：Bird on the Rock，那巨型的方形黃鑽之上，站著一隻鑽石鳥兒；另外，Tiara又競標得到Coco Chanel一百二十張設計手稿。最後她成功擁有一具古埃及的神像，那是ISIS，諸神之后，掌管生命與健康，Tiara認為，那神像的面容與自己有八分相似，實在非擁有不可。

小蟬的選擇是一間神奇戲院，只要她按下『接吻』的按鈕，史上最經典的接吻場面，都會在銀幕上出現，不管那片段是電影畫面又或是真實生活。她在戲院之內看到查理斯與黛安娜的閨房之樂；然後又看到甘迺迪總統與瑪麗蓮夢露的香艷前戲；法國著名作家西蒙波娃與沙特的相愛片段；英國劇作家王爾德和他的其中一名同性戀人；梵谷如何向他戀慕的少女示愛……總之小蟬想看的，眼前就會出現。

說不出的神奇和滿足。

晚上用膳之後，Tiara和小蟬一起被帶到愛情俱樂部。在一間佈置得高雅舒適的沙龍中，Mystery的三胞胎與加尼美德斯早在等候她們，當Tiara與小蟬安坐後，樂師就奏出輕柔的音樂，而服務員就奉上香檳。

阿大向兩位貴賓問好：『可滿意我們的安排？』

Tiara的興奮仍未消散：『你們使我明白何謂最上等的生活！而這亦是我夢想的生活。』

小蟬也說：『太合心意了，完全意料之外兼且別出心裁！』

阿二印去剛從眼角溢出的淚，這樣說：『我們Mystery從不叫顧客失望，我們最擅長寵愛女人。』

阿三閃亮著如夢的眼神，說：『有我們Mystery在，女人就再無失意。』

加尼美德斯也說：『而這……這次次次……Mystery與愛愛……愛情島合作，意念念念……嶄新，希望你們賓至如……如……如……』

『如……如……』加尼美德斯辛苦得快要窒息。『如……』

小蟬眨了眨眼，精靈地替他接下去：『歸？』

加尼美德斯舒了一口氣。『對，如……如歸。』然後他就閃耀著溢滿愛情的妙目，凝視著小蟬。『你眞是名好……好……好女……子……』

阿二看不過眼，怒目相向。『別理會這個男人，他會愛上世上任何一個稍稍善待他的女人！』

『不……』加尼美德斯意圖反對，卻又吞吞吐吐說不出來。

Tiara與小蟬一致認爲這個男人怪可憐的，長得俊美無雙，富可敵國，事業有成，卻又得到了一個令人煩厭的怪病。

Tiara決定這樣說：『島主，你放心吧，英國國君喬治六世也患有口吃病，他的妻子伊莉莎白皇后一生盡力與他一起參與治療。小缺點阻不了大優點，你一定會遇上了不起又深愛你的另一半！』

加尼美德斯更加感動，那雙望向Tiara的眼睛內，情不自禁地發放出雙倍的愛情能量。

阿三說：『無人愛上的人就是這樣，見一個愛一個。告訴你吧！非洲之星小姐與海藍寶石小姐將會委身到極了不起的愛情中，你要打主意請往別處。』

加尼美德斯欲辯無從：『我……』結局只有沮喪。『我……我……』

大家已不再理會他。阿大喝了口香檳，然後告訴Tiara和小蟬：『你們準備好了嗎？一個星期之後，我們會把你倆分別送到兩個不同的時空中，你們會各與一個世界級名人談戀愛。』

Tiara說：『我還未能爲此段經歷作出選擇。』

阿三望向小蟬，問：『海藍寶石小姐，你的主意已決了嗎？』

小蟬垂下眼，羞怯地輕輕說：『我揀選了畢卡索，他是我的偶像。』

阿二狀甚擔憂：『但畢卡索是史上其中一名最壞的情人！與他有連繫的女人，不是瘋掉就是自殺！』

小蟬微笑著搖頭。『能夠讓我遠遠地看著他我已經心滿意足。』

Tiara瞄了小蟬一眼，這樣說：『你眞是奇怪的女人！多麼難得才遇上此種機緣，你居然打算遠遠看著這個與你有愛情的人？我才不會這樣，我要全情投入與他相戀！』

阿三迷惘地問：『但那會是誰？』

Tiara的眉頭輕皺。『世上出現過太多有財有勢的男人，我無法拿定主意。』

阿大笑了。『不用費神，且看你的青春有什麼話要說。』

立刻，沙龍內的燈光熄滅，只餘下非洲之星在玻璃盒子中旋動出來的幻光，在音樂的陪襯之下，那幻光投射在大牆上，一張張世人熟悉的偉人臉孔出現在他們的眼前。

喬治華盛頓。『不……有權但無財，也似個大悶蛋。』

亞歷山大大帝。『不是吧！他是著名的同性戀君王！長得再英俊也與我無相干。』

成吉思汗。『不可能！別說笑了！原野生活？策馬射箭？天啊！』

莫札特。『藝術家……天才橫溢但貧窮，雖然懂得深愛身邊人，但還是留給小蟬好了。』

約翰甘迺迪。『你要我當上賈桂琳還是瑪麗蓮夢露？他那麼早死呀……』

希臘船王歐納西斯。『哎唷！我不介意扮作 Maria Callas 又或是賈桂琳甘迺迪，但我忍受不了船王一把年紀式的風流……這個嘛，讓我考慮一下。』

古羅馬時代的凱撒大帝。『嗯……似乎不錯，他英俊又充滿男子氣概，而我不介意成爲埃及艷后。只是，古羅馬……太遙遠了，我可以適應得了嗎？』

霍華休斯。『這個男人是美國的傳奇，二十世紀的億萬富翁，涉及的行業包括電影、航空……但是，他的個性很古怪，中年以後尤其深不可測。富有如他，卻選擇把自己幽閉在自製的牢獄中，與世隔絕……與這樣的男人一起，會快樂嗎？』

然後，出現了拿破崙。『這個嘛……』

Tiara 一直注視著非洲之星的幻光反映，沉默不語。影像中的拿破崙雖然遜於身高，但氣度不凡，征戰連連卻所向披靡，兼且，後來還當上了皇帝。他留情處處，卻又善待每一個愛過的女子；最吸引的是，他對妻子兼皇后約瑟芬的感情，眞摯動人。他是一名既有權有勢，富可敵國，而且懂得何謂愛情的男人。

Tiara 禁不住呢喃：『財色兼收……』

阿大微笑地望向她：『我看你已有了主意。』

Tiara的情緒高漲起來。『呵呵，就拿破崙吧！而我，要當上約瑟芬。』忍不住，她伸手做出了勝利手勢。

阿大打響了指頭。『好！成交！』

小蟬恭賀Tiara：『恭喜你，你快當上皇后了！』

Tiara笑得花枝亂顫。『當皇后！呵呵呵呵！我天生就該當皇后的嘛！呵呵呵呵！』實在太高興。

幻光熄滅，沙龍回復一貫的光亮。

小蟬問：『我們要準備些什麼？』

Tiara也說：『是啊是啊，可以帶些現代護膚品回去嗎？我一直慣用某牌子的晚霜，少用半晚皮膚便會欠缺水分。』

阿二說：『沒問題，你們可以隨便處理自己的行裝，只是當給古代人發現不對勁時，就要自行處理。』

阿三說：『你倆會在舊有日子逗留長時間，我們可以隨時給你們補給所需物品。』

Tiara按捺不住興奮，手舞足蹈。『居然如此方便我們？』

阿大便說：『此行是讓你們跟名人順利談一次戀愛，我們自然儘量令閣下得到最舒適的待遇。』

小蟬問：『我會與畢卡索一起多久？』

阿二告訴她：『你想逗留多久便多久，一切由你自己設定。但要謹記，一旦向我們確定了逗留的年份後，就要在限期之前回來。當然，我們會隨時出現在你們身邊，作出提醒。』

Tiara 和小蟬默記在心裡。

小蟬想起一個問題：『我一定要揀選某一個角色來扮演嗎？』

阿三搖頭：『多過一個角色亦無問題。』

小蟬於是說：『我可以扮演他所有的情人角色？』

阿三點下頭去：『是的。你甚至可以自創一個角色。』

Tiara 聽罷，便說：『那樣子便會擾亂了歷史空間。』

阿大告訴她們：『這種事是有可能發生的，所以，這項計畫我們研究了五百年，今日才成事。』

Tiara 再問：『影響了歷史空間該怎麼辦？』

阿大阿二阿三齊聲回答：『後果自負。』

小蟬瞪大眼。『很嚴重的吧！』

阿二說：『最保險的做法是扮演某個歷史角色，這樣子有時間的規限，亦有前人的路可供依循。』

小蟬問：『當我們由歷史回來現實之後，會消耗多少天的空間？』

阿大回答：『三十天。』

Tiara 問：『那三十天之中，現實中的我們在經歷些什麼？』

阿二說：『你們會各自經歷一次昏迷，當三十天過去了，現實中的你們會自然甦醒。』

阿三說：『無論你們回去多久，現實生活中，都是三十天。』

Tiara 聳聳肩。『那很完美啊！』

阿大燦爛地笑。『送給你們一段完美的經歷，就是我們的願望。』

小蟬感動得說不出話來，而 Tiara 則聲聲感嘆：『太了不起了！Bravo! Bravo!』

阿大說：『兩位在一個星期後會經歷一次嚴重的車禍，你們的精神會降落在設定的空間。現在，我們會有專機把你們送回現實生活中，你們要在一個星期內閱讀有關名人的資料，並且決定要以何種方式與該名人相處。Mystery 會派員聽取你們的意願。』

小蟬說：『很緊張呢！只剩下一個星期！』

Tiara 倒有不同意見：『關乎終身幸福的計畫，不妨速戰速決。』

* * *

作爲一名能幹而處事周詳的女性，Tiara 把所獲得的資料閱讀和消化之後，便整理出一套『皇后方案』。

她首先分析拿破崙：『誕生於一七六九年，地點是科西嘉，該處是一個被法國兼併的獨立小島。十歲入讀布里安的法國軍校，因著一口義大利口音的法文而屢遭取笑。自小沉靜、認眞、著重思考、不合群、競爭性強卻富領導才能。拿破崙的名字意謂「荒野雄獅」，而他亦不負眾人的期望，在二十六歲那年因鎭壓巴黎暴徒立下大功，成爲法國國內軍總司令官。翌年與約瑟芬結婚，之後征戰頻繁，屢建奇功。一七九九年被法國議會宣佈他爲法蘭西共和國終身執政者，再於一八〇四年由公民投票決議他爲法蘭西共和國的全民皇帝。在野心勃勃的侵佔下，拿破崙使法國成爲全歐洲版圖最強大的國家。一八〇九年與約瑟芬離婚，一八一〇年迎娶奧地利公主爲皇后。一八一二年大舉入侵俄國，元氣大傷。一八一四年被迫簽下退位書，離開法國前往地中海的厄爾巴島軟禁，同年約瑟芬在法國逝世。一八一五年返回法國發動政變，然而失敗，最後被軟禁於聖赫勒那小島。一八二一年在該島逝世，享年五十二歲。』

『明顯地，拿破崙是軍事奇才，而且博學多才，年少得志，成就來得早，要風得風，野心鼎盛，是一個不會滿足的人。不重視享樂，但重視榮譽、成就、權力。不屈不撓，以當上世界最偉大的統治者爲目標。』

Tiara 寫下她對拿破崙的感想，她覺得滿不錯啊，有野心又實現得了的男人，都是曠世英雄。

『嗯，英雄……很棒呢！』Tiara 一邊喝著咖啡一邊呢喃。『雖然身高只有五呎六吋，但長相不賴啊！圓大的眼睛正氣富神采，鼻子高高，臉形也討好……人無完美，他欠缺的只是軒昂的身高。這方面，我受得住。』

想起之前兩次的戀愛經驗，對方都是高大英俊類型，卻教她那麼不滿意，外型滿分的男人，早已不是她喜歡的類型了。當然，如果拿破崙能有 Mr. Cocoa 的外型，這次 Mystery 之行一定會更澎湃心跳。『算了吧……可以當上皇后，其他事項就將就將就……』

『又不是永遠與這個小個子一起。』Tiara 笑起來，表情有點奸詐。

接著，Tiara研究拿破崙的女人。

『第一個出現的是黛瑟蕊柯里Desiree Clary，她是拿破崙的初戀情人，但後來拿破崙移情迎娶約瑟芬Josephine Beauharnais，她下嫁拿破崙之前已結過一次婚，並育有一子一女，丈夫是法國貴族，在革命時期人頭落地。她在一八〇四年被封皇后，一八〇九年與拿破崙離婚。』

『第三個女人是寶蓮霍華絲Pauline Foures，她與拿破崙在埃及邂逅，年份是一七九八年，那時候拿破崙已娶約瑟芬。這名情婦與拿破崙同居兩年。第四位女性是喬治小姐Mademoiselle Georges，她是當代一名艷名遠播的名伶，於一八〇三年與拿破崙有過情緣。第五名是彼娜葛拉席尼Giuseppina Grassini，她是著名女高音。第六名是波蘭貴族瑪麗華萊斯卡Marie Waleska，相遇在一八〇七年，並在一八一〇年誕下拿破崙的私生子。最後一名女性則是奧地利公主瑪麗露薏絲Marie-Louise of Austria，他們在一八一〇年成親，公主爲拿破崙誕下皇位繼承人。』

被拿破崙指染過的女性可能不止此數，但這七位就是最著名的。Tiara花了不少心神去決定自己的角色。最初，當她揀選了拿破崙爲目標男性之後，自然就把約瑟芬選爲最理想角色；只是，當她了解到拿破崙在婚後複雜的情史時，她又覺得當上約瑟芬這人物有很大難度。

『扮演奧地利公主會不會沒那麼吃力？她始終是大英雄的最後一名女人。』

『讓我想清楚……奧地利公主與拿破崙相處的時間只有四年，期間拿破崙長年在國外征戰，兩人的感情其實不夠深，當拿破崙被軟禁之時，奧地利公主根本沒有探訪過他。這樣子的關係，政治成分最重，看上去，要是成爲她，將不會得到太滿足的經驗……』

Tiara再仔細研究其他角色，勉強有多些戲分的是波蘭貴族瑪麗華萊斯卡，然而她與拿破崙的關係斷斷續續，又沒機會當上皇后。

Tiara 就否定了：『不能成爲皇后實在太叫人沮喪。』

最終，經過深思熟慮，還是決定約瑟芬才是最佳的選擇。

之後，Tiara 就廢寢忘餐地鑽研約瑟芬的角色。

『約瑟芬生於一七六三年，比拿破崙年長六歲，父親爲法國王室騎兵隊長。當她十六歲的時候嫁給波柯尼子爵，生下一子一女，革命之時丈夫被送往斷頭台，約瑟芬卻得以脫身。

『約瑟芬長得高雅迷人，她的五官完美，琥珀色的眼睛神秘又光芒四射，而一雙濃眉是天然的柳月形狀。髮色爲一種雅致的棕紅色，身形秀巧適中。而最廣爲人熟知的是，約瑟芬擅長從高貴的外型下散發出夢幻的銷魂，這種女人，確是男人最佳的恩物。』

Tiara 發出『呵呵』兩聲，然後就說：『那麼即是「暗姣」，高貴但又懂放電。』

她覺得無難度。Tiara 一向認爲自己魅力非凡，裝出高貴的舉止更是輕易的事。她喃喃自語：『厲害啊，這個女人！』都不清楚她說約瑟芬還是她自己。

『被稱爲巴黎第一美人的約瑟芬周旋在上流社會的名男之中，藉此得到優質的生活。拿破崙也略有所聞，然而就是對她一見鍾情。約瑟芬貌美驚人，最重要的是氣質超凡舉止優雅高尙，神韻千嬌百媚。拿破崙被迷倒了，更決意娶她爲妻，那時候他二十六歲，她三十三歲，他的事業剛剛到達第一個高峰。』

『婚後兩日拿破崙出國征戰，而之後的三年約瑟芬過著與婚前一樣的放蕩生活。她並沒有愛上自己的丈夫，於是她繼續與某些名男有關係。早在一七九九年，拿破崙曾想過拋棄這名不忠的妻子，但遭約瑟芬苦苦哀求，婚姻得以繼續。』

『拿破崙深愛約瑟芬，但在妻子早年的不忠陰影下，他亦開始了一段接一段的婚外情，那時候，他的事業蒸蒸日上。約瑟芬已不再胡亂鬼混了，拿破崙縱然有其他情人，但亦無想過離棄她，她依然是他的最愛。一八〇四年拿破崙稱王，他亦欣然與妻子分享榮耀，封她爲法國皇后。

『他倆一向感情甚佳，而轉捩點是拿破崙遇上波蘭貴族瑪麗華萊斯卡。原本她只是一名情婦，卻因爲有了身孕，因而令拿破崙明白，約瑟芬一直以來不育，不是因爲自己。貴爲「法國大帝」的拿破崙，渴望得到一名兒子承繼他的帝國。他不會迎娶瑪麗華萊斯卡，他的如意算盤是奧地利的年輕公主瑪麗露薏絲，把她封爲皇后，更有助與奧地利的進一步友好。

『於是，基於不育與政治因素，兼且約瑟芬早年名聲不佳，拿破崙於一八〇九年與她離婚。

『失去皇后封銜的約瑟芬生活仍然奢華安逸，拿破崙一向善待他的所有女人，縱然不再一起，卻還是照顧有加。分開生活之後二人偶有見面，約瑟芬對拿破崙的事業仍然緊張、看顧，他們的情誼並沒退減。當拿破崙被軟禁在厄爾巴島上時，約瑟芬則在巴黎過世，時爲一八一四年。

『約瑟芬與拿破崙的十三年婚姻，亦剛巧與拿破崙的事業高峰期同步。自一八〇九年仳離之後，拿破崙的事業開始下滑，故有人認爲約瑟芬是拿破崙的幸運符，失去她，就連運氣也消失。』

最後，**Tiara**讀到這一句：『一八二一年拿破崙於聖赫勒那小島逝世之時，在最後一口氣前彌留唇邊的說話是：「法國、軍隊、約瑟芬」……』

『嗯……很感人呢！』**Tiara**呼出一口氣。

Tiara細心編寫她的筆記。『要成爲約瑟芬，首先要擁有她的優點，她的美貌、舉止、對付男人的智慧、人緣好、受愛戴……統統保留。』

然後，Tiara又決定：『但缺點呢，我要儘量刪減，我要成爲一個更成功的約瑟芬。』『是的，這次計畫的目的是學習與偉大的男人相處，無理由要犯上那些愚蠢的錯誤。』Tiara點下頭，確定這就是重點。

『如何才能使一個偉大的男人深愛我？』Tiara咬著筆桿認眞細想：『不可以不忠，不可以叫男人丟臉。』

『對了，我要成爲一個無污點的約瑟芬！』Tiara很滿意自己的構想。『我也要每天向我的男人表達我的支持與愛意，我要扶助他成爲一個更成功和快樂的男人！』

不期然的，Tiara就沾沾自喜了，愈想愈興奮。『棒啊！』她自顧自稱讚。

看著那份情婦名單，Tiara皺了皺眉，然後說：『作爲一名成功的女人，就要把丈夫的情人一個一個打敗！』

Tiara看上去戰意高漲，她握著今天晚上的第三杯咖啡，臉上有那遇敵殺敵的豪邁表情。

『一定要好好研究那幾名運氣不好遇上我的情敵。黛瑟蕊柯里身爲初戀情人，後嫁拿破崙敵人，成爲瑞典皇后，她的威脅性不大。寶蓮霍華絲與拿破崙遠在埃及鬼混，眞要想想法子。喬治小姐與彼娜葛拉席尼這些女藝人，該不難應付。麻煩的是波蘭那名瑪麗華萊斯卡，她是整段婚姻的轉捩點，還有奧地利公主瑪麗露薏絲，她是著名歷史人物，不能被刪除。』

想到這裡，Tiara疲倦起來，思路也不再清晰。於是，她離開書桌，走進浴室，放了一缸加進薰衣草的暖水，她泡在水中央，薰衣草的氣味叫她精神一振，也是在同一時候，腦內靈光一閃。『啊……我知道了！』

立刻披上浴袍，走回書桌前。Tiara寫下這一句：『我扮演約瑟芬的時期由一七九六年他倆相遇之時開始，至一八〇九年仳離的同時結束。那麼拿破崙之後與誰結婚我也不用理會，這樣子，亦沒有搞亂他與波蘭的瑪麗華萊斯卡的緣分，以及與奧地利公主的姻緣。與這個男人一起十三年，一切都足夠吧！好！一經歷離婚我就離開！』

Tiara作出結論：『十三年的戀愛實習計畫，一定能把我鍛鍊爲人中之鳳！』

* * *

最初，小蟬也只像其他人那樣，知道畢卡索是偉大的畫家，而他的作品不是人人看得懂。奇異的立體方塊、五官扭曲的女人臉孔、拼合而粗糙的雕塑作品……哪裡看得出美感？不如看一幅印象派的荷花池好了。

是在十八歲的那一年，中五會考放榜之後，小蟬才對畢卡索認識起來。那一年的會考成績很平凡，只有英文成績優良，中六是讀不上去了，小蟬決定讀商科，兩年之後當秘書吧。事業上她沒什麼大志，而人生呢，更加無任何目標。

那年小蟬剛與男朋友分手，是初戀，交往了半年，會考時期在自修室認識的。那個男孩子也同樣的平凡，瘦個子，戴眼鏡，讀理科。他也考會考，但成績比小蟬好，他升讀中六。後來他告訴小蟬他的家人反對他考進大學前談戀愛，於是兩人分手。小蟬覺得沮喪，被人拋棄總是難受，卻又很快康復了，說眞的，那只是一段逛街看戲接吻的關係，愛情未萌芽就結束，記憶全都模糊粗疏。

試過談戀愛，也總算了結了一件心事，只是，成長沒隨初戀而來，小蟬仍然是那個害羞、不問世事的女孩子。入讀商科學校才爲她帶來重要的轉變，那裡的女學生全被學校鼓勵打扮得花枝招展，看上去都比眞實年齡成熟，學校相信，外表成熟便帶動心智的成長，這班女孩子要儘快適應商業社會。

小蟬並沒有在這所學校裡結交到知心友，但她喜愛這學校，因爲那個小小圖書館收藏了很多外國雜誌，自小甚有美感細胞的她酷愛漂亮的照片，於是，每天窩在圖書館中翻雜誌就成爲她的重點活動。

時裝、電影、明星、財經、藝術……而當中有一本投資雜誌的封面是一張人像畫，純藍色的背景前，是一個大眼睛留鬍子的英俊男人，畫家把他的頭髮與外套繪畫成深藍色，而面容，是一種悲慟的蒼白，隱隱透出一片暗藍。

畫中人哀傷、倔強、輪廓分明、非常富男子氣概。小蟬閱讀封面的大字，封面的主題是畢卡索作品的拍賣價創新高點。

她翻閱內文，然後發現封面那藍色的美男子，原來是畢卡索的自畫像，繪畫於一九〇一年，屬於『藍色時期』的作品，初從西班牙到巴黎走了一轉的畫家剛滿二十歲。『爲什麼他會這樣悲傷？這張臉在沉靜中是那麼淒然。』小蟬在心中生了問號，而不知不覺的，她就愛上了畫中那雙憂鬱的眼睛。

她找來參考書，繼而她就明白了。當畢卡索在巴黎時，與他一同由西班牙離鄉背井的好友爲情自殺，這對畢卡索來說是個極大的打擊。當時，他的生活並不如意，法文說得差，又找不到眞正賞識他的人，巴黎的冬天又是不可思議的冷……悲傷、危機、混亂，使他墮進憂鬱中，後來他甚至與好友的女朋友一同居住，是這個女人，直接令最好的朋友捨棄生命……

大畫家那不快樂又迷惘的年輕歲月感動了小蟬，她多麼希望了解這個男人。她曾經單純地以爲，名利雙收的人不會有眞正的傷感，原來不是這樣的。沒傷透心的人，畫不出那幽靈一般的藍。

當其他女同學鑽研化妝衣著之時，小蟬就研究她的畢卡索。她看到他由『藍色時期』步入『玫瑰色時期』，畫家正在戀愛中，那漂亮的女人是Fernande Olivier，費爾藍德，他們生活窮困，但愛得狂野奔放，酒館中、咖啡室中、河畔、蒙馬特山上……都有愛情的蹤影。那是一九〇五年的夏天。

畢卡索開始活得似個眞正的男人，他的作品有人收購，亦更能融入巴黎的生活，他與費爾藍德的愛情亦如意，他總爲著她出眾的美貌而驕傲。他體驗了一生人中的首次愛情經驗。

看到這裡，小蟬心生羨慕，成爲偉大藝術家的愛人一定是件十分了不起的事，女人已不再只是女人，她成爲了畫家的靈感女神，畢卡索的玫瑰紅時期，洋溢著愛情的愉悅。繽紛的雜耍藝人，成爲了他主要的描繪對象。

只是，畫家的愛人，都有她們的委屈，費爾藍德後來說：『畢卡索不能有一刻見不到我，到最後，他就像幽禁一樣的對待我，我只能留在他身邊……』

她不能與其他男人愉快地交談，她不可以任意展露天生的風韻，從此她只屬於大畫家的私人擁有物，他甚至會在自己外出的時候故意把費爾藍德反鎖家中。然後，小蟬就開始更了解畢卡索，他是一個妒忌心強的男人，兼且對身邊的人與物有著強烈的控制慾望。

年輕時期的畢卡索常常拍照，二十來歲的他非常英俊，眉宇間充滿著懾人的魅力，雙眼透露著澎湃的慾望和精力。畢卡索是一名難以教女人抗拒的男人。

小蟬盯著照片，她想，就算爲這個男人幽閉一生也是一件快樂的事。女人的事業假如是成就一個偉大的藝術家，也不失爲幸福。只是當小蟬把畢卡索一直研究下去之後，她便發現，所有有野心充當靈感女神的女人，最後都只能落泊而回。

從來愛上一個人都要付出代價。而愛上畢卡索，付出的就更多、更多。

畢卡索那驚世駭俗的作品《亞維儂姑娘》在一九〇六年完成。畫中是五名裸體的婦女，她們的臉孔全像戴著面具，而女性的軀體上充滿稜角，看上去令人生畏，極不愉快。這是一個重要的里程碑，女人的臉從此有了新的拼合，也是由這時開始，畢卡索的畫風就走向所謂的『立體主義』時期。

費爾藍德再迷人再馴服，卻已不能再燃起她與畢卡索之間的火燄。畢卡索與她分享了很多藝術上的事情，譬如他對非洲原始藝術的崇拜、他爲繪畫風格帶來重要突破的意義……然而就是沒再說及愛情。他們在一九一一年正式分手，費爾藍德帶著行李傷心離去，畢卡索已經完全不再愛她了。他曾經瘋狂地想盡辦法獨佔這個女人，到她以爲一生都是屬於這個男人的時候，他就連眼尾也不屑再望她了。

小蟬忽然明白了一回事，這個男人的感情可以極澎湃，又可以極無情。他愛著你與不愛你的時候，根本是兩個人。他向女人展現出何謂激情，亦使女人體會到什麼是寡情薄倖。愛與不愛，是天堂與地獄。當愛情煙消雲散之後，女人會懷疑，這個男人是否眞正的愛過自己。愛情，眞的存在過嗎？

其實，費爾藍德所得到的待遇，相比之後畢卡索的其他女人，已算是不錯。但又神奇地，當每一個活在巴黎的女人都聽聞過他的壞情人行徑後，還是前仆後繼地成爲他的身邊人。小蟬凝視畢卡索那雙在霸氣之中繾綣著愛慾的眼睛，她嘗試去明白和了解。後來，她就有這個結論：『女人都是爲著這個男人的偉大。』爲著親近一個偉大的男人，女人乖乖排隊等待犧牲。

小蟬合上書，她問自己，如果有此機會，她會不會也一樣？想了半晌，她就微笑起來，她知道，她也會一樣。

爲什麼不？女人的小生命有何意義？如果沒有被這男人感染過，女人的人生什麼也不是。流過淚流過血又深深痛苦過，然而最低限度，也叫沒白活過。

每個人都盼望著偉大。由一個偉大的男人身上偷來少許，也是光彩的。

看上去愛得卑微，其實是沾沾自喜吧！

那時候小蟬日復日地學習打字、速記、商業法律、辦公室的運作、打扮、儀態……她知道，縱然再努力，也無可能出類拔萃。

外型長得清秀，留有一把貼服的長髮，雖從來不令人討厭，但也不叫人驚艷。後來她正式當上秘書，在那種數百人的大機構內，她繼續毫不起眼，平平淡淡。

無知心朋友，也少異性緣，親情亦淡薄，如果不是一心酷愛藝術，眞的會以爲自己根本無生命。她每天所做的事，任誰也能替代。當地球失去她，有誰會過問一句？

當每一次爲著美感而觸動，她都會心生感激。如若不是十八歲那年遇上畢卡索那雙複雜的眼睛，她便不會立心學習那麼多東西。被啓發了之後，生命才眞正開始。

懷抱著『畢卡索是我的偶像』這心情，她每星期都看話劇、電影、藝術展覽、閱讀小說……人際關係冷漠、感情生活寥寥可數，但小蟬活得並不寂寞，心靈豐足得不得了。一想起自己在這方面的高程度，免不了就有種快樂的驕傲。

『我和你是不同的，我比你高級。』這感覺多好。

生活在一種孤獨的激情中。平凡的外表和際遇下，她享受著自己才明白的高尙。

畢卡索的事業成就在一九一〇年代逐漸走上高峰。在『立體主義』時期中，他以建築學原理創造出嶄新的人體美感，摒棄了傳統的情感表達。當眼睛被塑造爲長方形，嘴巴只是一個三角形之時，畫中人的個性就被打壓了下來。同時期的雕塑作品也是如此，使用了大量的拼貼，不同的物質被重新組合，然後再融和拼湊在一起。

畢卡索說，這是舊有物品在新世紀中得以重生的形態。而小蟬則這樣想，這個盛年男人，已逐漸把自己當作神。他的藝術世界，都在破壞與重整中徘徊，他渴望的形態，不再是上帝恩賜那模樣，他立心破壞祂，然後又超越祂。

他粉碎美和藝術的傳統認知，他的偉大在於一種勇敢的全新建立。

還有誰能擁有這種勇氣?他的威猛是無以復加的。

一九一二年，畢卡索再次瘋狂戀愛，他愛上了一個名爲伊娃的女人。伊娃滿足了他強烈的支配慾，這段情可說稱心。但在一九一四年，伊娃病危之時，口中喊著深愛她的畢卡索，卻與一名叫加比的少婦熱戀。

或許，這是一種獨特的愛情風格，愛一個人，卻又恣意地傷害她。畢卡索眞心地深愛伊娃，當她在一九一四年逝世時，他悲痛欲絕。然而，他又瞬即與加比同居，每天情話綿綿，信誓旦旦。他向這個女人求婚，不久卻又拋棄了她。他的目光投向其他迷上他的女人身上，愛火總是奇異地猛烈但又短暫易逝。上一秒他愛得瘋癲，但下一秒他又自然舒暢地把愛人忘掉。

畢卡索的第一段婚姻始自一九一七年，對象是俄國貴族兼芭蕾舞家 Olga Koklova，奧爾佳。在同年，畢卡索替奧爾佳繪畫了她的肖像，罕有地，畫中女郎的眼耳口鼻整齊端正，姿態也像個凡人。在這時期，畢卡索看重規則和紀律，他的畫風古典化起來。除了是奧爾佳的影響外，亦吻合了第一次世界大戰後對秩序重整的渴望。畫家欣然邁向另一個風格上的突破。

畢卡索對奧爾佳可謂盡力忠心，始終與貴族結連，令他的地位又再提昇了，三十三歲的他非常善待這個二十五歲的妻子。奧爾佳酷愛上流社會的派對，畢卡索也儘量參與，他每天努力工作，但亦克盡當丈夫的責任。

起初這的確是一段成功的婚姻，畢卡索遷就妻子，少與他的波希米亞友人來往，然而上流社會的生活沉悶得可以。在夫妻間的協調下，表面上合作的丈夫，在心底裡卻逐漸萌生怨恨，奧爾佳喜愛跟丈夫與兒子在沙灘度假，那些在私人沙灘上嬉戲的非富則貴女士，在畢卡索筆下全變作海狗海象一樣笨拙，又或像大石一樣無趣、頑固。畢卡索對所過的生活，作出無聲的抗議。

在二〇年代中，畢卡索的畫風傾向現實主義，而他與奧爾佳的婚姻亦趨向崩潰邊緣，兩性之間的戰爭成爲了這期間其中一項繪畫的中心思想，女性在他的畫筆下，臉孔變形、形態可怖，猶如惡魔一樣。

在一九二五年的作品《接吻》中，女人的形態支離破碎，而畢卡索說：『每當我愛上一個女人，所有事物都被瓦解、撕碎。』愛情並沒教他感覺甜蜜，反而製造出不受操控的狂暴與毀滅。一幅又一幅變形的女人肖像排山倒海地被炮製出來，她們的眼、耳、口、鼻、牙齒、舌頭……散佈在不該出現的位置。在一九三〇年那幅《坐著泳者》中，女人的頭部完全不似人形，她的嘴是齒形的陰道，而頭形則像是螳螂在交配。女人的舌頭不斷地被繪畫成如利刀一樣，漂亮的嘴巴則像捕獸器。一九三〇年的《耶穌受難圖》中，那名在十字架上受難的耶穌似乎正是畢卡索本人，旁邊那些原應憐憫耶穌的女性，全露出吵鬧、兇殘、恐怖的容貌，張得大大的口中，牙齒尖而疏，分明是朵食人花。

小蟬看得哈哈大笑。奧爾佳再令畢卡索不滿，都是一些皮毛小事，她可算是忠心的妻子與好母親；婚姻走下坡，大部分是因爲生活未能協調。別的丈夫或許會作出挽救，但畢卡索選擇了怨恨、嘲諷、破壞、不忠。這個世界上的女人只可以無止境地令他充滿樂趣，偶然令他不滿意，頃刻他就殘暴起來。奧爾佳究竟做錯了什麼？她竟然令畢卡索把對女人的觀感轉化爲惡魔一樣的怪物。他痛恨女人、痛恨他的妻子，於是他在畫布上殺死她們。

畢卡索誇張式的仇恨令奧爾佳更無法表現出女人的魅力與愛情，況且畢卡索似乎已不準備給

她機會去挽救。無疑，奧爾佳是一名情緒不穩、難相處的女人，但罪不至死。當初，畢卡索曾為娶得到她而自豪；到了今時今日，妻子就形同垃圾。

一直不忠的是畢卡索，他才是婚姻的真正破壞者。早在一九二九年，他在百貨公司的門外邂逅了美麗年輕的 Marie-Therese Walter，瑪莉特麗莎。那一年她十七歲，而他已四十八歲了，瑪莉特麗莎長得豐腴健美，金髮藍眼睛，純真而簡單，是畢卡索主動引誘她的。他們維持著情人的關係，直至一九三五年，瑪莉特麗莎懷孕了，畢卡索就名正言順離開奧爾佳。奧爾佳精神崩潰，她能忍受丈夫有外遇，但不能忍受被拋棄。自此，奧爾佳就瘋瘋癲癲，下半生都無法正常起來。她只懂得尖叫，跟蹤畢卡索的所有情人，而說話時像一張斷線的唱片，斷續而重複、期期艾艾。她在以後的日子都忙著向畢卡索的每一名情人表明她是正牌妻子的身分，畢卡索則常在她面前和背後嘲諷她。妻子發瘋了，他卻不認為自己有任何責任。

瑪莉特麗莎的個性文靜簡單，她常常閱讀和睡覺，而畢卡索最愛把她繪畫得圓潤豐滿，畫布中的女士充滿撩人的弧形曲線，所用的色調都柔和明媚而愉快。

瑪莉特麗莎給予畢卡索靈感創造一種獨特的畫風，《鏡前的女孩》、《鏡子》、《躺臥的裸女》中，都洋溢著愉快和滿足，畢卡索把他的情人描繪得像一籃放置在陽光下的水果一樣，誘惑、豐足、滋潤、甜美、富生命力。

畢卡索就是如此愛戀著瑪莉特麗莎。

當小蟬看到這批以瑪莉特麗莎為靈感的畫作時，她還以為這種滿足的愛情能令畢卡索在狂暴的男女關係中停留。奧爾佳是怪獸一般的女性代表，瑪莉特麗莎是美麗豐足的女性典型，換走怪獸，得來世上最甜美的女郎，大畫家該得到最滿足的愛情吧！但不久之後，小蟬與當年其他人一樣，都爲畢卡索的舉動而驚訝。他很快又愛上另一個女人，那是多才多藝的Dora Maar，朵拉。

畢卡索與朵拉在一九三五年相識，那一年瑪莉特麗莎剛誕下畢卡索的女兒Maya。他們在一所咖啡室內邂逅，二十八歲的朵拉長得高傲美艷，輪廓分明，長髮烏黑，說得一口高雅的西班牙文的她，在當時已是一名享負盛名的攝影師。五十四歲的畢卡索立刻被迷住了，他看上了她，而自此，人間就多了一宗悲劇。

之後的兩年，畢卡索周旋在正進行離婚訴訟的奧爾佳、剛誕下孩子的瑪莉特麗莎以及新歡朵拉之間。奧爾佳早叫他非常厭惡，而與瑪莉特麗莎的熱戀期是在三〇年代的開首數年，如今，他把愛情的焦點放到朵拉身上。他常與朵拉結伴旅遊，充滿藝術天分的美女亦能圓滿地分享他的創作心得，似乎，朵拉比其他女人更適合當上畢卡索的伴侶。

而小蟬最喜歡的也是朵拉。她神秘、美麗、深不可測，她的才華早已令她獨立地享有自己的事業與名氣，她與畢卡索極爲登對。小蟬渴望成爲像朵拉那樣的女人。

可是，朵拉卻又不能倖免地被畢卡索毀掉，成爲了著名的『哭泣的女人』。

畢卡索與朵拉一起，但又放不下瑪莉特麗莎，當兩個女人相遇，各不相讓之時，畢卡索就『煽動』她們大打出手，而他則坐在旁邊沾沾自喜。朵拉以爲她會成爲他唯一的女人，但事實並非如此，就算畢卡索與奧爾佳正式分居後，也沒有再進一步切斷與髮妻的關係的打算。朵拉甚至不是他唯一的情婦，他還有瑪莉特麗莎和一些無名字的女人。

愈高傲的女性愈不堪受打擊，畢卡索令朵拉尊嚴掃地，而她的情緒日復一日地不穩定。畢卡索描畫的她，全是三尖八角的，像一塊又一塊尖銳的碎玻璃的拼合，既脆弱又充滿創傷。畢卡索似乎高興極了，他同時擁有兩個外型、個性、韻味相反的靈感女神，讓他創作出風格近乎相反的人像畫。

朵拉的眼淚是她的感情監獄，她愛上了這個男人，離不開他，但又得不到快樂。相識八年之後，在一九四三年，畢卡索看上了二十一歲的美女畫家Francoise Gilot，范思娃。到了那時候，朵拉已甚少哭泣，取而代之的是呆滯黯然的表情，對於畢卡索放諸她身上的情感操縱，她已無能力再作出任何反抗，碎盡的心甚至流不出一滴眼淚。

一九四五年，朵拉精神崩潰，她蓬頭垢面地流落街頭，多次被警察尋回；她又患上妄想和幻聽，後來就被送進精神病院。一段時間後她康復了，之後就過著幽閉孤獨的生活。

世上每一個人都知道年屆六十歲的畢卡索是如何糟蹋他的女人，所謂愛情並不是教別人快樂，而是一步一步誘使別人為他沉淪。女人受苦受難之後，他看著落泊的她們，心內沒有絲毫惻隱。誰叫她們走近他？畢卡索甚至認為，是他便宜了這些女人。

但這個公認為愛情惡魔的男人還是魅力無限。他的成就仍然處於高峰，他的外型依然剛烈性感。小蟬看著六十歲時的畢卡索，他常常穿著長袖襯衣，白底黑色橫條紋，看上去的確精力充沛。縱然知道他壞透，女人還是不由自主地投入他的懷抱。

或許是因為，女人天生就是賭徒。也或許，女人從來擅長不自量力。

與范思娃的愛情模式仍是如出一轍，瘋狂的熱戀，繼而一步一步操控女方的思想行徑，當她把全個心全個人奉獻給他之後，他又開始精神虐待愛人。畢卡索與范思娃交往了三年之後，當她答應與他同居之後，他就把她畫成一朵臉圓圓的小花，那就是著名的《花女人》。

范思娃是一名個性很強的女人，她爲畢卡索生下一子一女，在兩人相處的十年當中，她屢次表現得不屈不撓，所有女人中，只有她的精神狀態維持完好。在關係變淡時，畢卡索待薄她又不忠於她，范思娃選擇了離開這個男人。後來她再婚，繼續她的畫家事業，而畢卡索多處刁難，然而她卻活得不錯，並在一九六五年出版了自傳《Life With Picasso》，以示一種對畢卡索的抗爭。

畢卡索憎恨范思娃，他不能接受主動離開他、公然與他對抗的女人有好日子過。他要他的女人在失去他以後，同時候失掉生命。他不能忍受范思娃的命運與奧爾佳、瑪莉特麗莎、朵拉有相異之處。

他似乎想證明，這些女人本身無任何價值，他相信，她們的生命力只能來自他。

小蟬的腦袋生出一條問題：『其實，有沒有一個更好的辦法去愛畢卡索？』

順理成章的，她想下去：『如何才能令畢卡索眞心眞意、持續地愛著一個女人？』

『有什麼方法可以改變畢卡索對女人那深厚暴烈的潛藏恨意？』

最後，小蟬問自己：『如果，我是畢卡索的其中一名情人，我可以怎樣做？』

『要怎樣做才能夠只被他所愛、卻不被他傷害？』

每一個畢卡索的女人都達不到她們的愛情願望。這個男人從不珍惜身邊人，他以待薄伴侶爲樂。

究竟女人要做些什麼，這個男人才肯去愛？

畢卡索最後一名公開的女人是Jaqudine Roque，賈琪琳洛克，她亦是畢卡索的第二任正式妻子，他們結婚之時，畢卡索已八十歲。賈琪琳是一名沉默美麗忠心的女人，她爲畢卡索的晚年營造了平靜的生活，年邁的畢卡索已沒精力傷害身邊的女人了，他在賈琪琳身邊，不斷繼續創作，直至一九七三年老死，享年九十二歲。

在晚年之時，畢卡索仍與一女之母瑪莉特麗莎聯絡，而奧爾佳早在十多年前在瘋瘋癲癲中老死。畢卡索死後五年，瑪莉特麗莎自覺生無可戀，便懸樑自盡，縱然畢卡索早已不愛她，但她卻走不出他的陰影。賈琪琳在丈夫死後十三年吞槍自殺，沒有他，日子生不如死。而朵拉在畢卡索逝世之後的二十五年過著隱士一樣的孤獨生活，貧窮潦倒地在巴黎老死，時爲一九九七年。這時候別人發現這老婦人的身分，她守著部分畢卡索的畫作和遺物，生前縱然貧困，卻堅持不賣掉，她要保留與他的所有回憶。而她死後，這批珍貴的回憶，總共被拍賣了兩億美元。

每一次，當小蟬與阿光無法協調與溝通之際，她會想，如果可以讓她選擇，她會情願與一個令她仰慕、能與她分享，雖然又同時候無法忠心和善良地愛著女人的男人一起。在阿光身邊，她可以怨恨得不斷構思殺人場面。她痛恨阿光的庸俗，也看不起自己的離不開，整段關係充滿著不甘心和醜陋，甚至比畢卡索與他的女人們的關係更醜陋。起碼，畢卡索是公開又坦白地糟蹋她們。自己呢？『自己……』小蟬忍不住冷笑，她最懂得的只是懦弱地假裝。

畢卡索的確很差很差，但卻不比自己更差。

有時候小蟬會想，雖然世上所有人都不完美，但無疑，完美是一種可敬的理想啊！如果阿光有些許藝術天分兼且肯用心去了解她和愛她……如果自己能有多點勇氣……如果，畢卡索對待女人的作風可以改變……

那麼，世界一定更美好。

小蟬的目光溫柔起來，她憧憬著這種美好。

改變阿光……改變自己……改變畢卡索……還是改變畢卡索來得有意義吧！

小蟬笑起來；『阿光與小蟬，是世界上兩個無用的人。』

對了，如果可以改變畢卡索……

這是小蟬思考多年的問題。作爲世上其中一個最閃耀的偶像，小蟬實在爲畢卡索感到不值。世人記著畢卡索，除了因爲他的藝術成就之外，更是因爲他的冷酷絕情。

『畢卡索？』大多數人會這樣想：『擅長虐待愛人的畫家嘛！』

就算是小蟬自己，也會傾向這樣想。

很多畢卡索的主要作品，其實都與他的女人無關，譬如一九三七年的《格爾尼卡》，那是由於戰爭而激發靈感的偉大巨作；富古典韻味的《佛拉套畫》系列、早年立體主義時期的作品，以及他的大量拼合雕塑製品，靈感都並非來自女人。

當他創作《懷孕的山羊》這雕塑作品時，他就表示過，上帝創造萬物只在意賦予眾生物形態，卻欠了風格。由他創造的山羊，由瓦壺、竹籃、碎瓷片融合而成，這一頭山羊，完全有別於世上任何一頭，而這就是風格。

一名有膽量把自己與上帝比較的男人，無理由留給俗世一個片面的『壞情人』印象。小蟬不忿偶像的情史玷污了他的光芒。

她常常想：『如果，畢卡索是名好情人，世人會不會更愛他？』

想著想著，她就微笑了，自覺這是個極神聖的想法，就如把戰場變成世外桃源般聖潔而美好。

小蟬仰慕畢卡索，但太多人不懂得欣賞。他們會說：『那個不知胡亂畫些什麼，兼且糟蹋女人的男人嘛！』

她但願更多人可以如她一樣仰慕畢卡索。因爲她全心全意愛她的偶像，她希望其他人能以同樣尊崇的心情來對待他。

這個偉大的男人一生滿載豐功偉蹟，他給藝術帶來驚世的突破，畢生貢獻在創作中。他只做錯了一件事：沒好好善待女人。

有沒有可能使偶像百分百完美？

而畢卡索又有沒有興趣當一名眞正滿分的魅力男士？

或許，畢卡索只是沒遇過提醒他、改造他的女人而已。

小蟬有能力愛上原裝正版的畢卡索，她的鑑賞力不比費爾藍德、伊娃、奧爾佳、瑪莉特麗莎、朵拉、范思娃、賈琪琳等等留名的女性低，但世上大部分女人和男人，都不會懂得如何去愛她的偶像。這眞是極遺憾的一回事，偶像身上有污點。

『能不能改造畢卡索？』小蟬問自己。

『爲什麼不？』她咬了咬唇，『既然有機會與畢卡索談一場戀愛，無理由要與那些女人走上同一條路。』

『如果我與畢卡索戀愛，我要他學懂如何去愛一個女人。』小蟬對自己說：『這是一個千載難逢的機會，我要自己有使命感。』

只有改變畢卡索，才是愛他的最佳方法。

她要她與畢卡索的愛情，變成一種超越畢卡索的不可能。

決定了之後，內心就澎湃激動得不能自持。

『一定很偉大！』她說。

小蟬笑得很激動，這還是她一生人中，首次下了決心要幹一件偉大的事。

CHAPTER 02
PROGRESS Ⅰ

一星期後，Tiara和小蟬各自準備經歷她們的愛情奇遇。臨行前，她們在Mystery內相聚。

Tiara身前放置了一個行李箱，小蟬則兩手空空。

Tiara表現亢奮，而小蟬則恬淡寧靜。她看著Tiara與三胞胎不斷交談，她則沒怎樣說話。

Tiara打開她的行李箱，說：『爲了有備無患，我帶了多套慣用的護膚品、多盒衛生棉、各種維他命和成藥……』

阿二告訴她：『這些東西我們會源源不絕供應給你呢！』

Tiara卻說：『帶在身旁有安全感嘛，始終路途遙遠！』然後，她拿出一部照相機。『我還帶了數位相機拍照留念。』

阿三聳聳肩：『要是有古代人不明白，你願意去解釋就行了。』

阿大卻說：『但假如有人識破你的身分，這便沒意思，你還是低調點好。』

Tiara把行李箱合上。『放心啦！我明白我的任務，我是回去學習與一名大人物談戀愛，學成歸來便嫁入豪門！』她興奮得雙拳緊握。『呵呵呵呵！』今日的笑聲特別響亮，精力亦非常充沛。

阿大望向小蟬，問她：『這樣子你就可以回去？』

小蟬點了點頭，說：『我打算先用一個隱蔽的身分觀察畢卡索，所以我沒有特別準備些什麼，反正他未必看得見我。』然後她禮貌地問：『我這樣有沒有問題？可以用一個漫遊式的身分與他相處嗎？』

阿二告訴她：『沒問題的，我們可以讓你生活在一個他觀看不到的空間內，而這空間卻又能隨你心意轉變。』

阿三續說：『你會像天使那樣看護著你的偶像吧！』

小蟬忽然臉紅。『希望他不介意。』

阿大問她：『那麼你打算與畢卡索直接戀愛嗎？』

小蟬說：『這是我的願望……但是……』她欲言又止：『我還有很多事情搞不清楚。等我明白了之後，我才能放心去愛他。』

阿二便說：『海藍寶石小姐的經歷將不會被設定在某一個期限，你可以任意穿梭在畢卡索的生命時空中。』

阿三續說：『也爲了讓你全情投入在這次經歷中，你將會完全忘掉你的男朋友。』

小蟬但覺這些安排完美無瑕。她感激地說：『謝謝你們的大方和周到。』

三胞胎齊聲說：『我們只想你玩得開心！』

Tiara 卻在一旁聲明：『我不像別人那樣漫無目的呀！我會非常認眞進行我的特訓！』

阿大笑了數聲：『哈哈哈哈！我們明白你，非洲之星小姐！』阿大再說：『那麼你會爲這次旅程設定期限嗎？』

Tiara 告訴她：『由一七九六年到一八〇九年，即是約瑟芬遇上拿破崙之時，直到他們離婚那一年。』

阿二數一數：『十三年足夠了嗎？』

Tiara說：『夠了！我要趕回來，嫁入豪門。』

三胞胎一起大笑。『那麼先恭喜你！』

Tiara很心急。『可以起程了吧！』

三胞胎點頭，然後神色就凝重起來。

阿大告訴客人。『你們會各自遇上一場車禍，馬路上會出現一名老人又或是一個小童，當你們捨身拯救他們時，厄運便發生。之後，在人間昏迷的三十天，就是正值你們的歷險之時。』

Tiara合攏雙手，說：『太刺激了！』

小嬋也禁不住說：『做夢才會發生的事！』

阿大答應她們：『我們會讓你們夢想成真。』

阿二激動得熱淚盈眶，而阿三閃亮著一雙憧憬美目。Tiara與小嬋更是喜形於色，心情興奮又複雜。

Mystery的最大型戀愛計畫即將展開。

*　*　*

小嬋與同事到公司對面的茶餐廳吃午飯，當返回公司時，就在馬路中央碰上一名迎面而來的老婆婆。老婆婆雙手拉著小嬋，剎那間，小嬋就陷入惘然中。其他同事已走到對面的路旁，他們回頭一望，只看見小嬋一人呆滯地站在馬路中央。

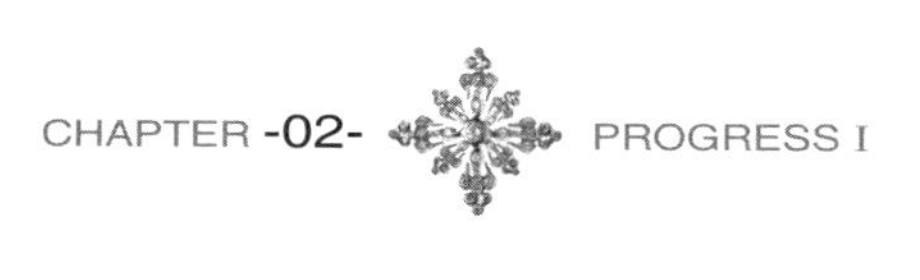

不久，一輛貨車以不可思議的速度衝前來，路旁的行人全部嘩然，小蟬在行人的高分貝尖叫中驚醒，繼而她就看見，拉著她的老婆婆，臉上有一雙美艷得晶光四射的眼睛。剎那間，她就在這雙極美的眼睛的凝視下承受了沉重的衝擊力。然而，那超過一噸重的撞擊感覺，卻是出奇地平和、安穩、甚至幸福……

Tiara把Mr. Cocoa的約會定在下午六時半。在人來人往的中環街道上，有她穿戴矜貴的身影。她已有足夠的心理準備，知道差不多是時候了。Mr. Cocoa的黑色大房車迎面駛近，Tiara一邊微笑，一邊看到由對面街跑來一名全身穿著粉綠色的小女孩，Tiara也就胸有成竹了。她深呼吸，步向前，一手抱起那名小女孩，在她與小女孩四目相投的一剎那間，Mr. Cocoa的黑色大房車就衝向她。小女孩的臉上流露出饒富深意的微笑，而小臉蛋上的那雙眼睛，成熟得像個成年女人。

Tiara倒下來，聽見自己的心跳，然後，彷彿看見眼前掠過一線閃光。哈，那會不會是Mr. Cocoa準備送給她的十克拉鑽石指環……

再回來之後，就能嫁給這個男人……

呵呵，呵呵呵……

* * *

當Tiara甦醒時，首先衝擊她的感官的，是某種叫她不愉快的氣味，極度濃烈、成熟，又混合了女性體味的味道。她忍不住眉頭皺了。

然後她坐起床，隨意張望，看見了屏風、糊了牆紙的牆身、梳妝檯，檯邊放了一盆水。而擱在床邊的是一襲衣裙，大概是昨夜脫下來後隨便放在那裡。天花板上繪畫了花卉圖案，而大床的床單和被褥很講究，質料是艷麗的絲綢。Tiara伸手抓了抓頭皮，然後她發現，她的頭髮又長又鬈曲，顏色是一種偏紅的棕色。她把頭髮掃向鼻尖嗅了嗅，然後又伸出手臂，立刻，她就明白了，那難聞的氣味原來出在自己身上。

約瑟芬像所有當代的法國人，少沐浴，又塗過量的香水。

Tiara很冷靜，她知道她的經歷就由此時此刻展開。她走下床，垂頭一望，便看見一雙細巧的小足，皮膚好得不得了，而每一顆腳趾看上去都趣致小巧。身穿半透明薄棉衣裙的她，就由床邊赤足步向梳妝檯。

還未站定下來注視，只稍稍看了一眼，她就呆住了。

天呀，這世界上，是真有美女這回事的。晨早起床蓬頭垢面，卻掩不住像激光一樣放射出來的美。

『呵呵呵呵……』忍不住就興奮起來。

『不得了！』Tiara對著鏡子做出一個揮拳的激昂手勢。

怪不得這個女人能令一個又一個男人入迷。約瑟芬長得無懈可擊。略呈橢圓的臉形細緻完美；鼻子筆挺而優雅；一雙眼睛圓大晶亮，色澤是充滿誘惑的金棕琥珀色，睫毛又長又鬈曲，上眼皮帶點厚重，散發出一種慵懶的感覺；嘴唇豐潤而小巧，柔軟又迷人。最難得是那種氣質，約瑟芬的神韻帶著一種楚楚可人、柔弱、甜美、無助，看上去明明是端莊的，但骨子裡又滲透出性感。就連自己望著自己的眼神，也如此情深多言。這個女人的眼睛，擅長溫柔地說出世上最性感的故事。

『天呀！這個就是我……』

Tiara 伸手觸碰自己的臉，她滿意極了，手感柔軟順滑，看上去晶瑩通透，雪白健康而緊緻。她把臉湊近鏡前，甚至看不到半點毛孔。這種肌膚，塗上粉底的話，只會是暴殄天物。

接下來，Tiara把身上的薄棉衣裙滑脫在地上，然後她就看見，一個已經三十三歲、生過兩名孩子的婦人的完美身體。不可思議的，是這副胴體仍然散發著少女的氣息，雪白、嬌弱，但又骨肉勻稱，那雙圓而闊的乳房上，是淡紅色的乳暈。

就這樣，Tiara 坐在梳妝檯前聚精會神地凝視這暫借而來的外殼，一分一秒過去後，她發現，是她自己先入迷了。她愛上成爲約瑟芬。

世界上怎可能有這樣的女人？她的眼睛、她的嘴唇、她的肌膚、她的身段、她的神韻……全部凝聚了澎湃深沉、不可抵擋的魅力。約瑟芬就是一副能量機器，本身已充滿力量，也擅長從四面八方吸取更多更有用的力量。Tiara可以想像，當男人得到了這個女人之後，眞正佔盡便宜的是她，男人的貪婪、慾望、侵佔，最後造就了約瑟芬成爲一名更艷光四射的女人。男人從她身上留下了的能量，全被絕美的她儲存起來，滋養了她傳奇多彩的生命。

『這樣子的女人，天生下來就注定財色兼收！』Tiara 對鏡做出了一個竊喜的表情。『Yes！我完全無選擇錯！』

『呵呵呵呵——』

然後，Tiara做出不同的表情。她眨眼微笑、慢慢釋放出純真善良又親切的神情，接下來，她決定露齒而笑。

『咿——』

頃刻，Tiara就怔住。

怪不得。

『呵呵呵呵！』Tiara大笑起來。『怪不得……』

從來，約瑟芬的畫像都美得神秘含蓄，原來，她的牙齒長得並不健康。約瑟芬的牙齒是淡灰色的。

『Dental White。』Tiara自言自語：『要阿大她們給我帶來潔牙用品。』

這時候，寢室的門被打開，一名年輕的女僕用托盤送來一個小瓶，並且對Tiara說：『夫人，Dental White。』

Tiara接過了，她望著女僕的臉，問：『阿大？』

女僕只是望著她。

Tiara又問：『這瓶Dental White是十八世紀抑或二十一世紀的產品？』

女僕就面露疑惑。『夫人，你說什麼？』女僕的表情完全不似在假裝。

Tiara就拿著她的Dental White，並不認爲需要繼續探究。世上再奇異的事情，都比不上此刻她從鏡內看到的。約瑟芬的臉、約瑟芬的身體……

不久，數名女僕內進寢室替 Tiara 更衣梳洗和收拾房間。Tiara 吩咐她們：『從今以後我要每天洗澡。另外，給我更換其他氣味的香水。』

女僕說：『夫人，你從來只塗這瓶香水啊！』

Tiara 隨女僕的手勢溜動視線，隨即看見一個精巧的水晶瓶子。然後，她決定這樣說：『給我那支ＣＫ的 Truth。』

Tiara心想，儘管試吧！果然就在十秒之後，女僕便把指定的香水奉上。Tiara望著她的臉，半分 Mystery 的痕跡也找不到。

『厲害。』忍不住，她喃喃自語：『眞的方便快捷。』她環觀四周，隱形的 Mystery 使者是二十四小時監察的嗎？她隨口說說，便想什麼有什麼。

Tiara 仰臉嬌笑，非常滿意，也非常享受這種安全感。

隨後半天，Tiara 都在熟習她的新身體與新生活。她與兩個分別十四歲及十一歲的子女見面，然後又在這著名的香德漢路六號公寓內參觀。這公寓將會是拿破崙隨後三年的居所。這兩層高的樓房，以及寬大的地窖，日後會變成拿破崙與重要人物商討政事的主要地點之一。

午間時分信差送來邀請函，發件人是蘇法里夫人，她在來函中說：『波柯里夫人，今晚七時在寒舍舉行的晚宴，我與巴德斯大人已為夫人預留了上座。令公子昨天拜會的軍政大人物今晚亦會光臨，屆時巴德斯大人會安排夫人與他晉見。』

Tiara 瞬即明白了。她合上邀請函，自顧自地微笑。蘇法里夫人是 Paul Barras 巴德斯大人的新情人，而巴德斯大人的舊情人是誰？不就是約瑟芬啊！蘇法里夫人希望巴德斯大人可以與約瑟芬一刀兩斷，因此就爲情敵介紹新情人。

至於有關約瑟芬的兒子拜會軍政大人物的故事，歷史也有略述。Tiara猜想得到，蘇法里所說的大人物就是拿破崙。事情是這樣的，約瑟芬的十四歲兒子Eugene尤金被安排拜會拿破崙，目的是向拿破崙討回亡父生前的寶劍。整件事的用意是爲著把約瑟芬一家人介入拿破崙的生活，讓拿破崙首先喜愛約瑟芬那名孝順有禮的兒子。

Tiara放下剛印過唇角的餐巾，開始爲是夜晚宴作出準備。在香港的時候，每逢與Mr. Cocoa見面，她都會預先在家泡一個香薰浴，然後再花上充裕的時間做頭髮、敷面、化妝。見面只花兩小時，但之前的準備工夫卻是一倍以上。爲求表現良好，一切在所不辭。

女僕一邊爲她穿衣梳頭，她就一邊計畫。Tiara一直實行的都成效顯著，那些凝神注視、楚楚動人的乖女孩神態，她擅長得不得了。再加上談吐聰穎，笑容眞誠，要迷倒一個男人，眞是毫無難度。

Tiara望著鏡中的模樣，看啊，進入了約瑟芬的身體後，她比從前的自己更美艷，以往做得到的，今日更是事半功倍吧！

女僕爲她送來一襲淡紅色的裙子，雪紡質料，繡上了小紅花，又釘滿了水晶珠。一七九六年所流行的衣飾全都是這類型：低胸、高腰、娃娃裝式的設計，沒有裙撐架，也不穿緊身束腹。這種設計標誌著法國的革命精神，捨棄華麗走向淡雅平實，帶有新古典主義的風格。Tiara暗忖自己的好運氣，如果她早十年八年變身約瑟芬，她便要受穿那些束腹內衣和裙撐架的苦，從一七九〇年至一八二〇年，法國會持續流行這種輕便又帶有少女韻味的衣飾風格。Tiara高興極了，她喜愛這種輕盈柔麗。

Tiara檢視過約瑟芬的首飾盒，果然不愧爲貴族夫人與著名社交之花。她所擁有的都價值連城。Tiara看中了一頂小后冠，她決定就在當晚預習當皇后。

一切準備就緒之後，馬車把Tiara載到蘇法里夫人的住所，明顯地，同爲社交名媛的蘇法里夫人，身家比約瑟芬豐厚。Tiara猜想，這名女士的出身大概與約瑟芬差不多，娘家有點聲望，又嫁得不錯，只是一場革命把丈夫與財產都奪去，年輕美麗的女人走投無路，惟有靠有財有勢的大人物接濟，當上他們的情婦。

那並不是一個注重道德的年代，男人有情婦反而是一件光彩的事，而女人有情夫亦司空見慣，在情感上，他們是放縱的。

法國大革命之後，皇室與貴族下台，政局一片混亂，而人心亦一樣。

Tiara明白，因爲女人都靠慣了男人接濟生活，女人所懂得的手段，遠比二十一世紀的事業女性爲高，返回這年代當愛情練習生，實在明智。

那名剛被別人奪去的大靠山巴德斯大人，是當時政府其中一名最重要的人物，約瑟芬的心情可想而知。Tiara想起自己的Mr. Cocoa，猶幸生在二十一世紀，男人不再是女人的唯一生計；要不然，再優秀的女人也只有當交際花一條出路。

下人傳達了Tiara到來的消息，而就在大門之內，一名中年紳士熱情地拉起Tiara的手親了親，又說了些體己話。Tiara一面大方地回話，一面卻在心中竊笑。這個男人，究竟與約瑟芬有什麼關係？是長輩、接濟者還是情人？她覺得好玩極了。

紳士把她帶到一樓，看上去，這是一個中型晚宴，賓客約二十人。這種十八世紀的宴會，Tiara在電影中看過，衣香鬢影、奢侈華麗。現在親歷其境，免不了心跳加速，兼且亢奮雀躍。她深呼吸，學習其他女士那樣脫下長手套，儘量表現自然。一名蓄了白鬍子的男士看見她便立刻放下酒杯，親切地走到她面前。Tiara連忙溫文地微笑，並且與他親了臉額。

這名男士對Tiara說：『蘇法里夫人正在沙龍中招呼那名我們特意要介紹給你的貴賓。』

Tiara就說：『是著名的「荒野雄獅」吧！』

長著灰白鬍子的男士點了點頭，這樣說：『難得你願意成全我與蘇法里夫人的愛情。』Tiara定一定神。啊，原來身旁這名男士是約瑟芬的舊相好，巴德斯大人。她嬌美地笑起來，斜起眼對他說：『大人，我也感謝你曾經送給我甜蜜美好的愛情。』

他與約瑟芬之間發生過什麼？當他表明他不再需要她時，約瑟芬可有傷心痛哭過？

灰白鬍子男士嘆了一口氣，望著Tiara的目光盡是感激。

就因爲Tiara什麼也不知道，她的大方才叫這個男人舒一口氣吧！

Tiara高雅地向人群邁步，逐一屈膝行禮。她知道，她會是一個更出眾的約瑟芬，皆因她的內心並沒有約瑟芬那些傷痕累累的包袱。

不久，一名年約三十歲，長得嬌小纖瘦的女子由一所房間中走出來，她愉快又溫柔地親吻了Tiara，然後又向灰白鬍子男士露出一個甜蜜的笑容。Tiara便知道，她就是蘇法里夫人。她的姿色及不上約瑟芬，但她卻成功奪取了約瑟芬的經濟支柱。Tiara望著這名纖巧的女子，不禁由衷地敬佩起來。

蘇法里夫人牽著她的手，說了些客套話，然後就帶她走進一間小沙龍。當那畫上花卉圖案的粉黃色木門被推開之後，Tiara就看見一名個子不高的男人從窗前緩緩轉過身來。她的心跳隨著他轉身的動作變得狂暴，她知道這個男人是誰。

『拿破崙波那巴將軍，這位就是約瑟芬波柯里夫人。』

拿破崙向前走過來。他走路的姿勢穩重而具威嚴，身形比例適中，看上去壯壯實實的，並不如後世人所譏笑的矮小。怎樣說，也該有五呎六吋的高度吧！

Tiara的心情非常緊張。而因爲背著光前行，要等拿破崙走得很近，她才能看清楚他的臉。不久，這名一代英雄已站在她的眼前。Tiara 帶著敬畏的心情注視他。

終於，看到眞人了。正如畫像描畫那樣，拿破崙有圓大深邃的眼睛，眼神明亮，卻又帶著一種難以釋懷的憂鬱，是一雙重視思考又滿載野心的眼睛；鼻子長而高，鼻頭尖而狹小，唇部線條優美，而下顎非常富男子氣概；在下巴的中央，有一個迷人的凹陷位置，看上去居然滿性感的。就算 Tiara 再挑剔，她也不得不承認，這是一張好看的男人的臉，甚至稱得上英俊。

很好呢，Tiara 不介意與這個男人相對十三年。她安心起來，立刻就在臉上綻放出愉快的微笑。

就在她一笑之際，拿破崙的臉就通紅了。荒野雄獅的眼睛，燃亮起一種複雜的柔情。當中夾雜了驚艷、讚歎、難以抗拒。無可否認，約瑟芬是拿破崙遇過的最美麗的女人。這種美麗，甚至是極合他心意的。從來審美觀都有一種個人化的標準。

蘇法里夫人最高興。她是這樣對拿破崙說：『波柯里夫人是巴黎的第一美人！』

Tiara立刻裝出一個害羞的表情，拿破崙看見了，不由自主地，他的臉更通紅。

蓋世英雄，敵不過絕色美人的一笑。

蘇法里夫人會心微笑。她準備留下這兩個人在沙龍裡談心，稍後才接他們到另一樓層吃晚膳。

拿破崙就領著Tiara的手坐到沙發上，Tiara感覺到從他的指頭傳來的微震。Tiara垂下眼輕笑了，她享受這意料之內的成功，命運與歷史要拿破崙愛上她，拿破崙怎能避得過？

Tiara決定速戰速決。

坐下來之後，Tiara就望進拿破崙的眼眸裡，這樣對他說：『法國最需要像將軍這種人材。而我相信，將軍將來必然統領法國，讓我國成爲歐洲最強的國土，並把法國的版圖擴大，東至俄羅斯，西達英倫。將軍會是歐洲史上最令人敬仰的統治者。』

Tiara很滿意自己這番話，語氣、神情、內容都恰到好處。呵呵，甚至不需要熱身。面對著未來的一國之君，她毫不怯場，勝券在握。

她在心中盤算，要俘虜這個男人，究竟需要花多少時間。一個月？一星期？抑或只需要一個晚上？這樣的話，其實正好說中拿破崙的心願。在一年之前，拿破崙因鎮壓巴黎暴徒而立下大功，於是晉升爲國內軍總司令。早在一七九三年，當時只有二十四歲的拿破崙，在領軍攻打英倫一役，成功在四十八小時內迫令英倫敗退，年少氣盛的他因此威名遠播。今年二十七歲的他剛攀上了事業的高峰，期待著另一個更高的位置。面前的美女像預言家般說出他的所有野心與願望，當下，他就像如觸雷殛那樣，只懂得在她跟前怔住。

Tiara還多加一句：『將軍，其他人怎樣想我不理會，我只相信你。』

拿破崙望著Tiara那雙堅定而閃耀的琥珀色眼睛，頃刻，他的整個心都被她所融化。他無法相信，世上竟然有人如此知心。

Tiara微笑，輕輕說：『將軍怎麼不說話？是我冒犯了嗎？』

拿破崙長長地嘆息。半晌，他才對她說：『本來我不打算到來，現在，我慶幸我沒犯上這錯誤。』

Tiara這樣回應：『我卻仰慕將軍已久。我知道，就算我只剩下半條人命，我也要來見將軍一面。』

Tiara的眼神在柔美中激發出剛毅，帶著沒有任何事情可以難倒般的魅力。拿破崙從來欣賞有決心的人，尤其是女人。

美麗而剛強的女人，於他來說特別性感。

他對Tiara說：『夫人一定是名堅毅的女性。』

Tiara回答他：『我從來只喜歡所向無敵的人物。』

她的話再次擊中他的心，就如世上最準確的箭射中紅心般叫他擊節讚賞。他從來沒遇過一個女人，像她一樣，既美麗，又強悍，兼且充滿野心。

他不敢說出來，但就在這一刻，他已經覺得他倆是一對。

不可能出錯。拿破崙需要的就是這樣一個女人。

拿破崙說：『你是一名很特別的女人。』

Tiara則說：『而你是荒野雄獅，世上最強最勇猛。』

拿破崙抽了一口冷氣。他實在不敢相信，世上有女人可以在五分鐘之內說出他一生人中最愛聽的話。

Tiara望著這一代梟雄，毫無疑問，他已經走不掉。男人最想得到女人的仰慕，更需要女人相信他們的理想。只要女人願意表露出這兩點，男人就一定會把女人視爲他的知心。

況且，拿破崙的將來，她有什麼會不知曉？付上數十塊錢，就能買到任何一本《拿破崙傳記》。

呵呵呵，這個男人，根本早就是囊中物。

『呵呵呵呵呵——』狂傲的笑聲在Tiara心中連環響起。

拿破崙看得她怔怔的。Tiara就笑著說：『將軍，難道你垂涎小女子的美色？』

拿破崙想不到她會如此大膽，當下他就呆住，繼而再次滿臉通紅。他清了清喉嚨，說：『波柯里夫不愧爲巴黎第一美女！』本想說些高深一點的讚美話，但面對著眞正的美人，他卻什麼也說不出來。

在事業上，拿破崙勇猛無懼、處心積慮，但私下，他一直是個沉靜又害羞的人，尤其當面對著女人的時候。

Tiara不介意他的陳腔濫調不擅辭令，她笑容燦爛地說：『將軍可要小心呢，我的外表是女人，但內心，就如男人一般剛烈。』

說罷，Tiara向他拋來一個既嫵媚又警醒的眼神。

看得拿破崙精神一振。

Tiara歡樂地笑起來，她真的覺得非常愉快。

拿破崙本想探究眼前知心美人的生活、愛好和背景，但話未說出來，Tiara卻站起來告辭。

Tiara的計謀是，故意要讓男人覺得女人神秘莫測，因此，最初相處的時間要精簡短促。

拿破崙看著曼妙的身影離他愈來愈遠，不由自主地，他的心就痛起來。當看著她打開房門步出大廳之際，他甚至有股想哭的衝動。他多麼害怕，這個女人不會屬於他。

如果，她給廳中任何一個男人帶走，他該怎麼辦？

他無法承認但亦無法否認，他已愛上了這個女人。

用餐之時，他被安排坐於她的身畔，而他發誓，他從未如此細心過。他的心都專注在她的一切小動作上，務求可以儘快熟悉她的舉動。一股龐大的渴望叫他急切去研究她。她用刀叉的姿勢，她用餐巾印在唇角的風姿，她喝酒時的嫵媚，她那無懈可擊的側臉線條……還有還有，她溜動眼珠凝視他時的神韻，幾乎每一次，都教他醉倒。

餐桌之上，他都貼近她的身畔，在場任何人都看得見，法國最具前途的軍人，愛上了風流的約瑟芬。

基於禮貌，用餐後，Tiara需要與其他男賓客交談，於是，她就在小露台上與數名男士攀談。拿破崙凝視她的身影，一邊看一邊喝著悶酒，心內溢滿火燄一般的妒忌。他的眼神內盡是呼喊，多麼希望這裡就是他的軍營，可以讓他在大喊一聲之後，全部人噤聲聽命。

『不准碰我的女人！我下令你們統統給我滾開！』這就是拿破崙最想說出來的話。

Tiara仍然與男人們言笑盈盈，拿破崙看得妒火中燒。忽然，腦內掠過一剎那的念頭，如果把她帶回家，她就會成爲他的女人，他便有權禁止她被其他男人佔有。

是了是了，娶她回家吧。

他望著Tiara，心中玩這個遊戲：『我數一二三。如果她在三秒後回頭望我，我就娶她爲妻。』

『一……』Tiara剛聽完一個笑話，她笑得花枝亂顫。

『二……』Tiara似要展開一個新話題。

『三……』Tiara緩緩地，朝拿破崙望去。

時間就在這刹那凝住，世界上最不可思議的奇蹟居然發生了。

Tiara優美地向拿破崙綻放出一個極迷人的微笑，而露台外的微風，吹拂了她耳畔的髮鬢。這宇宙間，再沒有比她更動人的女人。

她已經贏盡了他的心，他願意屈膝在這命運的擺弄之下。

拿破崙隨後斷斷續續地與Tiara交往了數個月，他是立心決定，今生今世他只想與這個女人一起，再無任何一個女人更匹配他，更令他快樂。

事情就如歷史所說的一樣，拿破崙迷倒在約瑟芬的魅力之下，他不理會她有過多少風流往績，他不介意她有兩名孩子，亦不在意她比他年長六歲，他決意娶她爲妻。

與此同時，拿破崙需要向原本的未婚妻黛瑟蕊柯里Desiree Clary解除婚約。黛瑟蕊是當代其中一名最受男士歡迎的千金小姐，出身自富有家庭。黛瑟蕊後來嫁給拿破崙的政敵巴羅德將軍；其後，巴羅德將軍被無子裔的瑞典國王收爲義子，最後更當上瑞典國王，而黛瑟蕊就成爲瑞典皇后。黛瑟蕊的兒子是後來的瑞典國王奧斯卡一世，到了二十一世紀，她的子裔依然統領著瑞典王室。

拿破崙與約瑟芬的婚姻在當時無人看好，拿破崙的家人、同僚不消說了，就連約瑟芬的律師也這樣提醒她：『夫人，這名將軍的財產除了一把長劍和一件披風之外，可說是一無所有！』

Tiara 慵懶地躺在沙發上，呵呵呵呵地笑了一陣子，然後把律師打發掉。

當年，眞正的約瑟芬願意下嫁拿破崙，因爲她知道要在短時間內找到另一個接濟者是不可能的事。拿破崙雖然不富有，但他眞心眞意啊！當初巴德斯大人把他們撮合，也只是爲了擺脫他已厭棄了的約瑟芬；無人預料到，這次約瑟芬講心不講金。她不要拿破崙做情夫，而是當自己的丈夫。

婚期定在拿破崙出征義大利的三日前，國家大事及不上他要擁有這個女人更重要。

而在洞房的那一夜，Tiara 訝異地發現，原來拿破崙之前還是個處男。

『怎麼，將軍你……』Tiara 望著躺在床上的他，不知道該怎樣說下去。

拿破崙對妻子說：『我把我這一生都無私地獻給你。』

Tiara 忍不住大笑起來：『呵呵呵呵！我奪走了拿破崙的處男之身！』

拿破崙的目光溫柔而單純，Tiara看了一會兒就避開了。感覺有點怪怪，與她想像中的拿破崙甚有差距。在她的床上，這個男人變成了小男生。

翌日，當Tiara醒來，就發現身畔的枕頭上放著一封信。她坐起來，把信拆開，內容是這樣的：『我醒來之後，滿心都是你，是你的容貌，昨夜你帶給我那迷藥一樣的回憶。我的五官再無其他觸覺，除了感受我身邊的你。約瑟芬！你既甜蜜又無可比擬！請告訴我你在我的心內種下的奇異感覺，到底是什麼？』

Tiara揚了揚眉毛。拿破崙果然酷愛寫情信，她知道，日後將繼續收到他千千百百封充滿愛意的書箋。拿破崙披著晨褸背著她站在露台之上，Tiara把他的背影看了一會兒，然後就拿起他的情信，在他的提問之下，寫上一個『愛』字。

那感覺當然是愛啊。拿破崙深愛著約瑟芬。

就在拿破崙往義大利之前，Tiara偷偷用她的數位相機拍下這個男人的睡相。她覺得沉沉睡去的他可愛極了。昨夜，他在臨睡前告訴她，睡在她身邊，是世上最幸福的事。

Tiara看著數位相機內的影像，逕自嘆了口氣。眞不相信，就這樣在一七九六年生活了數個月，要不是有這些二十一世紀的產品作爲提醒，或許她就會迷失在這舊時代中。

她也常常告訴自己：『戲雖然要演得投入，但也要留力。』

歷史的記載是這樣的：當拿破崙駐軍義大利時，原本眞正的約瑟芬就把握機會在巴黎與男人鬼混，而這也是導致三年後的離婚危機。Tiara當然不會走回舊人的路，精靈的女人是要令自己的男人深愛她，而不是仇恨她。於是，她氣定神閒地當一個賢慧的夫人。而與拿破崙書信往來之時，她不忘表現出她的獨到眼光以及軍事智慧。拿破崙初到義大利，就發現當地的部下全部軍心鬆散、士氣低落，那些所謂軍人，個個衣衫襤褸。Tiara把握機會向拿破崙提議，提高士氣的方法是每天高聲向部下疾呼，並且答應他們一旦勝出，就會獎賞各種榮華富貴。拿破崙照著做，表現得像古羅馬的凱撒大帝那樣，與部下一同深入虎穴作戰到底。最後，這群義大利軍人，全部對拿破崙忠心耿耿，隨後三年的進攻殺敵，拿破崙都得到很好的助力。

歷史記載，拿破崙在歐洲進攻的同時，沿途種下了『自由之樹』，象徵自由革命在歐洲各處生根。Tiara喜歡這舉動，更喜歡把這行動變成自己的主意。她在書信中向拿破崙提出『自由之樹』這概念，拿破崙喜歡得不得了；當實行了之後，他總是在私下告訴別人，這些小樹更該被稱為『愛妻之樹』。

拿破崙重視妻子的見解，也為她自豪。不止一次，他驕傲地對同僚說，迎娶約瑟芬為妻，是一生人中最明智的決定。這個Tiara版本的約瑟芬，不獨沒有因為不忠而令拿破崙丟臉，更成功地打破了其他人的偏見。漸漸，別人就忘記了約瑟芬從前的風流韻史。這個約瑟芬，令看不起她的人大跌眼鏡。

她賢慧、精明、充滿智慧、圓滑、具大將之風……Tiara竭盡所能，把約瑟芬塑造為一個滿分的女人。她謝絕無意義的奢華派對，她把精力花在能令拿破崙地位提升的人身上。她發揮排難解紛的親和能力，在每一個圈子中表現得莊重聰敏富愛心。這個約瑟芬有朝一日會成為法國皇后，Tiara要自己由今日起就學習何謂母儀天下。

帶著從二十一世紀而來的見識，無論做什麼事都得心應手。Tiara發現，這段時期的生活，是有生以來最順利的。

『我勝利我勝利我勝利！』Tiara對著鏡子手舞足蹈。『我No.1！No.1！No.1！』

她太喜歡當約瑟芬了，喜歡得，有時候會忘記自己。

她喜歡約瑟芬那愈忙愈明艷的姿容，她喜歡約瑟芬那懾人地高雅的氣質。當然，她更喜歡十八世紀的富貴生活。在這裡，梳頭穿衣全部有人服侍，她只需要提提腳轉轉身，就被打扮得美艷不可方物。

『婢女如雲才是眞正的富貴生活呢！』

而且她也特別喜歡這時代的生活習性。高貴的女士會在每天醒來後隆重梳裝打扮，就算只是無無聊聊的一天，Tiara 也名正言順地打扮得像去喝喜酒那樣。這世代，百分百滿足了她的打扮慾。

爲了教自己別忘記原本的身分，她特別請阿大阿二阿三帶來二十一世紀的相簿，她迫使自己每天翻看一遍，從而提醒現今所做的一切，都只是爲了二十一世紀的 Tiara。

約瑟芬和拿破崙在婚姻的頭三年聚少離多，這方面Tiara也無計可施，惟有頻繁地給拿破崙寫情信，源源不絕地表露一個女人對她所愛的男人的掛念。她有約瑟芬在歷史遺留下來的情信作藍本，而她總是花盡心思地修改得更纏綿和情深。後來工多藝熟了，她甚至可以隨便就寫十封八封。

而爲了與 Tiara 保持聯繫，阿大阿二阿三每隔一陣子就現身在她的居所之內。

Tiara 在沙發上伸懶腰，說：『你們看吧，我做足一百分，而他愛我愛得要死！』她指了指床邊那疊從戰場送回來的情信。

阿二拿起其中一封情信細讀起來：『……除了你之外，我不想與任何一個人分享心事。也是除了你，我從來未曾燃起對任何一個人分享的渴望。我的約瑟芬，你把我從孤獨中帶回人性的天堂，沒有你的愛，我將孤苦無助，我的日子會比黑夜更黯淡無光……』

說罷，阿二伸手印去眼角的淚水。『多真摯感人！』

Tiara 打了個大大的呵欠。

阿大就說：『那很好啦，你進展得很成功。』

Tiara 伸手抓了顆名貴巧克力放到口中。『日復日發生的事情我都迎刃有餘，挑戰性日益減低。而拿破崙這個人，對約瑟芬太一往情深。』

阿三說：『拿破崙的第一個情婦會在一七九九年出現。』

Tiara 的眉頭皺起來：『未來兩年的日子可會差不多？我和拿破崙結了婚一年，一年內都是寫信寫信寫信……』

阿三問：『那你爲什麼不跳步？』

Tiara 反問：『跳什麼步？』

阿三說：『像遇上沉悶的電影片段那樣，你按下『ＦＦ』按鈕就可以快速搜畫！』

Tiara 彈起身。『我可以跳步生活在一七九九年？』

阿大阿二阿三一起點頭：『有何不可？』

Tiara 誇張地把兩手按在胸前。『太好了……世上最優秀的女演員 Tiara 可以有更佳的發揮！』

阿二這樣說：『你在這一年內積極進取，的確把原有的約瑟芬比了下去。她在同一時候，都把時間花到鬼混之上。』

提起約瑟芬，Tiara便問：『我當上了她，那麼她往哪裡去了？』

阿大告訴她：『約瑟芬繼續當她的約瑟芬，在另一個空間中，她照著我們所熟悉的歷史生活。』

『什麼？』Tiara不明白。

阿大說下去：『在變幻的宇宙中，可以同時候存在多一個約瑟芬；正如在另一個空間內，Tiara正躺在醫院一樣。』

Tiara迷惑起來。『那麼哪一個約瑟芬才是眞正的約瑟芬？』

阿二說：『在你的認知範圍中，依循歷史腳步走的那一個是所謂「眞正」的約瑟芬。然而，在不同的空間，約瑟芬化成不同的身分，過著不同的生活。而你，也在創造出一個全新的約瑟芬。在這個時空，你就成爲其他人眼中眞正的約瑟芬。』

『天啊！』Tiara重新躺回沙發上，她似乎理解不了。

阿三說：『但你不用理會呀，你的目的是爲求變成約瑟芬之後與拿破崙談一場成功的戀愛，你只管朝著目標前進就好了。』

Tiara同意這番說話。她擺擺手，『別想那麼多，我怕自己會發瘋。』

阿大告訴她：『你專心與你的大人物談戀愛，專心去享受。』

Tiara就說：『那麼，把我帶到一七九九年去吧！』

阿二告訴她：『當你準備好了，就撕掉這本日曆上你不需要的日子。』

她把一本厚厚的日曆遞給Tiara。

Tiara把日曆翻開來。『每一個月一頁……有沒有分得更仔細一些的？』

阿三說：『我們可以給你一日一頁，甚至是一分鐘一頁的日曆種類。但你現在不需要嘛！』

『是的，有需要才再向你們拿取吧。』

阿大說：『那麼你保重了！』

說罷，阿大阿二阿三就由大門從容地離開。在這個奇異的空間內，無人看見這三名只穿著內衣的三胞胎。她們明明走在人來人往的巴黎街頭中，別人卻無法看到她們的存在。在這個特定的空間內，她們就是操控者，如神一樣的超然。

而Tiara在她的閨房內，捧著那本神奇的日曆，開始一頁一頁把將來的日子撕掉。

她雙眼發亮，心情興奮，她又再一次掌握時間的運行。

『這個月不要、下個月不要、再下個月也不要……』

拿破崙在一七九七年又立下顯赫功名，他率領的大軍成功地把奧地利軍隊逐回維也納方圓七十五哩內。他在這一年間的征伐使法國的版圖擴大了數千哩，從比利時一直向橫伸展到希臘，整幅歐洲地圖，就因他一人而改變。

拿破崙的成就把他晉升到法國最高的軍階，他已是一人之下萬人之上。而整個法國的人民，都把他視爲蓋世英雄，他成爲全國人民的偶像。

就在一七九八年，拿破崙決定進佔埃及。

Tiara把日曆的頁數撕到這件大事之前。她身上的衣著沒變更，連窗外的天色亦沒變。但約瑟芬那對正在長大中的子女已長高了數吋，而時光，在撕掉日曆的轉眼間，已溜走了差不

多兩年。

『Fast forward, fast forward……』

『好了……在這裡停下來……』

她選擇在此時此刻停下，皆因她又來到一個好時機來表現她的智慧。她寫信告訴拿破崙，她萬分支持他入侵埃及的計畫，皆因埃及是英國的地中海貿易中樞，也是前往印度的墊腳石。

Tiara寫道：『只要控制得到埃及，就能控制英國，更有助將軍你在他日統治東方世界。』

而拿破崙，就爲了她這兩句話，千里迢迢趕回來巴黎見她一面。

拿破崙緊握妻子的手，激動地說：『我實在不能沒有你，你簡直是我的明燈！』

Tiara把疲累的男人擁在她的懷中，輕輕地說：『我只不過是了解你的心。』

拿破崙情深地望進Tiara的眼中，然後慨嘆：『這世界上，怎可能有人如此與我匹配？』

Tiara不會錯過這個表現溫柔體貼的好機會。她說：『我之所以知心，就因爲我的生命每天都花在閱讀將軍的心意之上。我是爲將軍而活的。』

拿破崙再也按捺不住，他爲這個女人流下了感激的眼淚。『約瑟芬，我眞的不能失去你，一天也不可能。』

Tiara暗地沾沾自喜。這個男人，完全離不開她。

驀地，Tiara靈光一閃。她有了新的計畫。『將軍，不如你帶著我從軍。』

拿破崙猶疑。『這個……』

Tiara挽起她的長髮。『我可以扮男裝。』她故意擠出可愛小男生的表情。

拿破崙因她的嬌俏眼前一亮。他伸手，愛憐地輕撫她的臉。

Tiara就瞇起眼享受這個男人的溫柔，然後，她順勢倒進他的懷中。大男人最愛女人撒嬌吧！Tiara的小臉在拿破崙的胸懷內輕摩著，又輕輕搖著他的手。『我要扮作將軍的隨從，跟著將軍打仗！』見拿破崙仍一臉遲疑，她就說：『我不要再與將軍分開！將軍捨不得我，我也一樣捨不得將軍！我不要再過著每夜爲著想念將軍而飲泣的日子。』

在拿破崙點頭答應的一刻開始，Tiara又爲約瑟芬創造了新的一頁。

拿破崙抱著她的神態，就如抱著一件寶物那樣。Tiara納悶起來，究竟是自己太會演戲，抑或是這個男人太單純？天下無敵，戰無不勝的拿破崙，從來沒少愛她半分。

當Tiara抬起眼望向這個男人，她就看見他那雙認眞、情深卻又帶著憂鬱的眼睛。他愛她愛得那麼眞。

他捧起她的臉，快要吻下去了。Tiara就反射性地銷魂起來。眞心，她回敬不了；但最入肉蝕骨的濃情蜜意，她還可以源源不絕地提供。

『呵呵呵呵——』她的心在呼叫。

『我Tiara是最實至名歸的奧斯卡影后！』

——我銷魂我銷魂……

——我柔弱我柔弱……

眞是要什麼有什麼。

* * *

拿破崙與Tiara是乘船到埃及的。任誰都看得出她是女扮男裝，但因爲她不招搖，也因爲她是拿破崙夫人，部下全都由她去。這還是頭一次，Tiara目睹拿破崙在軍隊中的威嚴；所有軍人，不論軍階，全一心歸向這名英雄，就連拿破崙的背影，他們也用敬畏的眼神注視。這個男人，有能力令最具男子氣概的精壯之士爲他賣命。

Tiara極有面子，穿著軍服的她，無論走到哪裡，都有人向她敬禮。

拿破崙愛說：『世上最漂亮的服裝就是軍服！』

Tiara開始認同他。

而當拿破崙的部下向他高呼『拿破崙萬歲！』時，最心花怒放的是Tiara。她完全體會到當上大人物的女人的虛榮。

女人沾得到的光華，一定比所戴上的首飾更閃耀明亮。

日間時分，如果軍情不緊張，拿破崙會讓Tiara跟在身邊。Tiara策騎在馬背上，以望遠鏡觀看四周的環境。那是一個著重步兵與炮兵的年代，就算手持眞槍實彈，士兵也要先衝鋒陷陣，而最常用的武器，其實是法國長劍，戰士們揮劍斬斬殺殺，戰場上都滿佈支離的手腳和人頭。Tiara還以爲她會爲血流成河而膽顫心驚，然而戰爭場面所帶來的震慄，最後只變成一幅幅不眞實的畫面。每當有士兵戰死在她的眼前，她所想到的是，這些全是歷史的片段，是勢必要發生的，不發生才不合理。而這些慘烈和悲痛，亦只是一些重播的歷史。炮彈聲震耳欲聾，受傷的士兵痛苦地呻吟，Tiara在槍林彈雨之間，與其他同僚一起搶救傷者；斷肢、腐肉、鮮血淋淋，她在這些悲壯的情景當中，總有某些時刻覺得自己正魂離體外。怕什麼？又因何傷痛？她身處的，不外是Mystery借給她的時空。

Tiara對自己說，眼前一切只像電影一樣，現場實景，造型逼真。所有的感覺，包括愛、恨、恐懼、憂傷……蕩漾過在心頭就算了，不需要當真。

『不要放在心上……不要放在心上……』她無時無刻都惦記著這句話。

就因爲她的抽離，她在戰場上的行動益發勇敢，除了照料傷者之外，她更試過持槍殺敵。敵軍是英國士兵，當她擊斃了一個英國人之後，她想到的是，他日返回二十一世紀的話，她會飛到英國去shopping，以刺激英國經濟來彌補她這次的行爲。

是的，就算連殺人也只是一個幻覺。嘿，怕什麼！

那些在指頭間流過的鮮血，只是夢的一隅。回到二十一世紀之後，誰還會追究？炮彈聲轟然，Tiara聽入心坎內，半分恐懼也湧不上。再血肉模糊，也只是假象。懷抱著這種心態的女人，幹什麼都可以，心中無畏懼，自然可以一鼓作氣勇往直前。

而對拿破崙而言，Tiara就變成更不可多得的女性，居然，勇猛一如最英勇的軍人。看著身穿軍服的妻子，拿破崙對她的愛意，一日比一日濃烈。

夜間時分，Tiara會在軍營內休息。她喝煮熱了的酒，吃著粗糙的軍糧，但又覺得風味十足。而每當拿破崙與部下商討軍情之後，他也會首先整頓好心情才步入他與Tiara的軍營，再煩惱都好，他一定要自己笑著與妻子見面。

於是每一晚，Tiara都會迎接一張微笑的臉。極疲累之下的微笑，辛勞與煩惱中的微笑、故意逗她開心的微笑……已經不止一次，這些微笑看得她心都痛。她完全感受得到這個大男人的體貼細心。

她會張開雙臂擁抱這個疲憊不堪的男人。拿破崙脫下軍帽，伏在妻子的懷中輕輕嘆息，在戰場中，愛人的胸懷就成爲他的一切安慰。

他會對她說：『幸好你在這裡。』

她會溫柔地回答：『我會永遠在這裡。』

明知發生著的一切只是幻覺，然而人非草木，在這樣的時刻，Tiara會讓自己的心流動一點點的眞感受。就當作是一種放縱，她享受這種被偉大的男人所需要的快樂。

她輕撫著他微鬈的頭髮，像懷抱著嬰兒那樣去呵護他。然後她會讚賞自己做得好，一個女人，是應該充滿母性地去俘虜男人。

Tiara伴隨拿破崙行軍的決定，急速拉近了兩人之間的距離。曾經出生入死，感情自然大大不同。他倆的步伐愈趨一致，看上去就愈是恩愛。

* * *

拿破崙的第一位情婦寶蓮霍華絲 Pauline Foures 就在這時候出現。寶蓮隨同她的軍人丈夫由法國到達埃及，隨即，就在小圈子中引來一股騷動。她艷若桃李，被稱爲法國的埃及艷后。在歷史之中，拿破崙與她在埃及有兩年婚外情，當拿破崙返回法國時，他才決心放棄這名情婦。

Tiara等待寶蓮出現的心態，就如玩遊戲機打game一樣，第一回合一定要大獲全勝才可以升級。

她們在一次軍人聚會中相遇。Tiara依然女扮男裝，她愛煞自己雄糾糾的模樣。在埃及開羅的一個俱樂部裡，軍人與一些當地的法國女人作樂嬉戲，異地風情就令他們的舉止更狂放熱情。鴉片、烈酒、肚皮舞孃，這些高軍階的軍人被容許狂歡一夜，無論如何也要盡興。

寶蓮來到埃及之後就與軍人丈夫離婚，她一心一意尋找她的第二春。當拿破崙看到她之時，她正斜躺在長椅之上，喝得七分醉，意態撩人。她那雙豐軟的白色胸脯從衣領中半露出來，當這種淫穢的性感配襯上一張天生的孩子臉時，就構成一幅令男人意亂情迷的激盪畫面。

連Tiara也看得眼前一亮。這種女人，渾身散發著一種creamy beauty，眞想一口把她滑吞到肚子裡。

寶蓮只有十八歲呢，足足比約瑟芬年輕十八年。約瑟芬已三十六歲了。

拿破崙一到達，在場所有人都向他敬禮，而故意打扮成隨從的Tiara則站在拿破崙身後，向大家點頭微笑。所有人都知道她是誰，但又不會向她以『夫人』儀式敬禮。明知Tiara愛裝，於是就陪她一起裝。

當有人把寶蓮介紹給拿破崙之時，Tiara看得出，拿破崙有那目眩神馳的神色。寶蓮醉倒了，她站不起來向將軍敬禮，她只能在長椅上向前俯身，讓那雙嬌美的胸脯代她表達對一代英雄的敬意和仰慕。

當寶蓮停止搖晃上半身後，她就瞇起一雙如夢似幻的眼睛，盯著拿破崙雙腿之間的位置不放。她足足看了三十秒之久。

如果能夠把畫面定格，大家就會看見，拿破崙盯著寶蓮的大胸脯，而寶蓮盯著拿破崙下半身的重要器官的有趣畫面。

拿破崙與她閒聊數句，之後帶著笑意離開，而由始至終，寶蓮沒望過 Tiara 一眼。

後來發生了一些事。有人把 Tiara 由拿破崙身邊支開，藉詞給她見識埃及一些重要的寶物，拿破崙又半鼓勵性地慫恿 Tiara 耐心欣賞。在 Tiara 無法監視的十數分鐘期間，寶蓮就得著與拿破崙獨處的機會。

她站起身，以胸脯貼著他的胸膛，語調又軟又綿地對拿破崙說：『大人，我不知道如何才能向你表達我的愛慕之情……』她的神情銷魂蝕骨，欲言又止。『我疏通了多位將領才能躋身這次宴會，大人一定要明白我渴望與大人相見的決心。』

話到此處，寶蓮就把指頭伸入低胸的衣領之內。拿破崙隨即渾身一震。

寶蓮炮製了一個令拿破崙畢生難忘的連環鏡頭。她的指頭先在胸脯之間撩動，由乳側移至乳溝之間，最後就停留在乳暈之上。旋動的指頭配合慾火焚身的目光，一直盯著拿破崙的臉不放。後來，更配襯上喘氣的聲音。當拿破崙漸覺按捺不住之際，寶蓮就由胸脯之內抽出一塊粉紅色的手帕，上面繡上了她在開羅的地址。

她把手帕放在拿破崙的臉龐廝磨，拿破崙的感官，滿滿充塞著美女的乳香。

最後，寶蓮主動親吻了拿破崙，並且把他的手放到自己的胸脯上。拿破崙並沒有反抗，他也不認爲有需要反抗。

當Tiara被帶回拿破崙身邊時，寶蓮已不再在俱樂部逗留。而那塊情慾手帕，亦已被拿破崙收藏妥當。

別人告訴她寶蓮被送回居所之後，Tiara就明白事情的嚴重性。這個女人，一定已在拿破崙身上做了手腳。

翌日，Tiara帶了幾名部下，查出寶蓮的住所。她要在拿破崙未再見到這個女人之前就趕絕她。

在那所平凡的房子之內，Tiara與寶蓮單獨會面。

是寶蓮先說話：『將軍夫人還是最適合男裝打扮，免得一經與我比較，就相形見絀。』說罷還要故意突顯自己的上半身。

Tiara在心中驚訝起來。這個女人年紀輕輕，但膽大包天，居然面對著將軍夫人也面無懼色。Tiara說：『我明白，自古只要有妻子，就一定會有情婦。但我的拿破崙永遠只會屬我一人。』

寶蓮故作驚奇。『有人人老珠黃了，還妄想縛住丈夫的心？昨夜當我親吻大人之時，他的生理反應就如戰事一般的激昂。』

Tiara怒不可遏：『你吻他？』

寶蓮攤攤手。『他的手甚至放在我的胸脯之上！』說罷，她走上前去，捉住Tiara的手按到自己的乳房上。

Tiara推開她，順道賞她一記耳光。『你夠膽完全不放我在眼內？』

寶蓮頻頻呼痛。然而，她還是繼續笑吟吟的，氣定神閒地說：『情婦是用來分擔妻子的任務。夫人何不讓小女子爲你效勞？』

Tiara實在鬥不過她，她憤怒地拔出佩劍，擱到她的頸項旁。寶蓮的表情這才稍稍收斂。

『你立刻給我離開埃及，我以後再也不要看見你這張淫賤的臉！』

寶蓮深呼吸，對Tiara說：『夫人，恕我直言，我相信將軍昨夜一直都在掛念我這張小臉。』見Tiara沒回應，於是寶蓮又說：『夫人，你看開一點吧！隨著將軍的權勢愈大，夫人你又一日比一日蒼老，像小女子這樣的小淫娃就會接二連三出現。如果你眞的疼惜將軍，就要爲將軍著想，讓他每隔一陣子就可以從美女身上享受一番。你以爲就憑你便可以永遠俘虜他嗎？』

Tiara望著眼前這個挑戰她的女人，這樣說：『是的，憑我，就能一生俘虜他，而這也是我出現在他身邊的目的。』

說罷，Tiara的劍就在寶蓮雪白的粉頸上劃出一道淺淺的血痕。她再重複一遍：『你要離開羅。』

寶蓮心有不甘地盯著她。

Tiara說：『要不然，你將人頭落地。』

那天，Tiara一直悶悶不樂，心頭內夾雜了氣憤、丟臉、尷尬、失措……還有傷心。她擠不出任何輕鬆的表情，她沒預料得到，拿破崙的情婦會是如此強橫勇猛，才出現了第一個，已經厲害得教人招架不來。

原來，當故事一直發展下去，不是光靠演技與熟悉的手段就能無往不利。

她在軍營中呼喊：『阿大阿二阿三，你們出來吧！』

軍營之外，就傳來了高跟鞋喀喀喀的聲音。

阿大阿二阿三站到 Tiara 身旁，Tiara 看了她們一眼，就說：『我開始覺得有壓力。』

阿大笑了笑。『拿破崙的情婦們都是厲害貨色。』

Tiara 就說：『是我低估了整件事。』

阿二說：『這樣才有意思，遇敵殺敵，你的學習機會更多。』

Tiara 問：『昨夜拿破崙與寶蓮霍華絲單獨一起時做了些什麼？』

阿三瞪大眼問：『你真要看？』

Tiara 猶疑了一會，之後點起頭來。

阿大阿二阿三交換了眼色，然後阿三捧出Tiara的玻璃盒子，當中的非洲之星旋動出青春的幻光。在木板砌成的牆上，播放出昨夜 Tiara 看不到的片段。

她的臉色一直轉變，最後甚至氣憤地流下眼淚。『他居然對我不忠！』

阿三合上玻璃盒子，影像就此熄滅。她說：『任何男人都會對女人不忠。』

Tiara 痛苦地緊握拳頭。『但我是 Tiara 。』

『So?』阿大阿二阿三齊聲反問。

Tiara 無助地望向她們。

阿大笑起來。『哈哈哈！所以你才要在這裡學習嘛！』

Tiara 悲憤地喘氣。

阿二說：『是你真正投入這段關係的時候了。』

阿三也說：『俘虜一個男人，還有很多學問。』

Tiara 嘆了口氣。『我會檢討。』

當阿大阿二阿三離開之後，Tiara就屈膝抱頭哭了一會兒，心頭抑壓著的憤怒和失望，她不得不發洩出來。

夜間，當拿破崙回到軍營之後，Tiara 就對他說：『我已派人把寶蓮送走。』

拿破崙先是一怔，然後才故作鎮定地說：『好端端的，幹嘛把我們的子民送走？』

Tiara 說了一句：『我不想將軍分心。』說罷，她就在拿破崙身邊擦肩而過，逕自走到軍營之外。

她在星光下一直向前走，一邊走一邊流下眼淚。在哭泣的盡頭她才驚醒地發現，原來，她比自己的想像中更重視整件事。那些憤怒的淚水，每一滴都溫熱而真實，完全不是幻覺。

就在其他女人的激發之下，她與拿破崙的感情就進入另一個層次。Tiara 沒預料得到。

* * *

在埃及這數場大型戰事中，拿破崙起初都氣勢如虹。置身在古埃及的雄偉建築之間，他首次感覺到自己在歷史上的地位。Tiara 看懂他的心，於是對他說：『將軍，他日你會比任何一名法老王更偉大，更令人崇敬。』

拿破崙在馬背上仰天而笑，繼而感激地望向妻子。

Tiara組織了一隊五百人的隊伍，當中包括畫家、工程師、科學家，他們著手發掘與記錄古埃及的寶藏。也是在這兩年的戰事中，法國人把大批埃及寶物帶回法國，當中包括著名的Rosetta Stone，羅塞達石碑。無人看得懂這塊石碑的重要性，惟Tiara獨具慧眼。這石碑上的古埃及象形文字，是解開法老王歷史的無價鑰匙。

Tiara不知在心內奸笑了多少遍。『呵呵呵呵！』她又立下了大功。

趁別人看不見時，她就高舉數位相機，在埃及的文物前自拍。了不起呢！歷史上有她的功勞。

在一八〇〇年，法國軍隊的形勢仍比四周的強敵為強，英軍、土耳其軍都無法佔上風。但拿破崙明白，距離當初訂下的攻打目標依然甚遠。佔領了埃及，卻達不成威脅英國貿易的目的，未能因佔領這國家而再下一城。與其久留在這異地，不如舉兵返回巴黎。

況且，拿破崙有更重要的事情要辦。他進行了一次政變，而在這次政變中，拿破崙的軍隊槍彈未發就奪取了政權。他把法國政府改制變成高效率的軍事政體。在精簡的編制下，秩序得以重整。法國人民經過多年戰亂，又在腐敗無能的政權下過活了好些日子，對於拿破崙的變革，顯得歡迎之至。

同年，拿破崙到達義大利，他的軍隊在阿爾卑斯山上重挫死敵奧地利的軍隊。

在一八〇〇年至一八〇二年間，拿破崙都忙於處理國內政事。一八〇二年這一年尤其重要。

國內實行了多項變革，人民以投票方式表決以帝國來取代共和國，國家的運作仿效千年前的查理曼帝國模式，而拿破崙被推舉爲終生國家領袖。

Tiara在這兩年間不斷撕去Mystery的神奇日曆，她認爲沉悶、不重要的日子一律給她快速撕掉。『沉悶、沉悶、沉悶……浪費青春……fast forward……』在拿破崙受封爲『終生國家領袖』的那天，她倒是停了下來，爲的是要向拿破崙說出這一句：『這個國家爲了向大人表示感激，因此才爲大人獻上這至高無上的封號。』

拿破崙趾高氣揚極了。而Tiara知道，兩年之後，這個男人就會稱帝。

一八〇三年，拿破崙的第二位情婦出現，她是著名演員喬治小姐Mademoiselle Georges。這一次，Tiara對這個女人作出了另外一種安排，她把喬治小姐介紹給英國的威靈頓公爵。

Tiara對年僅十六歲的喬治小姐說：『女人都是爲著被寵愛而與男人一起。倘若你堅持當上拿破崙的情婦，我可以向你保證的是，你永遠不會得到幸福。』

一星期前，在拿破崙欣賞過喬治小姐的演出之後，這名法國的最高領袖就命人送上一枚玫瑰色澤的鑽石襟針，而喬治小姐則視之爲一種暗示，她打算用濃情蜜意來回報拿破崙的厚愛。

Tiara很快就得悉此事，她堅決不會讓這名小娃兒有機會接近她的男人。

喬治小姐後來就接納了Tiara的提議，不久之後，她就成爲了英國威靈頓公爵的情婦。有了上次的經驗，這一次Tiara表現得氣定神閒。要來的始終要來，可以冷靜處理的話就更妥當。

一天黃昏，拿破崙完成政府的工作後，便返回他與Tiara的居所。Tiara當時正在書房內與秘書商討國家晚宴的賓客名單，拿破崙看到他這名勤奮能幹的妻子，就情不自禁地掛上充滿愛意的笑容。他上前擁抱 Tiara，又讚美她當天的打扮。

Tiara 吩咐侍從把茶點奉上，隨後，小倆口就在書房內閒話家常。

拿破崙提及喬治小姐。『夫人，聽說你把喬治小姐由巴黎送到英倫？』

Tiara 呷了口香檳，如是說：『大人不會是捨不得吧！』

拿破崙就說：『我對喬治小姐的印象並不算深。只是，我希望夫人明白，男人有男人的玩意兒。』

Tiara 垂下眼，繼而幽幽地說：『如果大人不介意，我願意當上大人的玩意。』

拿破崙凝視 Tiara 了半晌，才說：『但我不要你當我的玩意兒。』

Tiara 的目光哀怨起來。『大人，你嫌棄我了嗎？我已經不再年輕貌美。』

拿破崙笑了笑。『我要你當我一世的愛人。』說罷，就牽起她的指頭親了親。

Tiara 微笑，說：『我是大人一世的愛人，但大人還是想要其他的女人。』

拿破崙說：『我始終沒有碰過別的女人。』

Tiara 便說：『如果我不是從中作梗，大人已經先後有兩名情婦了。倘若大人要怪罪於我，我是明白的。』

拿破崙再次笑起來。『夫人認為我喜歡她們。』

Tiara 帶著一副看懂他的心的表情。『為什麼不？她們年輕又美麗。』

拿破崙靜默地望了妻子半晌，然後就對她說：『的確，她們都美艷不可方物，令人垂涎。只是，當剎那心動之後，我便會想，她們都及不上我的約瑟芬，十分之一也及不上。你明白嗎？就因爲遇上她們，我更加珍惜你。』

拿破崙的目光溫柔又富男子氣概，他說的不是甜言蜜語，而是最眞心的話。

就因爲他這種眞心，Tiara覺得壓迫感很重。她迴避了他的眼睛。

她站了起來，望著窗外的街道，馬車來來往往；女士們的長裙拖著地上的泥濘前行，洋傘與帽子是普遍的隨身物，看得懂字的已算是知識分子……這根本不是一個屬於她的世界，這兒是一個幻覺、一個假象，沒理由在假象中，會看得到眞心。

都不配襯，亦不應該發生。

她望著一八〇三年的巴黎黃昏，問：『你喜歡我些什麼？』

拿破崙也站了起來，他走在她的背後，輕輕說：『我愛你聰敏、高貴、充滿智慧、美麗無雙。』

Tiara垂下眼逕自冷笑。

拿破崙說下去：『還有，我愛你對我眞心。』

頃刻，最沉重的悲慟席捲她的心，她仰起臉，表情盡是痛苦。

拿破崙卻從後環抱她，溫柔地在她的耳畔說：『縱然有些時候我覺得自己不能明白你，你渾身都帶著神秘的氣質……但是，我已經深深地愛著你，愛得很深很深。』

這個男人的懷抱多麼可靠多麼眞實，她就在這豐盈的暖意下在心頭滴出眼淚。

他的聲音依然親密輕柔，他說：『那些女人會眞正愛我嗎？世界上，只有你最眞。』

這已經超越了她能忍受的地步，她的身體不住的抖震。他再溫暖，都安撫不了她。

拿破崙的濃情蜜意還未完結，『任由我再征服多少個江山，最後我所渴望的，都是你給我的愛情。沒有你，我得到一切，都無意義。』

終於，她無法再抑壓下去，心頭的淚，就在眼角溢出。

拿破崙愛憐地問：『夫人，發生了什麼事？』他把 Tiara 的臉轉過來，她已哭成淚人。

Tiara 搖了搖頭，告訴他：『我只是太感動。』

拿破崙聽見了，就捧起她的臉蛋吻走她的眼淚。而當他愈是溫柔，她的眼淚就流得愈狠。

他吻她的臉龐，吻她的鼻子，吻她的眼睛。然後他說：『究竟你是誰？居然令我愛得這麼深。』

Tiara 的心痛得不得了。世界上再沒有更諷刺又更淒涼的事。

該如何繼續戴著這副虛情假意去面對這個最真心的男人？

* * *

在這個空間內，無人看得見小蟬。她是幽靈、她是天使、她是一個夢、她是一陣暖意。

她在這個空間內恣意遊動，她打破了物質的規限，亦打破了時間。她不會感到肚子餓，亦無需睡眠休憩。她甚至感覺不到光陰的流逝，一切輕如無形。

在這裡，她自由得甚至察覺不到自己的存在，沒有一塊鏡子能照出她的幽冥。

她活於一切之上，亦活於一切之間。小蟬快樂極了。

＊　＊　＊

一九四三年在巴黎聖母院不遠處的一所小餐廳內，六十二歲的畢卡索邂逅了芳齡二十一歲的范思娃。

畢卡索丟下同桌的情人朵拉，走到范思娃的跟前，用那雙著名的黑眼睛盯著這名女孩不放。范思娃是一名畫家，長得優雅美麗，她有完美而略長的鵝蛋臉，眼睛大而慧黠，鼻子高挺優美，唇形雅致動人。她望著這名舉世著名的藝術家，內心激動得不得了，她仰慕他、崇拜他，對他好奇。而同時候，她也感覺到，畢卡索對她也有很大的興趣。他透過她的朋友介紹後，就坐在她跟前，絮絮不休起來。

就像所有男女的邂逅，當中彌漫著好奇、刺激、憧憬，以及對將來的探索。

小蟬就坐在他們當中，聽著他們的對話，閱讀他們的思想。范思娃訝異於畢卡索的英俊和朝氣，他就如相傳的那樣，擁有一雙銳利得像鐵釘的眼睛，望著一個人的時候，會牢牢地把對方的靈魂釘在牆上不放。而畢卡索被面前的女孩流動著的生命力吸引著，她看上去聰明、跳躍，又富挑戰性。

小蟬從他們二人之間回頭向餐廳的一角望去，那裡坐著畢卡索當時的情人朵拉。她眼定定地望著檯面上的一隻叉子，整個人動也不動，不說話、漠然的、冰寒的。她把自己裝扮成一尊雕像，裝飾在被畢卡索遺棄的角落。她習慣了畢卡索對她的不尊重，他可以為任何一個人而忘卻她。

小蟬輕輕對朵拉說：『我喜歡你，又同情你。』

朵拉的眼皮跳動，她感應到些什麼。

畢卡索在另一邊對范思娃說，歡迎她隨時到他的居所參觀。范思娃抑壓著興奮，得體地答應。然後畢卡索又說：『如果你要來，不要帶著朝聖的心態來。假如你只爲看我的作品，你可以走到任何一間博物館中。你來我的家，爲的是和我建立出一段富交流的關係。』

他說得像命令一樣，而范思娃只有更興奮。這個聲名顯赫的男人，是真的對她有意思。

後來，范思娃與她的友人離開餐廳，畢卡索亦與朵拉離開。在被德軍進駐的巴黎夜間，畢卡索邊走邊說著剛才與范思娃交談的事，朵拉則貫徹她的靜默，只聽著而沒搭腔。朵拉並不與畢卡索同住，他倆各自回家。

小蟬跟著畢卡索走進他的居所。她可以發誓，這是自小學參觀太空館之後最緊張的一次活動，興奮得叫她全身發亮，眼睛、頭髮、皮膚都快樂得閃閃亮。多可惜，畢卡索看不見這神采飛揚的生命體。

她帶著跳躍的步伐走進畢卡索的家。

這是一幢兩層高的小樓房，充滿著畢卡索作品和鳥獸花卉。大門一推開，就飛來數隻鴿子，還有更多的鴿子住在屋頂的閣樓之內，一隻貓頭鷹站在籠子中，另外大約有十數隻色彩繽紛的熱帶鳥兒被飼養在大籠之內。伴著一群飛鳥的是一叢叢植物和花卉，整個範圍顯得很具野外氣息。

小蟬知道，數年之後，畢卡索甚至在家中飼養山羊，畢卡索非常鍾愛動物和飛禽，他對待畜牲，態度甚至比對人好。

畢卡索一邊走進一樓的大廳中，一邊與管家說話。小蟬看到，大廳內陳設著數張路易十八的沙發與座椅，另外又有若干的樂器作擺設，那些樂器與畢卡索早年的立體主義時期有著關連。在三十多年前，他利用了大量樂器，尤其吉他，創造出嶄新的雕塑風格。小蟬如獲至寶地走在樂器之間，眞不敢相信，自己能與畢卡索的靈感有著這麼近的距離。

畢卡索在前端的兩張巨型長木檯上拿起一份報章閱讀，這兩張木檯擺放著數以百計的書籍、雜誌、照片、剪報、帽子和雜物。小蟬也跟到這裡來，她伸手觸碰檯面上那座漂亮的紫水晶山。不知道畢卡索是否知道紫水晶的功效？看起來，他大概只把它當作巨型紙鎮使用。

畢卡索放下手中的報章走進另一個房間之內，那是他的雕塑創作室。小蟬看到那著名的《男人與羊》塑像，也看到一系列三〇年代初段完成的女人頭像作品。看上去，當模特兒的是瑪莉特麗莎；頭形圓圓，鼻子圓圓，眼睛圓圓，那是瑪莉特麗莎的得寵年代，她曾是畢卡索的弧形線條女神。

二樓的天花板矮得多。這樓層的房間包括畢卡索的起居室和畫作創作室。那偌大的 studio 中，同時候擺放了數幅未完成的作品。小蟬在畫家的眞蹟中跑來跑去，她快樂得情不自禁地跳起舞來，她知道，這裡就是她以後最常流連的地方。在顏料與畫布之間，她狂喜莫名，亢奮得要掩住嘴，眞不敢相信，她有機會與畢卡索的創作日夕相對，他如何揮動畫筆，如何在畫布上呈現出他的偉大……她將緊貼觀看。作爲一名小 fans，有什麼比得上這種相隨更心生激動。

畢卡索梳洗之後便上床就寢，他的寢室內堆放了許多衣物，小蟬知道，畢卡索從來不願意棄置任何一件舊衣物。當燈關了之後，小蟬就坐在偶像的床邊，細閱他的容貌。他眉心的皺紋很深，額上的橫紋亦清晰明顯，他已經六十二歲了，但依然英俊和充滿魅力。忽然，小蟬覺得畢卡索似一頭黑豹，那種渾身毛色發亮的兇猛動物，從來教人看不出年齡；牠永遠矯捷兇狠而性感，但凡被牠雙眼牢牢盯住的獵物最終都逃不出牠的利爪，既邪惡又美麗，想要什麼就得到什麼。豹的毛髮覆蓋著面部，豹並沒有皺紋；而替畢卡索的面部作出掩飾的是他的才華。才氣橫溢，哪有女人會計較他的容貌是青春抑或蒼老？

小蟬把她的臉孔湊近了畢卡索的臉，她放肆地感應他的氣息。眞的難以想像，能與這個男人有著如此貼近的距離，忍不住，就在這鼻尖對鼻尖之間，小蟬燦爛地笑起來。

驀地，畢卡索張開那雙黑豹一樣的眼睛。小蟬立刻彈起身，躲到衣櫃的背後。那一躍而起的跑動，靈活敏捷得叫小蟬自己也驚訝起來。

畢卡索的眼珠向四周溜動，然後，他就安心下來，沉沉睡去。

這夜的月色透出一抹藍光，小蟬記起了她鍾愛非常的畢卡索藍色時期，那幅自畫像，把她以後的日子改寫了。而畫家的一雙眼睛，相隔了數十年，居然完全沒有老去。不朽的，不止是藝術品，還有那雙眼睛。小蟬屈膝坐在窗沿上輕輕嘆息，感嘆著這份幸福。

而從此，她就成爲一名全知的偷窺者。在她鍾愛的偶像身邊，她將得悉他的一切秘密。她是他最深入的分享者。

小蟬滿意極了。由窗沿跳往地上的她，身手輕盈優雅，宛如技巧出眾的體操選手。她伸出自己的手臂，隨心念一動，就又矯捷地打了個側手翻；縱身向上一跳，後空翻就在幽暗中翻騰出來。

她知道，在這個空間內，她將自由無比，無論做什麼，都會得心應手。新的生命，又再次由畢卡索開始。

* * *

范思娃與畢卡索的愛情進展並不急進。她每隔一陣子來他的家與他相聚閒聊，時間雖然短，但總教她印象深刻。畢卡索說的話沒有包含任何特別的信息，一切都只因爲那雙眼睛。當他盯著她的眼眸注視時，再輕鬆的話題都立刻變得凝重，每一句每一字都重重地烙在她心坎間。無可避免地，他的神情他的目光他的話語都在她的腦海來回打轉。每一回見過他之後，范思娃都要花上半天去回味；每一次的見面，都代表了一次心神恍惚。日子的中心點，就變成與畢卡索見面，以及回想畢卡索的話，似乎再無任何事比這更重要。

范思娃由享受這種不由自主變爲討厭與害怕，她不能忍受自己被他所操縱。畢卡索沒對她做任何事，她卻早已被他牢牢牽引住。終於從某天開始，范思娃立下決心要抵抗這種牽引，總不成每一次都懷著窒息的心情離開他的家吧！未遇上畢卡索之前，她明明是個堅定的女子，她要努力尋回自己這種特質。

而另一方面，畢卡索對范思娃的另眼相看，又是任何人都看得出來。畢卡索的家每星期都有拜訪者，當中有比范思娃更美麗更有才氣的女訪客；但只要范思娃登門，畢卡索就會撇下其他人，找機會與范思娃單獨相處。

范思娃定下的新態度是，儘量裝出平靜與冷漠，她明白，愈是遲與畢卡索有更進一步的發展，就對她愈有利。太多女人飛撲到這個男人身邊，他愈是容易得到，就愈快棄之不理。

而作爲一名機智、知性的女人，范思娃的強項是溝通，她看很多很多的書，她的心智遠比她的年齡成熟。

於是每一次，他們都有不同的討論話題。

而這一天，畢卡索忽然提起施虐與受虐這種禁忌式的快感。

畢卡索問她：『你看過薩德侯爵的作品嗎？』他隨手由床邊的書架上抽出一本有關的小說。

范思娃當然知道他想著些什麼。她回答他：『我對施虐者與受虐者的故事無興趣。我不認爲我適合當上任何一方。』

畢卡索說：『你不認爲男女關係就是施虐與受虐嗎？』

范思娃笑起來。『你擁有的那些可能是。至於我……』

畢卡索等待她說下去。

『一定不會。』范思娃淡淡定定地告訴他。

畢卡索就彎下嘴角點了點頭，又搖了搖手指頭。范思娃看得明白，他在表示出『等著瞧』這意思。

有一次，畢卡索說：『你的內斂個性根本就不像法國女人，你更似英國女人。』

范思娃喝著咖啡，笑了笑，沒回答他。

畢卡索又說：『你一定對男女關係很有手段。』

范思娃否認。『我曾經愛過一個男孩，但我們沒交往過。基本上，我無任何實際的經驗。』

畢卡索的表情訝異起來。『是嗎？你看上去太老練了……』然後又說：『你知道嗎？Coco Chanel曾經主動希望成爲我的女朋友。我拒絕了她之後，她就與我的好朋友一起。』

范思娃再次輕輕一笑，不太在意。

畢卡索就皺起眉毛，這樣問：『你這個女人，我眞搞不通。』

范思娃忽然笑得很燦爛。『我以少女之身掩飾我的哲人之身。』

畢卡索蹙起一邊眉毛。

范思娃說下去：『而且我是無懼的。』她望進這個男人的眼睛。『當所有人都懼怕你，我的心卻一片澄明。』

畢卡索呼吸，完全拿她沒辦法。他搖了搖頭：『我甘拜下風。』

范思娃滿意極了，佔了上風的她，笑容亮麗愉悅。

在這初相識的探索階段，小蟬目睹了畢卡索的溫柔體貼。雨水把范思娃的頭髮弄濕了，畢卡索會主動爲她抹乾頭髮。他從不知道她何時會到來，但每一天，他都會吩咐下人爲她煮上她喜歡的咖啡，他的管家對范思娃有點意見，他又會狠狠地教訓起來。范思娃是畢卡索的上賓，他總是以一種尊重和盼望的心情期待著她。小蟬喜歡這樣子的畢卡索，他細膩富感情，看上去很願意愛護女人似的。

或許，初相識的一切都特別美好，而每一個被畢卡索所愛過的女人，都曾經享受過他的好。有一回，他倆的談話特別的感性。畢卡索對她說：『當我像你這般年輕的時候，我從來沒有遇上過像你這樣的人。甚至，我沒遇上過像我自己的人。我一直都孤獨，不敢對別人說出內心的話，我的傾訴對象就是一幅幅的畫布。遇上了你，我就知道我們是可以溝通的，我們是同一類人。』

范思娃就說：『或許我是你的某部分，不過遲了出世。』

在靜默間，一道粉紅色磁場就建立起來，二人享受著心靈互通的感覺，或許自此之後，就能變得心有靈犀。世界上那麼多人，原來只有對方才是真正的特別。范思娃捧著咖啡，畢卡索喝他的烈酒。在他們的對望之間，站著幽冥一樣的小蟬。火爐烘出暖氣，窗外下著淅瀝的雨，德軍仍然攻佔著巴黎，無數人在外面的世界中餓死與戰死。然而窗外的一切，都與窗內的人無關。畫家的世界就是他的畫布，而現在，他在這個年輕的女人身上，發掘出一個新的世界。

當兩個人的心一步一步走近時，肉體亦無可避免地互相吸引。小蟬一直等待著這一刻，就如一個觀眾等待浪漫電影中的親熱劇情一樣，那總是最教人心神蕩漾的。

那是一個嚴寒的二月天，天色一片灰暗。范思娃的家並沒有熱水供應，但畢卡索的家就各樣設施都齊全。那一個午後，他們首先聊了些什麼，范思娃說想借用熱水來沐浴，畢卡索答應了她。忽然，畢卡索說：『我一直想知道你的身體與我想像之中有多大出入。』

范思娃回敬他：『我以為你有興趣知道我的身體與我的腦袋是否同樣高程度。』

然後她站得定定，他就開始脫去她的衣服，一件一件，動作緩慢而溫柔。

范思娃的表情平靜，畢卡索亦然。她一早準備好有這一天，而畢卡索亦認為，這是一個無可避免的時刻。醞釀著愛意的一男一女，總不成永恆地只有心靈溝通。

他幻想了她的身體已半年；她準備了此刻的裸露亦已半年。這兩個人，正合力完成一次心願。

他已經脫掉她的衣服。這是她第一次在一個男人跟前袒露，她發現，她抵受不了他的目光。

范思娃把眼睛合上，她的臉泛紅，這種事比她意料之中要難爲情。

畢卡索的確像一個鑑賞者，他細微地注視著她的身體的每一部分。

他看得出她的尷尬緊張，於是他說：『我和你都是絕對自由的。如果有任何事要發生，都因爲我們明知它將不可不發生。而那樣的事情，不必就在今日發生。』

范思娃聽到了，就安心起來，原本僵硬的身體，漸漸放鬆。

她就張開了她的眼睛，她的眼眸內凝聚著一個又一個夢。他領略了她的單純、羞怯、光潔，然後他微笑了，愛憐地伸出他的手，把她拉近自己，最後就像擁抱一個孩子那樣抱住她。

范思娃在這個男人的懷抱中得到安逸和安全感。忽然，她覺得自己可以完全信賴這個人，而從今之後，她的生命將重新開始。

畢卡索把他的情人帶到床上，讓她躺在他的身旁。他倆四目交投，目光如幻如夢在蕩漾。他開始伸手觸碰她的軀體，他的指尖輕輕的，而手心則散發出暖意，他的手勢，輕柔得像藝術家觸摸作品一樣。由自己創造出來的，一定最珍貴，於是每一毫釐，都摩擦出驕傲和愛意。

范思娃心神震動，從沒領受過這樣的觸動。畢卡索的撫摸把她的身體變得像稀世奇珍般寶貴，他以一種崇拜的心情與她的肌膚作出接觸。他的手，令她自覺變爲聖人，而她的身體，是世上最聖潔之物。

這究竟是一種怎樣的溫柔？散發這種溫柔的男人又是一個怎樣的人？

范思娃跌墮進迷離的魔幻中，偉大藝術家的手，果然隨意幻變出魔術。

後來，一切都停頓下來。他倆並沒有進一步發生性關係，畢卡索的人生一直在他的控制之中，這一刻亦不會例外。他決定要把浪漫延長，而現在，他和她愉快地躺在大床上，靜聽著窗外的雨聲。他說：『從今以後，我們所做的事，意義已經不再一樣。』

范思娃問：『男人是否總由肉體界定一段關係？』

畢卡索說：『沒有肉體，就沒有關係。而當某天你的身體歸我所有時，你亦歸屬於我。』

本來，范思娃理應對這樣的話反感，她從來討厭那種女人屬於男人的思想；但在這樣的時刻，卻再沒有別的念頭更能叫她安然。從這一刻開始，她但願從此只屬於他。

她喜歡他，渴望他把自己據爲己有。

她問：『爲什麼我們不從今天開始？』

畢卡索裝了個忍著笑的表情，他望了望她：『你是婦解分子嗎？』

范思娃就立刻臉紅耳赤。

畢卡索握著她的手，這樣說：『世上一切皆有其壽命，愛情與快樂亦然。我不忍心一下子耗盡我們所能夠擁有的。』

范思娃合上眼睛，感受這番話的意味。

畢卡索說：『但我相信，我們的愛情和快樂，有如宇宙一樣般永恆。而已經開始了的，只會前進，不會倒退。』

他把她的手握得更緊，而她，眼角忽爾濕潤，心頭蕩漾著抑壓不了的激動。

她問自己，是否經驗太少了，所以男人在床上的情話就顯得格外動人？也是否皆因赤裸相對，人的心就特別溫柔脆弱？

然後他們就再不說話，也再無親熱的舉動，范思娃的身體安然，但腦袋卻不停轟轟轉動，掙扎著的思緒不住地反問：『我做得對嗎？』『他會眞心喜歡我嗎？』『而我，又是否愛上他？』

思緒就像著魔一樣停不下來，問題來來回回的，激盪紛擾如同沸騰的湖。小蟬感受得到她的苦惱，於是，她決定俯身到范思娃的耳畔說：『放心，他眞心喜歡你。而從此，一段認眞的關係會展開，你要有足夠的準備去迎接當中的酸苦與甘美。這段關係，將會佔著你人生中最重要的部分。』

范思娃聽到了，她輕輕舒出一口氣，內心就安寧起來。她合上眼睛，掛上了微笑，放下了防備，決定隨愛情帶領著她。

小蟬游走在這愛情萌芽的角落，體會著一段關係的成長。後來她就知道，所有最單純、浪漫、情深的片段，原來已壓縮在這段短短的日子裡，當二人的愛情愈走愈深時，他們的關係就出落得苦澀而奇異。

＊ ＊ ＊

兩年過去了，范思娃並沒有搬到畢卡索的家與他同住，但她已是他的正式女朋友。而兩年之後，他們的愛情蜜月期亦已過去。隨後的八年之中，小蟬就目睹她的偶像如何傷害他的伴侶。畢卡索的每句話、每個行動，都是不可思議的殘忍。

畢卡索一邊愛著范思娃，但又一邊精神虐待她。他總是一天對她和善，一天又在言語上刻薄她。他會忽然對她說：『你別以爲我眞的很喜歡你！』

沒有女人會抵受得到這種說話，范思娃在第一次聽見之後，就躲在房間的角落嚎哭。

做愛的情況亦一樣，他會連續數天很溫柔很有朝氣，但忽然在某一夜，他又會狂暴粗魯起來，分明只是向她發洩。

在一個心情不對的午後，他會喝罵她：『你不要以爲我會長久與你一起！你別妄想！』又或是，無端端地指著她的鼻尖說：『別以爲你對我很重要！我是獨立的！你什麼都不是，你這個女人豬狗不如！』

范思娃受了委屈後，不是哭泣就是避開。畢卡索事後又後悔了，跑到她的家抱著她又呵又哄。如是者不停循環，他給她溫柔之後又找機會傷害她。無論他多橫霸刻薄，他總能用一句話就打圓場。他會對她說：『說到尾我是愛你的。』她聽見了，不住的哭了又哭，最後就乖乖跟他回家。

這種時好時壞的關係逐漸令范思娃崩潰。小蟬看著，也膽顫心驚。最可怕的是畢卡索的表情，他說出傷害別人的話時，總隱隱夾雜著快感。

這個男人何止是頭黑豹？他簡直就是魔鬼。

有一夜，范思娃又躲在閣樓飲泣。小蟬站在她身後，用雙手按在她的肩膊上，對她說：『范思娃，你要堅強起來。』

一道暖意貫通范思娃的感官，驀地，她就有了力量。她抬起頭，低聲呢喃：『是的，我一直都是堅強的女人。』

小蟬又說：『范思娃，你不要服輸。』

范思娃抹掉眼淚，說：『我怎可能讓他肆意摧毀我！』

小蟬告訴她：『不要讓這種男人佔上風。』

范思娃深呼吸，試圖穩定自己的情緒。『是的是的。』她說，然後用手揉了揉臉孔，繼而以手指整理烏亮的秀髮。

小蟬跟著范思娃，對她說：『看吧！勝利了！』

范思娃暗暗地在心中湧起了笑容。

『是的，我不會服輸，我不要當他的奴隸。我要的是愛情，不是虐待。』

她決定好了，以後要一天比一天堅強。既然離不開這個令她又愛又恨的男人，就要想些辦法對付他。

男女間的事，從來就是一場戰事。

畢卡索是個不可思議地可惡的人，他居然可以對范思娃說出這種話：『與你一起，我不如找妓女。』

范思娃學精了。她冷冷地回敬他：『怎麼你還不走去？』

畢卡索又說：『你這個女人簡直毀掉了我的生活。』

范思娃揚了揚手，說：『你在我眼前消失吧！你消失到你自己的生活中！別每隔一陣子就發神經來惹惱我！』

兩個人對罵得累了，互相傷害得太深之後，范思娃就躲起來獨自傷心。

『如果可以選擇，我不想對著他說那樣的話。我希望聽到的與說出來的，都是甜言蜜語。』在閣樓之內，小蟬會回答她：『誰教你愛上的是他？』

范思娃就望著窗外的景色呢喃。『我當初愛上了的那個人根本不是這模樣……為什麼，這個成就非凡的男人會是如此？我做錯些什麼，他要如此待薄我？』

畢卡索養的鴿子在閣樓的窗台上拍動翅膀，范思娃看著鴿子的眼睛，一顆心悲傷又沮喪。她伸出手來，當中一隻灰白色的就跳上她的手心。她輕輕問鴿子：『告訴我，是為了什麼？』

小蟬觀察了他們已很久，心水清的她倒是心中有數。她嘗試分析畢卡索的行為。『或許，他只是怕離不開你，於是在言行上傷害你。因為愛上一個女人，令他處於一個虛弱的境地，他無安全感又充滿恐懼，惟有以打擊你來推使你墮進弱勢之中。看上去被打敗了的你，就令他得回安全感，重新當上強者。』

范思娃如夢初醒，她按著額頭說：『有這種事嗎……』然後又說：『男人的愛情心理這麼複雜嗎？』

小蟬不再說話，隨得她自行思考。

而隨後的日子，范思娃與畢卡索的爭吵仍然不斷。互相攻擊早已替代了所有的柔情蜜意。

畢卡索說出他的遺世金句：『於我而言，世上只有兩種女人：女神與門口地墊。』

范思娃說：『於是，你在我以爲自己是女神之時，你就盡力把我變成門口地墊了，對嗎？讓我沒有好日子過，就成爲你的生活目標。』

她不動氣，甚至有心情掛上一個微笑。畢卡索看了，就憤怒得把畫筆擲到地上去。不能夠成功挫敗這個女人，餘下的半天他也無法安樂。

有一次，畢卡索望著陽光下的微塵說：『世上無人對我具重要性，你們每一個人都只是灰塵，我用掃把就可以把你們掃走。』

說著狠毒話的畢卡索，神情倒有幾分哲人的韻味。

范思娃放下原本正閱讀的書本，思考了片刻，繼而就『哈哈哈』地狂笑十數秒。接下來，她說：『我或許眞的只是一粒塵埃，但我自己會行會走，用不著你花氣力用掃把掃走我。』

然後，她結論：『不是所有女人都想賴死在你身邊。』

翌日，范思娃就收拾細軟離開畢卡索，她在三個月之內都拒絕見他。而這一次，正如任何一次，是畢卡索苦苦哀求她回去。

小蟬明白了何謂慘不忍睹。畢卡索似乎在立定一個主意，非要精神虐待范思娃不可。彷彿每天一起床，他就定下了如何虐待她的所有計畫，繼而用心一步一步實行。

在畢卡索的畫室內，小蟬托著腮凝視創作中的大畫家，他下筆俐落自信，每一筆都得心應手，在畫布上他是神，想創作什麼就得到什麼。在愛情上，他也自製一個惡神的地位，要摧毀誰都可以。

小蟬問：『難道沒有一個教你更快樂的愛情法則？』

畢卡索在畫著那幅著名的《花女人》，靈感來自范思娃，他把她畫成一朵圓臉龐小花，眼大大，惹人憐愛的。

究竟這個男人在想什麼？明明愛著這個女人，明明視她如心中開出的花朵，他卻要她每一天都不好過。

小蟬伸手抓來一抹陽光下的金色塵埃，然後輕輕向著畢卡索吹動。黃金色的塵埃如一個夢似的散在他眼前，他覺得很美，於是停下揮動的畫筆，對著塵埃展露一個和善的微笑。

小蟬說：『你其實可以很好的嘛！我搞不懂你。』

小蟬一躍而起，以芭蕾舞孃的姿態在他眼前旋轉，她舞動著的身體，讓陽光和塵埃都活起來，閃亮的金光就在畢卡索的身前流動。

畢卡索的眉頭輕扣，漸漸陷入思考之中。他感應得到小蟬的說話，她的問題，他全都聽懂。他撥弄陽光中的塵埃，然後說：『我只懂得一種愛的方法。』

小蟬回眸望向他，她停止了她的動作。是的，她也知道，這個男人一直都是如此。他對范思娃，不比其他女人更差。

沒有女人可以妄想有奇蹟。在這種男人跟前，一切都是不自量力。

畢卡索與范思娃一起之時，並沒有完全放棄朵拉和瑪莉特麗莎。朵拉住在她的房子中，每天的使命就是等待畢卡索的電話，他總是讓她覺得，他每天都有可能致電相約晚膳。而事實上，他一星期也不邀約一次，若碰巧他有心情，但又找不著她的話，他就會暴跳如雷，什麼難聽的話都講得出。

小蟬站在朵拉身後，看著她如雕像般靜止的背影，看得心都痛。朵拉可以連續數小時呆滯地坐在電話旁邊，這角落中的唯一生命力，就是那從不間斷的煙絲。煙絲的輕軟和自由，與她那被鎖住的身體和靈魂，構成了一種悲哀的矛盾。

究竟累不累？爲著一個男人動彈不得。

有一次，電話眞的響起，畢卡索以近乎命令的語氣把朵拉叫喚到餐廳去，但那一夜，朵拉沒出現在餐廳中。畢卡索氣瘋了頭，跑到朵拉的家準備痛罵她一頓，然後他發現，朵拉一直坐在電話旁沒離開過，她正背著他不能制止地落淚。

畢卡索罵她，她就淒淒飲泣，那雙哭了超過半個晚上的眼睛已腫如核桃。就在畢卡索準備離去之時，朵拉就高聲說：『你知不知道，你正過著極爲羞恥的生活！』

畢卡索回敬她：『我不慣別人用這種語氣向我說話！』

朵拉就說：『趁你還未老得要死之時，你最好誠心懺悔！』

『發瘋！』畢卡索不屑地望了她一眼。

朵拉說：『作爲一名藝術家你可能很出類拔萃，但在品格上你一文不值！』

畢卡索怔了怔，半晌後他卻不怒反笑。『哈哈哈哈！你批判我！』

在他的笑聲中，朵拉掩臉痛哭。

畢卡索對著這張他早已習慣的哭泣臉孔說：『你這種女人，走到我身邊來沾我光，現在居然好意思反罵我！』

朵拉邊哭邊說：『我沾你光？難道這十年八年間，我全無付出過？』

畢卡索氣定神閒，『我從來沒逼過你。』繼而又說：『都說女人是門口地墊。你們才是眞正一文不值！』

朵拉已經分不出自己是憤怒還是傷痛，只知道哭泣是她唯一能夠做的事，她哭得皺住五官，身體抖震聲音哀慟。她的左手環抱自己的身體，右手掩著悲淒的臉，她實在不知道，自己還可以再撐多久。

她一直都無反抗過畢卡索，朵拉的個性異於范思娃，她天生就憂鬱傷感；而且，亦不認爲控訴畢卡索對她的地位有何挽救的作用。一切只因爲傷心過度，那顆可憐的心不得不作出發洩。

滿懷信心地投入一段感情，爲得到這個男人虛榮過光彩過，卻在青春耗盡之際才發現，所有領受過的甜頭只是引誘她輸得更徹底的餌。已經傾家蕩產了，還會有下一步嗎？

畢卡索走進廚房，倒了杯酒，一飲而盡。

小蟬忍不住說：『你會不會認爲你太過分？』

立刻，畢卡索就嗆住了，他咳嗽起來。

小蟬知道他感應得到她的說話，於是她再說：『你遲早把她逼瘋！』

畢卡索聽得見，而他的反應是反感。他用力放下酒杯，走回廳中指著朵拉高聲說：『你只是另一個奧爾佳！另一個毫無趣味的瘋婦！你究竟妄想些什麼？你妄想我會愛你嗎？你問問你自己，像你這種女人，値得我去愛嗎？你說我一文不值？你才是門口地墊不值分文！我問你，你配襯得起我嗎？』

畢卡索的喝罵聲連綿不斷，朵拉就在他的謾罵中繼續她的飲泣。她一直哭呀哭，哭泣的聲音

蓋過他的瘋言穢語。留在哭泣的世界中可會更祥和更有安全感？漸漸，她的意識模糊起來，他的話，她一句也聽不懂，這樣子，反而一切安樂。

畢卡索發洩夠了，就氣沖沖地離去。他真的無任何惻隱，他的概念是，但凡成爲他的女人，就要付出。這些女人怎可能妄想得到快樂？痛苦，是交換感情的代價。

小蟬跟在他的身邊說：『虐待人令你很快樂嗎？』

畢卡索的氣已消了一半，他呢喃：『我只是要她們明白，當上我的女人，就要付出。』

小蟬便說：『她們已一早超額付出了。』

畢卡索的心一怔，他倒沒這樣想過。

小蟬說：『而你，能不能公平一點，爲她們的超額忍耐而作出補償？』

畢卡索沒言語，他皺起眉，在月色下急步前行。

畢卡索的首任妻子奧爾佳，已超額完成作爲畢卡索女人的任務。她一早已發瘋了。她不斷跟蹤畢卡索的情婦的日常活動，偶爾會衝上前向那些女人表明自己才是妻子的身分。而小蟬知道，朵拉即將會步奧爾佳的後塵。

不久之後，朵拉在深夜時分被警察帶到畢卡索的家。朵拉全身的衣服破爛、口齒不清，她說，她被人打劫。後來，朵拉又向警方報案，她瘋瘋癲癲的說，她的小狗與單車被人搶走，但警方卻發現，單車與小狗都安然無恙。

小蟬對畢卡索說：『你看你做的好事！』

畢卡索喃喃自語：『朵拉只是想引人注意吧！她的個性我最清楚！』

又隔了數天，朵拉再次被警察帶到畢卡索的家，她衣衫襤褸神情呆滯，似乎早已在街上流浪了多時。

迫不得已，畢卡索把她送進療養院。

畢卡索向范思娃和其他朋友提及此事時，倒是一點悔意也沒有，小蟬卻看得出范思娃的不安和恐懼。她害怕，被畢卡索逼瘋的下一個女人將會是她。

小蟬嘆了口氣。她終於體會得到，但凡魅力無限的人都是魔鬼的化身。但願魔鬼身邊的女人們都好運。

那一夜，范思娃沒留下來過夜。而畢卡索輾轉反側。

小蟬坐在他的床邊，凝視這個男人，她真的覺得非常非常的可惜。

何必把自己與別人的關係弄至無可挽救的田地？這個成就非凡的男人，同時候做盡傷人心、不合情理的事。

看吧，又睡不著了。這個以傷人爲樂的男人，可會有一點點的後悔？

『爲何你有好情人不做，要做最壞的情人？』

畢卡索嘆了一口氣，自言自語：『我也算壞情人嗎？我從來沒打過任何一個女人！』

小蟬笑起來，也是的，起碼畢卡索不打女人，尚未壞透。

畢卡索在床上坐起來，苦惱地說：『我給她們生活費，又讓她們當我的模特兒，難道不算是一種厚愛嗎？』

小蟬說：『但你不尊重女人。』

畢卡索就說：『別對我要求那麼多。』

小蟬說：『把女人當作人看待也算要求多？』

畢卡索笑了笑。『不是人更好，我對動物滿不錯。』

小蟬也笑了。『是的，你出名善待動物，待薄女人。』

畢卡索聳聳肩。『無辦法，愛護動物簡單得多，只要餵飽牠們、清潔牠們，牠們已經很高興。』

小蟬說：『你根本無能力愛人。』

畢卡索皺眉搖頭。『太麻煩了，要我付出那麼多感情，我做不來。』

小蟬嘆了口氣，然後問：『你究竟有沒有愛過朵拉？』

畢卡索想了想。『有……又可能沒有……當初遇上她之時我就想，天啊，終於有一個女人讓我在思想上溝通得到。』

小蟬說：『朵拉具美貌、藝術細胞，兼且有自己的名氣和事業，又與你溝通得到，因何你從不珍惜她？人生有這樣的絕配，已很難得。』

畢卡索表情鄙夷。『難得？今日的范思娃也做得到。』然後再來一句：『世界上所有高分數的女人，我也唾手可得。』

小蟬牢牢的望著他，決定這樣說：『你知道嗎？畢卡索，你有病。』

畢卡索反問：『我有病？我有什麼病？』

小蟬告訴他：『你太害怕深愛一個女人，因此你反過來傷害她。你言行狠心又無法忠心，只因爲你害怕被某個女人牢牢鎖住。所以當你遇上了百分百適合又有愛意的女人時，你反而故意弄糟一段關係，好讓自己不要太投入去愛。』

畢卡索被說中了，半晌無話。

小蟬說：『你還有其他毛病。你仇視女人、鄙視女人，全因爲你怕輸給女人、被女人控制。』

自尊心令畢卡索無法認同。他憤怒地說：『你又不是我，你無可能看透我的心！你只在盲目瞎猜！』

就在說罷這一句之後，畢卡索忽然非常清醒。他警醒地向左右兩方望去，發現自己一直在自說自話。

他雙手抱頭，心跳加速。他故意均勻地深呼吸，讓自己冷靜下來。從手心中仰起臉的同一秒，他就決定要自己忘記剛才他所說過的每一句話。他不喜歡這種一問一答，他不能令自己覺得，有精神病的是他。奧爾佳可以病、朵拉可以變瘋，但稍有不正常的一定不可以是他。

他鎮定地在心中想：『是的，無可能有人會看穿我的心。』

正當他要微笑認同心中所想之際，驀地，又傳來一句：『你就是太保護自己，太怕被女人看穿，所以才傷害人。』

畢卡索心頭一震，他按住心房，連忙問：『是誰？』

小蟬得意揚揚地笑起來，又伸手撥動窗前垂幔，垂幔就擺動得溫柔又具韻律。看得畢卡索頭皮發麻。

小蟬笑著說：『是誰？我是你的心呀！』

畢卡索仰臉緊閉雙目，他極度抗拒這來歷不明的感覺。

繼而，他就決定離開睡房。他抱起毛毯，走到畫室之中。他搖動銀鈴，吩咐下人為他煮咖啡和消夜，這個晚上，他要徹夜不眠作畫。

小蟬圈著手站在他背後，她知道，假以時日，他便會習慣。

是的，他的心將會不斷與他說話，直至他願意變好。

小蟬怎會讓自己白來一趟？

＊　＊　＊

小蟬返回畢卡索年輕的歲月，大約是二十年前，當時他四十多歲，妻子奧爾佳為他生下兒子。基於溝通、生活習性等等的不協調，他無法再愛她。在經歷了一些短暫的男女關係後，他揀選了金髮藍眼睛單純健美的瑪莉特麗莎。畢卡索與年輕美麗的她熱戀了數個年頭，卻又在她為他誕下女兒之後對她冷落起來，而此時，五十多歲的畢卡索遇上神秘迷人的朵拉，朵拉替他拍照，而他對她產生興趣。不久，朵拉做了他的情婦。

畢卡索開始周旋在瑪莉特麗莎與朵拉之間，他把她們二人當成二位一體般去相處及操控，近乎無分彼此。

瑪莉特麗莎的美麗、明亮，令畢卡索享受到最簡單直接的男女關係，與這個女人相處，他的腦筋可以充分休息。朵拉的知性深邃，則讓他得到富足的精神溝通。

他從來不諱言他對這種梅花間竹式的關係的滿足，兩個女人各提供了不同的享受和樂趣，又保障了他的大男人式的安全感。

兩個女人被畢卡索鼓勵去競爭，因此，她們只有對畢卡索更周到。她們二人曾經在畢卡索跟前吵罵打架，他看著，不知多驕傲自豪。他從來不理會這種關係對她們的傷害有多深，他只知道，他不用全情投入去愛一個女人，他不用為愛情心驚膽顫，只要同時候多過一個女人愛上他，他就能確保自己的感情有所依靠。

畢卡索的愛情，就是要永遠地被愛。

兩個女人都害怕被對方擊倒，亦害怕被所愛的男人離棄。她們終日惶惶然無所依，甘心委屈在這些折磨中。她們犧牲了自己的安全感，來成就這個男人的安全感。

畢卡索令她們以為值得再努力求勝，他把她們的形態烙在畫布上煉造出永恆。於是，渴望不朽的女人就沉落在愛情的苦難中。他把自己的狠心、殘酷、自私、無情炮製出一個藉口，他說：

『為著藝術，世上一切皆需要犧牲，包括我自己！』

瑪莉特麗莎信了，朵拉信了，畢卡索都信了。

而在最後，這兩個女人傷心地發現，這世界上，出現了范思娃，又或是，任何一個女人。

畢卡索不會讓參賽者得勝，他只會教她們輸得身心盡碎。

怎會有女人有機會贏？在畢卡索安排的遊戲中，只有他是勝出者。

眞心愛著一個女人等於被這個女人征服。畢卡索最厭惡這種感覺，只有女人都輸清輸盡，他才能身心舒泰。

小蟬坐下來望著畢卡索的臉。她已經再明白不過了，這個男人，是世界上最野蠻殘酷，但也是最膽小懦弱的人。

* * *

畢卡索對著畫布說：『爲了藝術，世上一切皆需要犧牲，包括我自己！』

小蟬站在畫布旁，對著他說：『但你也不用叫助手作槍手替你寫情信給范思娃！你若是沒心情，根本可以不寫情信！』

畢卡索聳聳肩，表情淡然：『我不會理會她的感受。她或許會不開心，但我根本無須理會。』

畢卡索已與范思娃一起數年，而范思娃也已爲他誕下一子一女。他常常對她說：『瑪莉特麗莎比你有女人味，女人不生孩子根本不算是女人！』於是，范思娃就爲他誕下孩子。

最近，畢卡索到國外工作，爲了實踐他對范思娃的承諾，他就叫助手寫情信寄回巴黎給她。然而，范思娃一看就知道，由概念至手筆，完全不是出自他。她悲憤莫名，畢卡索不止不尊重她，而且更把她當作白痴。

他與范思娃的關係每況愈下，他對她已不再熱情，可是卻又不放她走。每次一分手，他就用盡辦法逗回她，他不能夠接受有女人主動離他而去。

而畢卡索亦早已習慣了小蟬的聲音，他稱之爲心之聲。他懷疑過小蟬是一隻鬼，又以爲自己是精神分裂。直至一天小蟬說：『別怕，就當我是你的靈感女神。』

誰知畢卡索一聽就反感起來。『爲什麼全世界的女人都妄想成爲我的靈感？』

小蟬沒他奈何。『那麼算了吧！你承認自己有精神病好了！』

畢卡索才不會願意承認自己有任何弱點。他爲小蟬的身分作出這樣的解釋：『你是我的心跑出來與我對話。像我這樣尊貴的人，是該有這一種守護天使的。』

小蟬揶揄他：『幹嘛不乾脆認爲自己是神人？希特勒就自以爲是神的重生！』

而他們的對話，大部分圍繞著他與他的女人。

小蟬說：『你是世界上最卑劣的情人！』

畢卡索對小蟬說：『我的心，別又再教訓我！我所做的一切，都只爲了藝術！』

小蟬冷笑。『爲了藝術所以虐待女人？你所做的一切只因爲你自私！』

畢卡索說：『原來你也是無知婦孺！』

小蟬笑起來。『你不是最喜歡無知婦孺嗎？昨天你望著小女兒柏露瑪，就指桑罵槐地對范思娃說：「女人都該似柏露瑪，沉靜、內斂、順從、聽話，最好可以一直熟睡直到二十一歲。」女人都該無思想，任由你控制。』

畢卡索仰臉高聲笑：『哈哈哈！沒錯，女人都不應該有腦袋有嘴巴有雙腿。』

小蟬看不過眼他的自大和過分。她故意翻倒一瓶紅色的顏料，繼而大搖大擺地離去。畢卡索的身上就濺了一片紅。

畢卡索聽不到小蟬的聲音後，就覺得有點納悶，於是決定拿范思娃出氣。

范思娃是名很有骨氣的女人，她甚少向畢卡索需索金錢。當衣服穿舊了，她就拿畢卡索的舊衣服穿上身。而剛剛，畢卡索就發現了，他的一條舊褲子穿在她的身上。

他大發雷霆：『你穿了我的褲子，那我還可以穿什麼？』

范思娃沒好氣，她說：『你有成千上萬的褲子可以穿。你知道，你是從來不棄舊物的。』

畢卡索橫蠻無理：『但這一條是唯一最合我身的！你偏要穿得變了形！』

范思娃才不理會他，她抱著小女兒走到樓下去。畢卡索不死心地邊走邊罵之際，又給他看到，家中的花王穿著一件他的舊襯衣。

畢卡索停下來，指著花王大叫：『他媽的！你居然給他穿我的衣服？』

范思娃放下懷中的女兒，回頭對他說：『花王的襯衣今天早上破掉了，所以我才給他這件衣服。你幹嘛記性這麼好？這件襯衣你五年來都無穿過。』

畢卡索的神態既憤怒又緊張。『你是不是想我有天變得跟他一模一樣？似足他骨瘦如柴、曲背跛腳？』

范思娃忍不住冷笑。『發神經。』說罷就轉身拖著女兒向前走。

餘下半天，畢卡索都在發脾氣。他真的很討厭別人碰他東西，就算是一件破襯衣也不可以。

他亦有一個信念，但凡屬於他的，永遠也該屬於他。所以他從來不棄掉東西。

他也討厭剪頭髮。那些掉到地上的髮屑往往令他非常緊張，那雙盯住掉下來的頭髮的眼睛彷佛正絮絮不休地說：『別離開我……別捨我而去……』

又終日疑神疑鬼，硬是覺得別人會拿他的指甲屑陷害他。他憂慮巫師會利用這些指甲屑、頭髮屑來向他施巫術。

畢卡索與范思娃的感情日差，他愈看她就愈不順眼，常常無理取鬧。范思娃自生了小女兒後，身體一直虛弱，於是她每天都在午間小睡。有一回畢卡索在家中招呼朋友，而那一天，范思娃覺得精神不錯，於是便起來坐在畢卡索身旁與訪客閒聊，一直相安無事，直至訪客離去之後。

畢卡索責罵她：『你是不是故意要丟我的臉？』

范思娃愕然。『丟你的臉？你在說什麼？』

畢卡索一臉仇恨地說：『你故意坐在我的旁邊，用意是告訴我的朋友，你有權利剝削我的自由！』

范思娃憤怒又訝異。『眞虧你想得到！』

然後又在某一天，范思娃情緒抑鬱，躲在閣樓獨自飲泣，剛巧畢卡索上來發現了，便問：『你爲什麼哭？』

范思娃企圖向畢卡索傾訴，然而畢卡索卻顯得十分高興。『不錯不錯！你繼續哭下去，我去拿筆與紙，我要畫這張哭喪似的臉！』

范思娃就氣餒了。原以爲可以在傷心時得到一些慰藉。她搖了搖頭，刹那間就連哭泣的慾望也失去。她站起來，離開了閣樓。

而事情的結局當然是畢卡索大發雷霆，他怪責范思娃不再哭泣。

范思娃問他：『我心情轉好你不替我高興？』

畢卡索決絕地說：『不！』

范思娃苦笑，她嘆著氣由他身邊擦肩而過。

這樣的關係還怎會有挽救的餘地？兩人一碰頭永遠就像仇人見面。

終於，范思娃決定離開，而畢卡索，就一如以往，循例挽留她。

范思娃已經絕望。她平靜地對畢卡索說：『你就是童話中的藍鬍子，當他不愛一個女人，處理的方法不是與她分手，而是把她殺死然後放進地牢中。你永遠不會放生一個女人，你不會讓女人活著離開你。』

畢卡索倒覺得這個比喻很新鮮，他的雙眼掠過一絲精靈的光芒。『還有呢？把故事說下去。』

范思娃掩臉失笑，她嘆氣又搖頭，她說：『你知不知道與你一起最可怕的是什麼？』

畢卡索瞪著她，沒回答。

范思娃就說：『是你沒人性。』

『你從來不會給身邊人一點人性的溫暖。』說罷，她就眼泛淚光。

小蟬站在一旁鼓掌。范思娃說得再對沒有，這個男人，有才華有朝氣有深度有品味有成就有權力，但就是無人性。

范思娃離去了，帶著一雙子女。畢卡索起初表現得若無其事，他每隔一陣子會結交一些新女伴，亦總不忘與小蟬鬥嘴嬉笑。

『她居然說我無人性！』畢卡索對著鏡子說。

小蟬笑起來。『但你不能否認啊！』

畢卡索就說：『你知不知道我最愛看查理卓別林的電影？他與我一樣，受盡女人的剝削！』

『什麼？』小蟬非常驚訝。『簡直歪曲事實！』

畢卡索滿不在乎地說：『無女人離得開我這樣的男人。』

小蟬問他：『你這樣的男人？究竟是什麼樣的男人？』

畢卡索說：『成功、富有、英俊、性感、萬人崇敬的男人。』

小蟬想了想，便說：『但如果我是范思娃，我也一樣會離開你。』

畢卡索並不相信她的話。『怎可能！』

小蟬這樣說：『因為你從來不明白女人需要些什麼！』

畢卡索不以為然。『奧爾佳、朵拉、瑪莉特麗莎都離不開我！』

小蟬忽然大笑：『哈哈哈哈哈！』然後才說：『因為奧爾佳和朵拉愛你愛得瘋掉，而瑪莉特麗莎根本無一技傍身。她們走不掉只因為無本事！』

畢卡索晦氣地說：『最討厭女人有本事！』

小蟬回敬他。『那麼你便只能與最無用的女人一起。』

他不肯服輸，擺了擺手。『我根本不需要女人。』

小蟬說：『那又為什麼你一生都周旋在女人之間？』

畢卡索想了想，就把額頭碰到鏡子之上。

小蟬說：『認輸吧！你今天不肯認，明天也要認。你才華蓋世，但不代表你凡事都要逞強。』

畢卡索把眼睛溜向上，洩氣地笑了笑。

范思娃不在的日子，畢卡索的生活看似一切如常，他照樣每天專心的畫畫。年屆七十的他，依然創作力無限。

小蟬倚在一個畫框旁，對他說：『你怎可以每天都創意無限永不言倦？』

畢卡索就說：『我犧牲了一切，包括犧牲我自己。』

小蟬翻了翻白眼。『又是這一句。』

畢卡索在畫布上揮筆，他在繪畫著一隻鬥牛。『凡事總得有犧牲，對不對？』

小蟬說：『你在藍色時期、玫瑰色時期、立體主義時，爲人也沒今天的刻薄。你不用待薄女人也可以有傑出的創作。』

畢卡索說出他的名句：『但凡創造就是一種破壞！』

小蟬說：『對呀！你要把吉他重新組合，所以就先拆散原本的吉他；你要創造出一種新的美感，所以就在畫布上把女人的臉重新再拼合。但對於愛情，你不需要動用同樣的手法。你犯不著拆散一個女人，然後才去愛她。』

畢卡索喝了半杯水，說：『我有我的風格。』

小蟬說：『當你在藍色時期畫出那張自畫像時，你是個懂得憂鬱、傷感的男人，你並不害怕表露出你的悲傷和虛弱。』

聽罷畢卡索就垂下眼瞼，沉默不語。

『那時候的你也魅力非凡啊！男人不一定要殘忍才有男子氣概。』小蟬說：『也不是每一個女人都沉迷暴君。』

畢卡索擱下了畫筆，走到窗邊坐下來，望著窗外景色沉思。

小蟬走過去，把自己的身體湊近他的手臂，又把臉貼著他的臉，就這樣，畢卡索微笑起來，他感覺到一陣溫暖。

他輕輕說：『我的心爲何擁抱我？』

小蟬告訴他：『因爲你的心關心你。』

忽然，他這樣說：『你認爲我値得嗎？』

小蟬說：『値得。因爲我知道，你其實可以不一樣。你可以不殘忍不野蠻，你也可以付出和眞心愛著一個人。』

他把她的話聽入心，然後，心頭一動，淚腺便洶湧起來。

畢卡索居然哭了，而且更是哭得淒淒然的。小蟬就張開雙臂擁抱這個悲傷的男人。她把她的臉伏在他的頭頂上，然後又吻了他的額角。

他一直哭，哭得天也黑盡。小蟬沒有離開過，而她發現，這些年來，她最愛這一天的畢卡索。

後來，當星星都掛上天際時，畢卡索就這樣問：『我的心，究竟你是誰？有了你，我不再寂寞。』

小蟬輕撫他的臉，溫柔地告訴他：『我是神秘但又善良的。而我喜歡你把我當成是你的心。』

畢卡索笑了。『但你無可能是我的心。我的心漆黑、狠毒、自私。』

小蟬說：『我來自的世界並沒什麼特別。我還是喜歡當上你的心。』

畢卡索問：『你會不會有天跑出來？當某天你現身在我面前之後，我就把你在畫布中定格爲永恆。』

小蟬笑。『你看吧！你最會用這一招俘虜女人的心。』

然後畢卡索說：『或許，除了藝術之外，我是個一無所有的男人。』

他這樣說，她就心痛了。她又再上前去緊緊抱住他。他在這陣輕柔的溫暖內閉上雙目輕輕嘆息。

在這一刻他眞的感到很虛弱很虛弱，是一種教男人畏懼的虛弱。

『不要離開我。』他輕聲說。

小蟬就看到，眼淚由畢卡索的眼角淌下來。她伸出手，溫柔地把眼淚接過。

* * *

畢卡索很掛念范思娃。失去她，他才知道事情有多糟糕。他想念她優雅的身影；她說起話來時那知性堅定的神色；他想念她與孩子在花園玩耍時的慈愛溫柔；更預料不到的是，他更想念范思娃與他鬥嘴時的所有表情，她的憤恨、不甘心、委屈、悲痛……以及愛意。

『那眞是個美麗而了不起的女人。』畢卡索與三隻鴿子坐在閣樓的小窗前，輕輕說。『男人能夠擁有這樣的女人，也可說是福分。』

小蟬倚在窗前，這樣告訴他：『既然掛念她，就請她回家，然後重新開始。』

畢卡索想了一會，便問：『你說平日范思娃躲在這閣樓內做什麼？』

小蟬說：『她在哭泣。她的悲傷是永遠不知如何去贏取你的愛。每一次她都在想，爲何她所做的每一件事，都似乎是錯。』

畢卡索悲痛地合上眼睛，良久不能言語。

小蟬看著這張七十二歲的男人的臉，訝異於它的詭秘不朽，肌膚依然緊緻，皺紋也不特別多，這是一張極具威嚴和氣勢的臉。或許，就因爲威嚴和氣勢太盛，於是妨礙了愛意的滋長。

畢卡索問：『我今日開始後悔，還遲不遲？』

小蟬微笑。『不遲。你看上去與范思娃初遇上你之時毫無分別。』

畢卡索也笑。『她怎會愛上一個糟老頭？』

小蟬聳聳肩。『因爲你是畢卡索。』

但范思娃不再回頭。她比起畢卡索的其他女人要聰明，她已花了十年光陰在這個男人身上，再多花一天半天，她也顯得心痛。當畢卡索發現自己不能沒有她之時，她卻走得安安樂樂。范思娃本身是名有才華的畫家，她有自立的本事，而且，她依然年輕美麗。很快，她就交了新的男朋友，那是一個很好的男人，把她以及一雙子女照顧得很好。

消息傳至畢卡索耳邊，他立刻就瘋掉一樣，終日以粗言穢語詛咒范思娃。後來，范思娃要求畢卡索簽下協議，准許一雙子女用畢卡索的姓氏，卻又遭他留難。畢卡索甚至向巴黎的畫商施壓力，阻止他們與范思娃合作。

他忘記了早前意圖懇求范思娃回家的柔情蜜意；范思娃的決絕，立刻令畢卡索的所有狠毒因子重新復活，這個女人，無可避免地又變做他的仇人。

畢卡索的情緒徘徊在憤恨與沮喪之間，他喝罵身邊所有人，又喝很多烈酒。

小蟬說：『你若是把她趕絕，就永遠不會再得回她的心。』

畢卡索苦澀地說：『這種女人，送我也不要。』

小蟬攤了攤手，說：『她做錯了什麼？她只不過是離開了你之後得到更美滿的人生。』

畢卡索聽罷，就高聲大叫：『呀——』並把手中酒杯擲到牆上去。酒四濺，玻璃碎裂，畢卡索抱頭痛哭。

小蟬說：『如果你懂得愛一個人，就要在她幸福之時祝福她，而不是仇恨她。』

畢卡索嗚咽著說：『我很痛苦……我很痛苦……』

小蟬說：『痛苦是因爲你自覺輸了？』

畢卡索悲淒地倚在牆邊嚎哭。

小蟬說：『但當你贏了朵拉她們的時候，我也不見得你有快樂過。』

畢卡索在悲哭中聽見她這句話，隨即在心中一怔。

是的，他何曾在愛情中眞正的快樂過？

小蟬說：『要爲愛情定下輸贏，人就不會快樂。』

畢卡索抬起一張悲慟的臉，淒然地說：『我完全不明白……』

小蟬微笑：『你活了一輩子，但半點也學不會。有過那麼多女人，但最後還是不明白。』

畢卡索頹然望著面前空氣，但覺整個人空空如也。

小蟬說：『失去范思娃，就如你在十三歲時失去妹妹雲琪塔時的心情一樣。』

畢卡索的眼皮跳動，表情惻然。

小蟬再說：『也彷彿令你重溫二十歲時失去好友卡薩吉馬的悲哀。』

都說中了，畢卡索又再悲苦地哭泣，一張臉哭得快要倒塌下來。

小蟬說：『所以你討厭再失去任何一樣屬於你的東西，一件衫一對襪子，又或是一個女人。』

畢卡索淒清地問：『爲什麼你都知道了？』

小蟬告訴他：『因爲你是我的偶像。我關心你、崇拜你、了解你。』

畢卡索掩住臉點下頭。『我的心，請你告訴我，我該怎麼辦？』

小蟬微笑，她的神情猶如那些靈修大師。『你該放下范思娃，放下對她的佔有，放下對她的仇恨。』

畢卡索搖頭。『我已經不能再擁有她！』

小蟬說：『但正因爲如此，她才會得到幸福。』

畢卡索悲嘆：『離開我才會得到幸福？』

『是的。』小蟬簡潔地說。

畢卡索問：『我已無機會補償我的過失？』

小蟬問：『你後悔了？』

畢卡索說：『我覺得很痛苦……』

小蟬嘆了口氣。『范思娃已經不會回頭了，但你在八年之後會有一段新的愛情，那是一個叫賈琪琳洛克的女人，你們會共同度過你生命中最後的十三年。』

畢卡索問：『她會不會愛我？』

小蟬點下頭來：『就如同你過去擁有過的女人那樣地愛你。』

畢卡索問下去：『但我會不會愛她？』

小蟬猶疑起來。她這樣回答：『你還有機會學習好好去愛一個人。』

畢卡索迷惘極了。『我會學得成嗎？』

小蟬的語調嚴厲起來：『如果，你甘心再次重複你一生人的錯誤，就放棄這個機會吧！』

畢卡索的神情呆然，他已失去主意。

小蟬說：『你明白嗎？你在感情這方面，是個十分失敗的人，你令所有愛過你的女人恨你，你令她們一生不幸福，你令你的子女嚐不到父愛……你是個很失敗的人！』

畢卡索把臉孔埋在手臂內，他逃避她的話。

小蟬才不會放過他：『其實有更佳的辦法去愛一個女人。你明知可以做得更好，爲什麼你不去做？』

畢卡索索性掩住耳朵。

小蟬咬住牙，步步進逼。『你有福氣，長命百歲。但你知不知道，當你死了之後，瑪莉特麗莎和朵拉的日子怎麼過?如果你肯學習對將來的伴侶好、對她們好，你就能改寫許多人的命運，別忘記，你總共有兩子兩女。他們一直以來，都渴望你的父愛。』

慢慢地，畢卡索放下了掩著耳的手。他無力地說：『眞的一切都不遲？』

小蟬告訴他：『你知道嗎?後世的人一提起你，除了念及你的藝術成就外，再說及的就是你對女人的不公平態度。你在生之時，女人爲了榮耀愛上你；但你死了之後，再無女人對你動心。無女人會在想起畢卡索時就神魂顚倒，女人只會爲了你的各種踐踏女人宣言而唾罵你。畢卡索，你一生享受女人的愛慕，你甘心過世之後的千千萬年，女人一提起你就嗤之以鼻嗎？』

畢卡索思考著這嚴重性。

小蟬說：『很簡單，你認爲如果你不是畢卡索，還會有女人肯愛你嗎？』

一矢中的，畢卡索茫茫然地張大了口。

然後，他問：『你怎會知道這麼多？』

小蟬告訴他：『因爲我是後世的人。』

畢卡索又問：『爲什麼你要幫我？』

小蟬便說：『因爲我眞心眞意仰慕你，所以希望你眞正快樂……而且絕對地流芳百世。』

畢卡索想了想，繼而苦笑。『我的心，你會怎樣幫助我？』

小蟬便告訴他：『我們一起返回你的盛年，初與朵拉相愛的時候。』

畢卡索回想起那年頭的自己，正處於創作的巔峰之期。那的確是個好年代。

他說：『與費爾藍德一起時我還在事業上掙扎……與奧爾佳的婚姻根本不消提；瑪莉特麗莎欠缺了思想的溝通……但朵拉……』

小蟬望著他。『怎麼了？』

畢卡索說：『我願意試一試。』

小蟬輕呼一口氣。得到他的首肯，她已覺得成功了一半。

『我的心，答應我你會一直留在我身邊。』畢卡索懇求。

『放心，我永遠不會離開你。』小蟬答應。

畢卡索閉上雙目，點下頭來，又掛上了微笑。他喜歡她的答允，她永遠令他感受到安全。

小蟬幽幽地微笑，對他說：『一直以為你是魔鬼，但原來，你只是一個受傷的靈魂。』

畢卡索沒有反駁她。這些年來，他還是首次感覺到自己的蒼老。

CHAPTER 03
PROGRESS II

一八〇四年，拿破崙稱帝。

三月，全新的法國國民法典通過了，這法典俗稱『拿破崙法典』。五月，由元老院通過決議，再由公民投票，通過批准拿破崙爲法蘭西共和國的全民皇帝。十二月，拿破崙在巴黎聖母院接受加冕。

加冕之前的準備工夫，Tiara照顧了當中的每一個細節，而她最重視的是她與拿破崙的冠冕。

冠冕的製造商是Chaumet，因爲得到拿破崙的器重成爲御用珠寶供應商，這個品牌從此就在歐洲奠定了無可比擬的尊貴地位。

加冕的儀式將會由教皇把象徵至高權力的皇冠戴在拿破崙的頭上，再把同一頂皇冠放到約瑟芬的頭上，繼而拿走。就如灑聖水一般的輕盈，那頂皇冠並不會放到被加冕的頭上而不拿走。事實上拿破崙與他的皇后，在加冕當天將會各自在頭上佩戴上屬於自己的冠冕。

Tiara訂製了一頂共重五百克拉的鑽石冠冕給自己佩戴，而由於梳髻的關係，她的髮頂上亦會配有一圈由三十顆五克拉鑽石組成的飾環，在加冕的當天，她所佩戴的髮飾價值數億元。

迷戀冠冕半生的她，終於超額地達成了心願。

而拿破崙的冠冕，Tiara亦爲他作出了安排。

『皇上，我建議選用一圈黃金製造的月桂葉冠環。』Tiara對拿破崙說。『款式就如凱撒大帝的冠冕一樣，這使皇上即位之時有別於其他歐洲國君。這亦表明皇上的功績超凡，只有遠古的古羅馬君主能夠媲美。』

拿破崙喜上眉梢，他深深佩服Tiara的心思周密，她對他的野心總能準確掌握。

他說：『一個看透我心的女人理應拿出去斬首示眾。』

Tiara把設計圖拿走，然後嬌美地回眸一笑。『皇上捨得的話我不介意。』

而由加冕典禮，以至居所佈置和日後的生活態度，都由Tiara決定了採用Neo-Classical的風格，即是以古羅馬的輝煌典雅爲藍本，象徵一個全新的羅馬帝國時代，拿破崙的偉績將會廣及全歐洲，甚至伸延到歐亞地區。

再沒有任何別的風格更合拿破崙的心意。就這樣，Tiara把拿破崙的虛榮捧到頂點。

皇帝與皇后有多於一個的居所，包括杜勒麗宮和楓丹白露宮等，而Tiara揀選了Chateau Malmaison瑪爾梅莊城堡爲最主要居所，當中大部分的家具，都雕刻上大大的『N』字，以顯示拿破崙年代的降臨。

在加冕典禮的前一夜，Tiara緊張得不能成眠。因爲事務繁重，拿破崙與她多數分房就寢。正當Tiara從抽屜拿出由二十一世紀帶來的安眠藥時，她就聽見房間外傳來頻雜的高跟鞋響聲。回頭一望，阿大阿二阿三已站在她的寢室之內。

穿著內衣的三胞胎，以傳統姿勢向Tiara請安：『皇后安好！』

Tiara按著心房，高興地說：『看見你們眞好！』

阿大笑著說：『終於得償所願當上皇后！』

Tiara告訴她們：『料不到我會這麼緊張！』

阿二說：『證明你的演技有heart。』

阿三說：『明天會是一個歷史時刻。』

Tiara 呼出一口氣。『現在的心情已十分激動，這大半年以來，我日夜爲了明天忙碌。回到二十一世紀之後，再大的場面也難不倒我！』

阿大讚賞她：『非洲之星小姐，你一直都表現得非常出色！』

Tiara 優雅地向她們欠一欠身。『都是 Mystery 給我機會！』

阿二阿三齊聲說：『了不起！風度非凡！簡直母儀天下！』

阿大說：『明天你就是皇后了。』

單單想起，已叫 Tiara 開心不已，她眼泛淚光。『我不知怎去形容……』

阿大說：『放心去享受，這一切是你應得的。』

Tiara 問：『我會是一名好皇后，是不是？』

阿二說：『非洲之星小姐天下無敵！』

Tiara 感激地說：『多謝你們的支持，你們總能令我更有信心！』

阿三說：『我們爲你感到無比的驕傲！』

然後，Tiara 問：『我的肉身在二十一世紀好嗎？』

阿大告訴她：『放心，你的肉身在最頂級的醫療設施下安然休息。而 Mr. Cocoa 每天都到醫院探訪你。』

Tiara 問：『他可好？』

阿二說：『他內疚得不得了。』

Tiara笑起來。『這回他眞是非娶我不可！』

三胞胎就一同笑出聲來。但不知怎地，Tiara提起了Mr. Cocoa後，內心戚戚然。對於這個男人，她有一定期望；然而，若說到掛念，又好像……

惟有不讓自己想下去。當三胞胎離開這個空間後，Tiara益發心緒不寧，她來回踱步，但覺已無法再待下去。最後她決定了放棄去睡眠，拿出那本以每小時爲一頁的時曆，撕掉了夜間的七小時，當七頁被撕走之後，天就亮了，下人陸續起床，走進Tiara的寢室爲她裝扮。

冊封皇后的衣飾如下：一襲硬絲的象牙色長裙，方領低胸高腰的流行式樣，袖子的上方是公主泡泡型，而由手臂位置開始則如長手套般緊貼肌膚，那年代流行的手袖長度以覆蓋手掌爲合。裙子繡上金線圖案，代表古羅馬帝后的權力。上身部分鑲有名貴的寶石，璀璨奢華。裙子外罩紅色鵝絨長袍，長三十呎，鵝絨之上繡上象徵文事武功皆鼎盛的蜜蜂圖案。而長袍的內裡，則是白色的豹紋鼬鼠皮草。

Tiara屏住呼吸凝視鏡中模樣，眞不相信，自己快要成爲一個朝代的皇后。澎湃的心情教一雙琥珀色眼睛更金光閃亮，Tiara把約瑟芬的外貌保養得宜，她敢說，約瑟芬在她的照料之下，比初遇拿破崙之時更明媚艷麗。

她將成爲歐洲歷史上其中一名最美艷的皇后，而她的夫君，是歐洲最有權力的男人。

『呵呵，呵呵呵呵……』

知不知道驕傲是一種怎樣的感覺？Tiara已完全體會得到。

加冕典禮的地點是聖母院大教堂，兩名侍女跟隨她身後掀起那塊三十呎長的披風，而Tiara

就在數百雙眼睛的注視下緩緩向著拿破崙與教皇庇護七世邁進。教堂內的氣氛莊嚴，每一個人都在她的瑰麗之中屏息靜氣，Tiara隨自己的心跳前行，她清楚地感受到作爲約瑟芬這角色的重要性。以後，她將會是一人之下萬人之上，而世上每一個女人，都渴望變成她。

這不再只是一場遊戲，一次奇妙經歷；這是一場歷史在眞實地重演。

『我是皇后了……我是皇后了……』

Tiara在心中呢喃。原來當上皇后，不止是戴上皇后冠冕這樣簡單。表情平靜高貴的她，心情複雜又沉重。

拿破崙的衣飾與Tiara身上的相稱，他身穿象牙色絲質刺繡長袍，刺繡圖案代表古羅馬帝王的權力，而長袍的設計則完全是古羅馬色彩。也如Tiara那樣，他外披一件鵝絨披風，紅色鵝絨上繡滿蜜蜂圖案，披封的內裡則是白色豹紋鼬鼠皮草。而拿破崙頭上所戴的正是月桂葉形黃金冠冕。

從羅馬請來的教皇庇護七世，唸唸有詞地主持加冕儀式，而當他高舉那頂由黃金製造，並且鑲上珍珠和鑽石的傳統中空型皇冠正要加冕在拿破崙的頭上時，拿破崙忽然把教皇手中的皇冠搶過來，接著，他自行替自己戴上。

教皇尷尬又震怒，而在場人士無不訝異嘩然。拿破崙分明是在表示，他的權力並不是君權神授，而是以自己的血汗爭取回來。

當拿破崙戴著皇冠轉身，就看見Tiara那張忍著笑的俏皮臉，還有那雙認同與讚賞的眼睛，夫妻倆交換了一個神色，然後就由拿破崙親自替他的皇后加冕，他把皇冠由自己的頭上拿下，再放到皇后的髮頂上。

這是拿破崙的江山和皇朝，他才不會受制於任何人。

當那頂象徵皇朝權力的皇冠被放回朝臣手中的藍色絲絨墊子上時，皇帝與皇后就上坐寶座，聖母院內所有人全都尊崇地向他們的帝后下跪。

歌詠團唱出頌讚的詩篇，聖母院外聚集了成千上萬的市民，他們夾道歡呼。

拿破崙的封號是拿破崙一世。他的理想是把皇權世襲傳後，歷代不衰。

一直到了晚上的登基舞會，皇帝皇后才有機會單獨說話。

知道真正的大型舞會是怎樣一回事嗎？數百名男女成雙成對，在面積達一萬呎的舞池內共舞，而舞池兩旁圍觀者近千人，眞正的氣派堂皇，華麗非凡。而皇帝皇后則坐在帝后的高台上，讓台下人民向他們作出最尊貴的致敬。

皇帝皇后共舞。Tiara 對拿破崙說：『皇上午間的表現一定會傳頌萬世。』

『皇后不覺得太唐突嗎？』

『我覺得皇上英勇果敢，勇氣無雙……極爲有型！』Tiara 笑得很燦爛。

拿破崙一看見這張笑臉就心寬，他問：『喜歡當皇后嗎？』

Tiara 說：『簡直是我的人生理想！』

拿破崙搖了搖頭，感嘆：『我倆眞是天作之合！』

Tiara 快樂地把臉龐貼著拿破崙的臉龐廝磨地說：『我要做最嬌美的皇后。』

拿破崙輕撫她的臉：『你會是世上最得寵的皇后！我已立下決心，每一天都要討你歡心。』

Tiara於是說：『謝皇上隆恩！』

Tiara還以爲拿破崙只是隨口說說讓她高興，誰料，他眞的做出每日討她歡心的事。加冕典禮的翌日早上，Tiara一覺醒來就看見床邊放上珠寶；接著的一天，拿破崙找人訂製了一系列以『J』這英文字爲圖案的家具，他告訴Tiara：『皇宮內處處是「N」字標記，如果不把「J」字標記放到它的身邊，「N」這個字母就會寂寞至死。』第三日是一封情信；第四日他送來一瓶全世界最昂貴的香氛，當中每一滴香氛，就要用上一千朵玫瑰的精華來提煉，而那香氛的名字是『皇后』；第五日他找來畫家爲Tiara繪像；第六日當Tiara步出寢室外時，赫然看見城堡內的侍衛全穿上粉紅色的軍服。拿破崙說：『知道你最愛粉紅色！』Tiara掩面大笑，合不攏嘴。『呵呵呵呵！』她指著這班粉紅色侍衛說：『我要你們內內外外全是粉紅色！明天起我檢查你們的內褲！』

而第七日，拿破崙爲Tiara寫了一個小故事。

Tiara捧著故事在花園中閱讀。

『一名年輕男人因貧窮而淪爲小偷，然後就被警察關進牢獄中，因爲生性反叛屢次生事，他的刑期每年都加長。轉眼間，他就在監獄中度過了十九年……

『十九年來，他在監獄內學會了最惡毒的生存手法，在出獄之後，他繼續他的惡行。男主角因爲一次受傷，被一所修道院救回性命，並且得到神父的鼓勵與祝福，然而他死性不改，居然殺掉神父，並吞沒修道院的財產……』

Tiara放下洋傘，望了望拿破崙，說：『劇情十分峰迴路轉。』

拿破崙一臉傲氣。『沒辦法，我才華洋溢！』

Tiara讀下去。『後來，男主角成爲一代大賊，並集結各方惡勢力，終於當上雄霸一方的山寨王……

『結局是，政府法紀嚴明，三戰兩敗之後，終於殲滅了男主角的山寨兵團……』Tiara翻了翻手中紙張，問：『就這樣？』

拿破崙說：『我想把它改編成音樂劇，在皇后的壽辰日上演。』

Tiara的臉孔湧出喜悅，連忙伸開雙臂擁抱拿破崙。『皇上，感謝你！』

拿破崙問：『但你不喜歡？』

Tiara想了想，便說：『故事可以更複雜一點……』她繞著拿破崙的臂彎在花園中邊踱步邊說：『男主角不但沒有殺掉神父，反而更被神父感動起來，他偷取了神父的財產，但神父不止原諒了他，而且更多送他一些私人財物，希望男主角更輕易展開新生。男主角深感人性的美善，決意當上一名好人，他隱姓埋名，遠走他方，憑努力當上富翁，並且成爲一名受市民愛戴的市長。他經營工廠，善待工人，爲人儉樸刻苦……』

拿破崙覺得這個新版本的故事太有意思，刹那間，他就靈感洶湧起來，他興致勃勃地替Tiara把故事說下去。

『一天，一名由他方調派前來的警察發現了男主角的原本身分，企圖把他的過去展露人前。而男主角爲了拯救一名善良的妓女，得罪了這名警察。警察展開追捕，男主角只好逃亡，並且把剛逝世的妓女的女兒收爲養女……』

Tiara讚歎於拿破崙的編劇才能。『對對對！故事就該這樣發展！』繼而，她聯想下去：『為了避開追捕，男主角與養女躲避在一所修道院中十年，待養女長大後，才重新在現實生活中活躍起來。男主角與養女設立慈善機構行善，後來養女愛上了一名革命黨員……』

『很刺激很刺激！然後故事就接近尾聲！』拿破崙說：『輾轉地，那名追捕男主角的警察發現了男主角，經一輪爭鬥後，男主角救回警察一命。結局是，那名固執的警察以自殺確保了男主角的自由，他明白，他只有一死，才會放棄那把男主角收監的慾望。』

Tiara拍手掌：『太精彩了！男主角在這垂垂老矣之年，才第一次感受到自由的可貴！』

拿破崙激動地牽著Tiara的手，說：『男主角的養女與革命黨人也得到幸福！』

『太完美太完美！』Tiara興奮不已。『我們居然能夠合力創作出完美的故事！』

拿破崙的表情卻在這剎那冷靜下來。他說：『你明白是什麼原因嗎？』

Tiara問：『是什麼原因？』

拿破崙說：『因為我們是一雙靈魂伴侶。』

拿破崙的目光蕩漾著溫柔，Tiara看著，不期然就心跳加速。她的心在想：『沒這麼嚴重吧！』但當然，嘴裡說出來的是另一句：『對，靈魂伴侶……太好了……太浪漫了……』

拿破崙吻了吻她的雙手，又牢牢地望著她的眼睛。他說：『我們分享著同一個靈魂，同一個心。我們是天作之合，我們永不分離。』

Tiara只懂『啊——』地回應。

拿破崙說下去：『所以我們才會那麼心意相通，你才會那麼知我心。』

Tiara暗暗吸了一口氣。因爲不知該說什麼才好，於是，她索性倒到他的懷中躲避。

她對自己說：『這個男人怎可能是自己的靈魂伴侶……』

對啊！怎可能是？就因爲覺得太無可能了，靈魂伴侶這概念就被 Tiara 淡忘起來，直至某一夜。

那一夜，午夜夢迴，Tiara忽爾乍醒。在張開雙眼的一刻，腦袋內就傳出說話：她與拿破崙合力創作的故事，其實早已經存在。

『天啊……』Tiara 渾身一震。

『那是……雨果的《孤星淚》……』Tiara 訝異得張大了口。『某一年我看過這齣音樂劇……這本名著的出版日期是一八六二年，五十八年之後……』

『我知道劇情是因爲我眞的看過。但拿破崙無理由會知道得那麼準確……難道他眞的與我心靈相通？』

『聽說靈魂伴侶的特點包括深知對方的思想……我知道拿破崙想些什麼不出奇，我熟讀他的所有資料……但他無理由能與我的思想互通……』

『我們能夠你一句我一句，你一段我一段地連接下去，情形就像是同一組靈魂般合拍無誤……』

Tiara 坐在床上想呀想，漸漸地，她就由心寒……想到窩心。

『靈魂伴侶……不是吧！』此時此刻，她是甜甜地說出這一句。『靈魂伴侶？怎會是他？呵呵呵呵呵……』

口中說話抗拒，然而行徑出賣了她的心意。她走下來，捧著燭台，躡手躡足地走到拿破崙的房間。她爬上拿破崙的床，又鑽進他的被窩中睡。

拿破崙睜開惺忪的眼睛。『啊……』

Tiara 埋進他的胸膛內，嬌嗲地說：『想與我的靈魂伴侶一起睡。』

拿破崙聽罷，就擁著她親了親。在暖暖的被窩之中，這兩個人看上去眞是二合爲一的一對……

*　*　*

拿破崙立心每天討 Tiara 歡心的計畫一直進行，從無間斷過。

他說：『一個男人的責任，就是每日盡力贏取所愛的女人的歡心。』

Tiara 故意按捺著自己的感動，裝出高傲的神情來問他：『看看今天你能否通過測試。』

拿破崙把她帶到郊區的偏遠之地，當馬車的門被推開之時，Tiara看見一個結了冰的湖，起初她不明白，但隨即，她就情不自禁也叫了出來：『天呀！』

拿破崙說：『你對我說過你喜歡溜冰這活動，而我卻孤陋寡聞並不了解。大臣告訴我，俄國人也酷愛這玩意，於是我就請來俄國的建築師和教練，他們爲你建造了這個溜冰場，而教練就教曉了我溜冰的技巧。』

侍從送上溜冰鞋。當 Tiara 彎下身意圖把鞋穿上之際，鼻子忽然一酸，洶湧的感動侵襲了她，眼淚就不由自主地在眼眶打轉。她呢喃起來：『皇上，我那些無意識的多餘話你不用當真，別把心神放到我之上……』

拿破崙以手指抬起她的小臉，這樣說：『寵壞你是我的人生願望。』

Tiara笑著跳起來撲進他的懷中。任誰也看得見，她的笑容是多麼甜蜜。

他們雙雙溜到冰上去，兩人手牽手嬉笑作樂，然後又抱在一起跌倒在冰地之上。當Tiara仰面大笑之際，拿破崙說：『你知道嗎？』

Tiara問：『什麼？』

拿破崙凝視她那美麗的臉，這樣說：『有時候我真的看不透你。』

Tiara立刻敏感起來。『皇上政務繁重，根本不必花心思去理會無聊的事……況且，約瑟芬只是名平凡女子。』

拿破崙搖了搖頭。『不，你一點也不平凡，你很神秘。』

Tiara的心一怯，然後這樣說：『我在皇上跟前是無秘密的。』

拿破崙吻了吻她的指頭，說：『有時候我真的不知道你究竟是誰，但是我又已愛得你那麼深。』

拿破崙深邃的眼睛內流動著最溫柔的情意，Tiara看著，頃刻心痛起來。這個男人的眼睛，因著愛情，就變得更複雜憂鬱。如果她不是親自來臨這年代，她就永遠不會知道，一代梟雄的眼睛居然如此沉鬱內斂而深情，猶如一個盛開著深紫色的玫瑰的夢。

拿破崙望著Tiara那想得入神的臉，問：『怎麼了？』

Tiara垂下眼睛輕笑。『我在想著一種紫色的玫瑰。』

拿破崙讚賞她。『我的皇后眞是多才多藝，就連園藝都難不倒她。』

事實上，眞正的約瑟芬是培育花卉專家，她在瑪爾梅莊城堡內致力研究花卉的新品種，當中又以玫瑰的配種享譽園藝界。到了二百年後，現代人的花園中，多多少少都種有約瑟芬所精研的玫瑰品種，她在花卉研究方面享有不凡的成就。

Tiara希望保留約瑟芬這方面的專長，因此她亦花上大量時間研習園藝。然後她發現，自某年某日開始，她已甚少使用Mystery的神奇日曆，早已經不再度日如年，現在的Tiara，每一天都過得愜意充實，時間完全不夠用。

怎捨得失去任何一天？只要一覺醒來，她知道又會有新驚喜。

快樂彷彿從來就是如此輕易，只要一張開眼睛，就從四方八面湧來。

拿破崙的廚子爲Tiara做了一種糕餅。拿破崙說：『知道皇后愛吃核桃、奶油和杏仁，於是我與廚子就研究出這種甜點。』

Tiara嚐了一口，繼而，她雙眼一亮。『天啊……』

『怎麼了？』拿破崙緊張地問。

『這是拿破崙西餅……』Tiara瞪著大眼睛望著拿破崙。『原來拿破崙西餅眞的由拿破崙製造……』

又有一天，拿破崙爲Tiara端上一壺茶，Tiara喝了一口，忍不住大叫：『茉莉！』

拿破崙說：『皇后一向不喜歡紅茶，我的大臣向東方的使節請教，他們就提供了種植和泡製綠茶的方法。我在法國南部命人開墾了茉莉花田，那樣皇后便能夠常常享用清香的茉莉花茶。』

除了飛撲進拿破崙的胸懷內之外，Tiara 完全不知道怎樣才能表達她的快樂和感激。

這個被寵愛的女人，每天都樂得傻呼呼的。

拿破崙了解 Tiara 對國務的熱誠，便讓她參與城市建設的工作，於是 Tiara 積極策劃城市花園的建造和加建羅浮宮。在每天愉快的忙碌中，Tiara驀地發現，拿破崙對她的了解，竟然比得上她對他的所知。現在，就連瑪爾梅莊城堡中用來照明的蠟燭，都全部散發出薰衣草的氣味，是他周到地吩咐製造商研造的。他說過要好好照顧她，因此把最細微的事項都關注起來。

她了解拿破崙是必然的事；從沒想過，拿破崙會反過來細心了解她。

男人從來都討厭用心去了解一個女人；男人都自私地只想接收不想付出。現在，卻又剛巧被她碰上例外的一個，而且例外得這樣出色。

Tiara 坐在這清雅但又高貴的皇宮中，她知道她得到的不止是生活享受和權力，更還有幸福。

什麼是財色兼收？這就是了。

而當得到了之後，Tiara 又發現，一切都那麼甜蜜，但又那樣虛幻。

微風由花園蕩漾到窗畔，Tiara 坐在粉紅色和粉綠色的輕紗前享用午後的甜點和香檳。她把下人支開，獨自享受這寧靜無瑕的一刻。她拿出她的數位相機，把過往攝錄下來的片段反覆細看。在將來，返回二十一世紀之後，如若有人看到她這些照片，大概也只會認爲她曾經參與過某齣電影的拍攝，只不過是現場實景地把拿破崙和約瑟芬的半生捕捉下來。

怎樣向別人解釋這種幸福的眞實？作爲一個女人，該如何向其他人炫耀她所得到的極度寵愛？除了她的心，不會有人明白。

Tiara 笑起來，覺得自己像極了那些由外星人化身的地球人一樣，滿肚詭計，但又滿心樂趣，兼且帶有一點點寂寞。

沒有人明白沒有人明白……

再沒有別的女人所得的幸福，比這一種更複雜。

* * *

一八〇五年，拿破崙出征攻打奧地利俄羅斯聯軍。和 Tiara 分別的日子中，二人每日通信。拿破崙說著行軍的事，又告訴她他不會忘記每天討好她這重要的任務，他已吩咐別人把該做的事辦妥，待他回法國之後，他對她的愛意會源源奉上。

『到時候，我會每小時爲我所深愛的你獻上愛的禮物。』

Tiara 反覆讀著他的信，最後就落下淚來。既然感情已不能制止了，眼淚亦無須再抑壓，以後的每一天，Tiara 都以淚眼閱讀拿破崙的書信。而當她回信之時，淚水又不斷化開信箋上的墨水。

她寫道：『我看不見你，但仍然照樣地每天深愛你；正如人們看不見神，卻又依然愛著神一樣……』

當哭得太狠，手就抖震得寫不出字來，倒不如放下鵝毛筆，把抖顫的手按到臉上，以它來盛載眼淚。

因爲分離，才教她知道，她是眞正的愛上了他。

她無法令自己停止去想念他，亦無法去否認心中的牽掛。實在太想太想擁抱拿破崙，每一天都很想很想擁抱他。

無心情打扮，也忘記了如何發出『呵呵呵』的笑聲，園莊內的玫瑰，她任由它們凋謝。

她只有一個渴望，就是與他相見。

Tiara不理會軍情危急，她換上男裝軍服，與隨從起行前往拿破崙的軍營。她解釋不了這種澎湃的心情，吃不安睡不著，生命的意志全部投入在與拿破崙相見的渴望中。她什麼也不能想亦不能做，一心一意，她期待著他在烽煙中的臉。

從來從來，沒有這樣渴望見一個人。她無法壓抑、更無法切斷這種心靈的依附。無論她遏止了自己多少次，無論對著鏡子的訓示是何等嚴苛，她都遏止不了內心那股激盪澎湃。但覺，整個人都已被這種依戀席捲。見不到他，就不能活。

『爲什麼會這樣爲什麼會這樣……』她掩住臉低叫，而眼淚就由眼角滲出。苦不堪言。

當Tiara到達軍營之時，拿破崙正趕著回來。軍營外的腳步聲頻繁，但Tiara卻有本事分辨得出誰屬拿破崙。沉重、急速，永遠懷著心事的，就是他。

是否，連帶他的腳步聲她也已一併愛上？

他的腳步聲停下。還未回頭，她已準備好那張綻放出愛情的笑臉。當她一轉身，便看見張開雙臂的懷抱。

Tiara 撲進去。然後她就明白了，何謂歸宿。

歸宿就是一顆心安放的所在地。

她淒淒地說：『我不能與你分離……一刻也不能……』

拿破崙安慰她：『別傻別傻……我以爲你已習慣了當一名以戰場爲家的男人的妻子。』

Tiara 苦苦地嗚咽：『如今……一切都不相同了……』

很重要很重要的事情發生了，所以，一切就無可能再相同。

Tiara剛到來軍營的時候，法軍正被奧地利俄羅斯進逼，法軍的情況看上去疲憊散潰。拿破崙參與的戰爭中，並不是每戰皆勝，Tiara也忘記預先翻看資料，但已顧不了那麼多，她一心要見他，姑勿論形勢有多險峻。

而就在到達後的第三日，Tiara病倒了，她感染了瘧疾。拿破崙憂慮戰爭之餘，又一併擔憂她，Tiara在昏昏暈暈、睡睡醒醒間看到他的臉，他無時無刻都滿載擔憂疲累。她病得重，說不出話來；而每回醒來總看見他那憂傷的眼睛，她不知道怎樣安慰這個男人，她只知道很心痛。

有一次，拿破崙在她耳畔說：『你要醒來，知不知道？因爲你是我的護身符，你要給我力量打贏這場仗。』

就因爲他這一句，她務必要令自己康復。她愛他，她要護蔭他。

拿破崙設計了歷史上其中一次最聰明的戰術，他利用法國的弱勢，誘使奧地利俄羅斯聯軍追擊。法國的老弱殘兵營造了一個虛弱的假象，眞正具實力的軍隊卻躲在山巒之後。在一個漫天濃霧的清晨，奧俄聯軍發現法軍的殘兵正逐漸撤離，於是聯軍派遣軍隊追擊，卻就在山巒之後，法國主力軍突擊聯軍，把他們一截爲二。最後，拿破崙又贏了漂亮的一仗。

戰勝之後，法國的軍人整夜不斷高呼：『法國萬歲！拿破崙萬歲！』而拿破崙則把功勞歸於Tiara，他告訴他的部下，打贏這場仗，全因爲妻子給他信心。

Tiara 聽見了，就在病榻上流下熱淚。

一天，三胞胎前來軍營探望 Tiara。Tiara 正逐漸康復，她已經可以坐在床上說說話。

三胞胎的內衣款式奇異有趣，內衣、睡袍、泳衣的質料，全部選用軍服的布料。Tiara就笑起來：『Mystery 果然講究。』

阿大問她：『你可好？』

Tiara 苦笑：『我怎會好……我在戀愛中。』

阿二坐在她的床沿，擁抱她。『別傻，戀愛很好嘛！』

Tiara 嘆了一口氣：『我沒料到會愛上他。』

阿三就說：『戲假情眞也是一種愛情。』

Tiara 幽幽地說：『請告訴我，該如何去愛一個明知會分離的人？』

三胞胎默然。

Tiara 垂下眼睛說：『這會是一段苦戀呢！』

阿大搖頭：『這會是一段眞正的戀愛。』

阿二也說：『世上難求的絕美愛情。』

阿三告訴她：『眞愛能令你整個人閃亮如巨型美鑽！』

Tiara 笑：『阿三小姐這一句最中聽！』

阿大說：『你放膽去愛吧！戀愛就是此時此刻。』

Tiara 說：『在戀愛中我使不出任何計謀，腦筋也生了銹似的。而最可怕的是，我每分每秒都只想依附他。』

阿二攤攤手。『如果他也配合得到，爲何不可？』

Tiara 感嘆。『我料不到事情會變成這樣。』

阿三告訴她：『凡事完全能掌握未必開心，現在反而充滿驚喜。』

Tiara 抓了抓頭。『是的，想不到他是這麼好。』她笑著問：『究竟愛情在何時偷偷潛進來？是否只因爲他對我太好？』

阿大輕輕一笑，回答她：『他對你很好當然是構成愛情的其中一個因素。但是，眞正的原因是這一個：你心內的感覺很對。』

Tiara 的表情怔住，刹那間如夢初醒。『感覺很對……對了，那感覺眞的很對……』呢喃間，心頭漸次溫熱激盪。『爲什麼感覺竟然那麼對……』禁不住，再次淚如泉湧。

當愛情的感覺來了，就揮之不去，就算哭出一條河流，也沖不走心中的牽連和依戀。

阿二說：『既來之則安之。』

Tiara 哭得掩住臉。在愛情正濃的這一刻，她已但覺肝腸寸斷。

爲什麼，一旦愛上了，總是那麼傷心。

＊　＊　＊

拿破崙大軍返回法國之後，舉國都有慶祝活動，Tiara身體也康復了，每天晚上以皇后的尊貴身分和拿破崙一起參與慶祝。她訂製了十多款不同主題的后冠以供佩戴，星星、太陽、半月、羽毛、弓箭、花卉、陽光下的黃金麥穗、海洋珍珠……每一夜，她都在榮華富貴中度過，女士中一定是她最美豔。為什麼不？所有女人都只能在她的尊貴下謙卑拙樸，她是一國之后，無人敢超越她半分。

她經歷了最不可思議的生活，全國上下，都膜拜在她走過的每一步，已經不再有人有權力直視她的眼睛，皇后的地位就如女神一樣，只供用來讚歎和崇敬。

得到了當初夢寐以求的所有虛榮之時，她卻發現，最銷魂蝕骨的，竟然是愛情。名貴的珠寶她可以隨意地擱在檯面上；再貴重的衣飾她可以脫下來後就不屑一顧。唯一迴盪心頭的只有這個男人，她對他的思念已幻化成一顆世上最珍貴的寶石，她無時無刻都只想懸掛在心間。

Tiara與拿破崙的感情每日俱增，他倆恩愛痴纏得如一雙愛情鳥。而自上回征戰奧俄聯軍後，拿破崙得到一個喘息的機會，於是他又有更多時間鞏固與Tiara的愛情。拿破崙大概是世上最堅持的男人，他堅持不斷擴張統治版圖，於是南征北討；也堅持每日滋長他與所愛的女人的愛情。他的世界，只容擴張不容收縮，有進無退。

法國的宿敵英國一直視拿破崙為眼中釘，他們也流行發掘權貴私隱的小報，當中有一份就列出了皇后約瑟芬的舊情史，文字加上插圖，讀起來惹笑又下流。

拿破崙極爲震怒，他計畫加快步伐攻佔英國，也下令法國不能再讓英國報章流通。

Tiara 抱歉地說：『皇上，是我的舊事有辱國體。』

拿破崙把她擁入懷，又吻了吻她的額角，他說：『他們傷透了我的心。但凡有人傷害你，我的心就痛。』

Tiara 的心一怔，神情愕然又歉疚。她知道，她再也找不到更好的男人。

不由自主的，眼眶就溢滿了淚。

『別哭別哭。』拿破崙吻走她的淚。『我的皇后，請告訴我你爲什麼哭？是因爲英國人把你傷得太深了嗎？』

Tiara 凄然。『當我知道你很愛我，我就忍不住掉眼淚。原來，我最想得到的是被愛。』

拿破崙微笑，他輕撫 Tiara 的臉。『那麼我所做的一切就有價值。』

Tiara 問：『爲什麼你這樣愛我？』

拿破崙望進那雙黃金那樣明艷璀璨的眼睛內，說：『我也不知道……或許就是這雙眼睛……你的眼睛內有一種魔力，能叫我願意一點一點失去自己。』

Tiara 就哭得嘴唇顫抖，這些年來她的琥珀色眼睛內還會有什麼？滿肚詭計，虛情假意……

她覺得很痛苦。『請相信我，我是愛你的……』

『我沒懷疑過。』拿破崙說。

Tiara 哭得要多凄涼有多凄涼。

拿破崙從她的袖子中抽出手帕，印去她的淚。他用雙手捧起她的小臉，吻她的嘴，然後，拿破崙就覺得很快樂。能夠擁抱自己愛的人，能夠把這樣一個人據為己有，是多麼的幸福。

他把她的臉埋在他的懷內，抱住她輕輕搖晃身體。他在心中哼出了一首歌。

她配合他，移動了細碎的腳步。兩人就滿有默契地，在無聲無息中，跳出一支華爾滋。她隨著他的帶領，由窗前旋動到鋼琴旁邊，繼而又走到沙發之前，當他摟著她狂熱地旋轉了數圈之後，她就發現，他已抱著她走到火爐旁邊了。這是一支急步又瘋狂的華爾滋。

他是那樣強壯，力度洶湧猛烈。他旋動得她太急，她就高聲尖笑起來。最後，當他願意放下她之時，他就這樣對她說：『再轉得快一點，我便可以變成你。』

她喘著氣，有點不明白。『嗯？』

拿破崙說：『我想變成你！』隨即他再次捉緊她，狂暴熱情地擁吻她。Tiara看到，他的目光堅定卻又哀傷。她掙脫他繼而別過臉來，在他的激情之下，她實在呼吸不了。

拿破崙對這個他深愛的女人說：『變成了你，我便不會失去你。』

Tiara按著心房，依然喘著氣。她牢牢地望進他深邃的眼睛。從不知道，世上有男人可以把一個女人愛得這麼深。

她不獨得到物質、權力、地位上的虛榮，更得到女人最盼望的虛榮：一個男人至死不渝的愛情。

剎那間，Tiara的頭痛得很厲害。在痛苦的神情下她是滿心的不可置信。居然，給她當上了一名什麼都有的女人。

* * *

他們在開滿橘子花的院子內做愛，月光映在她赤裸的軀體上，雪白的肌膚就鍍上了一抹幽幽薄薄的藍光。她笑得狂放嬌美，而他急切而渴求地咬遍她每一吋肌膚，飢腸轆轆的樣子。他說：『你香滑得可以讓人塗到麵包上……』從此，他在夜半無人時就喚她作『小乳酪』。

他為她舉辦化裝舞會，命令一名曾經對過她無禮的人扮成一隻驢子供她騎上拍打。

他把一個春光溢滿的五月定名為『約瑟芬月』，在這個月內出生的女嬰，全部名為約瑟芬。作曲家為她創作了浪漫的小夜曲；劇作家把忠貞、美麗、冰雪聰明、心地善良的女主角喚作約瑟芬；南部的薰衣草區域定名為約瑟芬鎮；約瑟芬的髮型、裝扮被廣泛流傳，他要使她成為歐洲一代經典女神。

拿破崙就這樣把Tiara捧到天上高，他所愛的女人要變成天上明星，叫所有人都羨慕仰望。他要她超越一切女性，他要全世界都知道，他拿破崙的女人是世上最優秀豐足、幸福的。

Tiara享受著這種不可思議地光彩的人生，拿破崙讓她以為她已晉身為女神。她已沒碰過Mystery那本神奇日曆，甚至，在她的視線範圍之內，侍從都被吩咐不可擺放任何有關時間的工具。Tiara的居所中，沒有日曆也沒有時鐘。太快樂，就自然會把光陰討厭起來。

然而，時間還是溜走，她已走到一八〇七年。這是很重要的一年，她知道，是時候要學習放手。無可奈何地，心情就跌進谷底。

剛剛懂得放心去享受，卻又邁向別離時候。

她變得少說話、不願意再笑，神情憂鬱。當清晨的陽光映在她嬌嫩的軀體上時，她不獨沒裝出擅長的慵懶和性感，反而痛楚地掩面抽泣。

拿破崙問她：『發生什麼事？』

她只顧搖頭。禁不起拿破崙再三追問，她才肯說：『你可不可以別愛我那麼深？』

他堅定地回答她：『不可以。』

聽罷，她就哭得更淒涼。

Tiara從來不是哭泣的類型。她上進積極、所向無敵、囂張勢利。但這陣子，她做任何事都提不起勁，除了哭泣之外，她什麼都不想做。

看見院子的玫瑰會哭；穿上綾羅綢緞會哭；聽見豎琴的聲音會哭；嚐到香檳的清甜會哭；鑑賞珠寶玉石時一樣的哭。當看見拿破崙的臉，她就只能哭得更淒厲。

為什麼會是這樣？當未愛上時，永遠呵呵呵地風騷快活；一旦愛上了，就只能傷心痛哭。

『這是什麼道理！』她哭得嗆住了。『如果我沒愛上你，我就不用受這種苦……』

『我不要愛上任何人……我不要……』

『我不要愛情了……我不要……』

但哪輪得到選擇？愛情來了，就避無可避。既然來了，人只好坐下來等著受苦。

拿破崙一直擔憂她的精神狀態，他召來御醫每日照料她。有時候Tiara會裝出無憂無慮的樣子，然而當夜變深了，她的憂鬱又重來，總是隨時隨意就會哭。

拿破崙追問原因，她永遠避而不答。有一回她想把一切坦白，然而一開口，她又發現自己只能啞口無言。

誰會明白即將發生的事？一八〇七年，她開始要把自己過往所得到的一一放手。

在這一年，拿破崙要到波蘭去，他會遇上Marie Waleska瑪麗華萊斯卡，她會給他生下一名兒子，也是因爲這個女人的懷孕，提醒了拿破崙誕下皇位繼承人的重要性。約瑟芬的不育，造就了一個重要的離婚原因。

Tiara沒忘記她要在一八〇九年返回二十一世紀。而約瑟芬與拿破崙的關係轉捩點，就發生在一八〇七年。她一定要在這階段醞釀一個撤退的心。

就在拿破崙前往波蘭之前，Tiara要完成一個震驚的舉動：她要由一樓的露台失足掉到花園的園地上去。

這是一次具歷史意義的失足事件，約瑟芬的失足，令舉國得悉她的不育；從此，她不再是個滿分的皇后。

那一個早上，拿破崙不在城堡中，而Tiara又支開了侍從和婢女。她獨自站在露台圍欄邊緣上，考慮著違抗這段歷史的可能性。『我不一定要當一個不育的皇后……但我又不可能爲拿破崙誕下子嗣……』

『如果我不掉下去，便不能提醒拿破崙……』

『但我爲什麼要提醒他？讓他一直只愛著我一個不好嗎……』

想到這裡，Tiara就悲從中來，她掩住臉站立在露台圍欄邊垂淚。『爲什麼我要留戀他的愛情……』

話一溜出口，她才知道自己傻。怎可能會不留戀？這份愛情是無可比擬的好。她嗚咽了，掩著臉的雙手轉而環抱自己，當眼淚掉落得太傷心，身體總是不由自主地抖震。

『不要再愛他……放開他……放開他……』

既然逃避不了，就唯有說服自己跟著歷史走。『不要留戀……我來這裡的目的是學習，而現在，我已學到太多……』

『放手吧……放開這個男人。你無理由還要貪戀些什麼……終有一天，你還是要走……』

『感情，懂得放就要懂得收……』

她抹了抹眼淚，說下去：『你已改變了歷史的小片段，但歷史的大方向，你不可以改變……』

想到這裡，彷彿就清醒得多。『收拾心情，兩年後返回二十一世紀……在那裡，你還有Mr. Cocoa……』

她仰面深呼吸。『對了，還有Mr. Cocoa……』

左腳已踏出露台之外……

『放手吧，放開這個男人……』

她強迫自己擠出微笑。『你還有Mr. Cocoa……』

當左腳向前再伸出的一刹那，她整個人立刻失去重心，就這樣從露台上往下墮去。

『呀——』她的叫聲淒厲尖薄如捨棄生命的人。

『呀——』也居然，還有 Mr. Cocoa 這個想法，一點也不窩心……

* * *

Tiara 的失足只帶來輕傷，但經醫生仔細檢查後得出另一個結果，法國皇后將會終生不育。這一年約瑟芬已四十四歲了，拿破崙一直沒介懷妻子的年齡，亦沒立心要求一個皇位的繼承人；然而醫生的這次提醒，卻敲響了他在這方面的認知。剎那間，他迷惘起來。

因著傷患，Tiara 推辭了一道前往波蘭的邀請。而當拿破崙離開城堡之際，Tiara 但覺整個心開始一片一片地剝落粉碎。這究竟是怎樣的一回事？她正雙手把這個男人奉送給另一個女人。

拿破崙從馬背上回頭凝視她。Tiara 依著露台上的圍欄，雙眼噙住了淚。她知道，從這一秒開始，她將要失去這個男人。

都說女人不該懂得那麼多。Tiara 嘆上一口氣，果然。

從露台上掉下來的決心理應叫自己放得更開，要不然就浪費了那一次的一躍而下。既然都肯從露台上跳下去了，歷史就應該一直往前走。Tiara 印走眼角的淚，她要自己由此刻開始學習如何放開這個男人。

她告訴自己，除了放開他，她別無選擇。

拿破崙派軍鎮駐波蘭的首府華沙，也是在華沙，他遇上了年僅十八歲的瑪麗華萊斯卡伯爵夫人。瑪麗華萊斯卡的丈夫是一名中年伯爵，她本身是一名熱情的愛國分子，個性沉實富使命感，外貌端莊但又俏麗。在與拿破崙相見之初，言談之間已頗爲投契，拿破崙一向欣賞有見識而聰明的女性。其他要員見是如此，但凡拿破崙在華沙的宴會，都會邀請瑪麗華萊斯卡參加，而這名年輕的少婦，就被注意起來。

華沙的當權者開始策劃各種計謀削弱拿破崙的進迫，而其中一個方法，是利用瑪麗華萊斯卡的美色。他們希望她能成爲拿破崙的情婦，從而令拿破崙減少法國對波蘭的威脅。

瑪麗華萊斯卡答應了。波蘭人設計使拿破崙墮進這名美麗少婦的溫柔鄉，而不久之後，她正式成爲拿破崙的女人。

起初拿破崙沒把這種事放在心上，男人總會有外遇嘛。但慢慢，他就喜歡上瑪麗華萊斯卡。他對她說：『如果你是男人，我們會是好兄弟，但因你是女人，你只好成爲我的情人。』

當拿破崙發現自己動了眞情，他就憂慮了。他不停寫信給Tiara，渴求她給他指引，他向她坦白，希望她能告訴他該怎樣走下一步。他是一名尋求妻子允許的出軌男人，也只有這樣，他才能安心。

他在信中寫道：『你要我繼續便繼續，你要我停止我會立刻停止，我需要你的命令。我在這個地方無法再控制我自己，約瑟芬，我已經迷失……』

但是，Tiara沒回覆他的信，他待在華沙四個月了，她沒寫過一封信給他。他大惑不解又擔憂，然後，有人通傳他，Tiara在巴黎過得開心快活。他對這消息半信半疑，以往二人分離，結局只會是傷感與掛念。他看著身邊的瑪麗華萊斯卡，忽然完全迷惘起來。拿破崙愈來愈不知道，自己正幹著些什麼。

但覺在波蘭的日子，每一天也過得迷離和虛幻，彷彿全是命運的擺弄。

Tiara沒回信。她把所有黑夜花到去不完的宴會上。她舉辦皇宮宴會，又毫不遺漏地參加別人的派對。她打扮得華麗出色，表現豪邁盡情，她喝許多酒，又不停說笑話，每個宴會中，最投入盡興的一定是她。

拿破崙的信，她都在日間時分閱讀。那些時候她不施脂粉，形容憔悴，半躺半臥地抱著信在床上抽泣。夜間的歡樂，在太陽露面之後便立刻蒸發得無影無蹤。

有沒有人明白，放棄一名仍然深愛的人的心情？

有沒有人明白，當中隱藏了多少妒忌、愴痛、苦悶、委屈和無奈？

知不知道什麼是強顏歡笑？會有人明白華麗放縱的哀傷嗎？在愛情的折磨中，總是太多的不可思議。

Tiara一方面發狂地探聽拿破崙在波蘭的行徑，另一方面卻又濃妝艷抹裝作若無其事。而終於有一天，她發現了她的肌膚上不了粉，她落泊的容顏用再厚的白粉也掩飾不了。連日烈酒狂喝卻不進食的結果，是她在其他貴婦華麗的裙子上嘔吐起來，在大家驚惶失措間，她含著淚昏倒過去。

原來，演技還是不合格，她沒有自己想像之中的高深莫測。在愛情之下，她也只不過是個平凡小女子。

她已無能力再假裝，她不能夠再每日猜想自己所愛的男人在別人的懷抱中的情形，只要這念頭一湧起，她就發狂一般地哭叫。如何去承受？如何去與其他女人分享？她已愛上了這個男人，因此，這個男人從此只能屬於她一人。

眼淚蠶蝕了她的容顏，而聲音亦變得沙啞低沉。悲苦令這個女人不再美麗，她的五官像會隨時融化塌陷；而每當有人上前安撫她，她就會發狂一樣抗拒掙扎，長長的指甲陷入別人的肌膚中，然後又往自己的臉上抓去。

她令身邊的人都驚惶起來，尊貴的皇后變成了瘋狂而失控的女人。

無論嗚咽還是哭叫，所說的都是：『叫他回來我身邊……我不要他被其他女人帶走……』

『回來回來……我不可以沒有你……』

『我不……不可以沒有你……』

她根本放棄不了。

她像狼一樣在月夜中悲哭，只要眼淚一開始流下來，便怎樣也無法被制止。在愛情之中她發現了自己的歇斯底里，在愛情的苦難裡頭，她變成了另外一個人。

醫生前來迫使她喝下一些奇怪的藥水，那味道的怪異叫她嘔吐連連。這些古老的鎮靜藥物卻很有效用，Tiara的情緒日漸穩定下來。雖然眼淚依然長流，但她已不再苦叫悲哭。

當理智回來之後，口中唸唸有詞的是這一句：『怎會這樣……　怎會這樣……』

禁不住嘲笑自己，居然因爲愛情，人就崩潰了。

愛情把人折磨完畢之後，那苦難就把人轉變得陌生。究竟誰是Tiara？連她自己都找不著。

曾經有一個女人，冷酷勢利，只用腦不用心……

那個女人有型厲害戰無不勝萬事盡掌握，完全不像坐在床上這個病懨懨的傻瓜女人……

Tiara掩臉失笑。爲何愛情這麼苦，但每個女人都在盼望愛情；也爲何浸淫苦海中後，女人還是不肯逃走放棄。

＊　＊　＊

拿破崙終於收到由法國來的信。密密麻麻的字，卻只書寫出同一句話：『你快點回來……你快點回來……你快點回來……』

拿破崙把信挪開，以驚愕的神色望向送信人，那人就簡略匯報了皇后的情況。拿破崙立刻放下瑪麗華萊斯卡，連夜趕程返回法國。

知道拿破崙正趕程歸來，Tiara的精神狀態一下子就抖擻起來，她願意進食，又能入睡，也不再飲泣。

她甚至有閒情把自己的照片翻出來細看。Tiara把二十一世紀的照片簿都帶來，她看著當中的生活照，既不觸動又不懷念。Tiara已經不想再當Tiara……

而Mr. Cocoa……這個男人究竟是誰？Tiara想來想去，只覺得陌生。

『陌生人。』她說了一句就合上照片簿。

當拿破崙返到法國之後，夫婦倆的相聚就像劫後重逢。Tiara坐在床上伸出纖瘦的雙臂，拿破崙奔跑上前擁抱她。他的心酸了，而她激動地痛哭。他說：『是我錯，我不該捨下你前往波蘭。』

Tiara 抓住他的背，淚流滿臉。『你以後都不要再離開我！』

拿破崙抹去她的淚，輕輕呵護她：『沒有你，做什麼都不對勁……就連交一個情婦都不對勁。』

Tiara 忍不住笑，她拍打他。拿破崙又說：『沒有你的支持，就連越軌也不順心。』

Tiara 撫摸拿破崙的臉，說：『當然了，你是我的，你的皇位是我的，你的財產是我的，你的子孫根也是我的……』說著說著，她的手已游走到他的胯下。

他就晦暗地笑了，捉住她的手，把它移到一個更稱心的位置；繼而，他合上眼睛，把臉孔埋到她的胸脯上。

他感受著她的柔軟，呼吸著她的體香。也只有在這裡，感覺才最對。

每一個女人都有她們獨有的芬芳，但唯獨這一個，才令他最能放鬆、最安逸、最合心意、最感受到愛情。

在這裡他什麼也不用費神，他沒有猜疑也沒有憂慮。在這裡他無須表現得兇悍，也不用著急去進攻誰。在這裡，他安樂如同嬰孩，他是備受保護的。

當他是她的歸宿；也原來，她的懷抱，亦是一樣。

兩個人擁抱一起，就各自找著了自己的家。

是不是很好？天大地大，唯獨對方才是棲息之所。

後來，Tiara 就要求拿破崙答應她：『你要答應我，無論未來兩年發生什麼事，我們都要盡情享受這份愛情。』

拿破崙輕吻她的指頭，說：『還會發生什麼事？我們的愛情還有可能改變嗎？』

Tiara 咬了咬牙，這樣說：『無論多麼傷心，我們也不要忘記好好愛著對方。』

拿破崙覺得她太多愁善感。『我向你保證，一切不變。』

Tiara 輕輕點頭，忍著要流下來的眼淚。

她實在太清楚以後會發生些什麼。也原來，當一個承諾要破碎，是那樣迫不得已。

Tiara 垂下眼睛，讓那傷心的沙漏開始倒數。兩年，他和她，只剩下兩年……

拿破崙一直沒停止過戰爭，他對勝利抱著一種近乎著迷的情結。法國已不再需要霸佔奪取別人的土地來增強自己的勢力，基本上，除了他自己之外，無人認同法國當上歐洲的霸主。他每數個月就發動一次戰爭，而每一次他都興致勃勃。拿破崙深愛戰爭，他完全是爲了戰爭而戰爭，每一次出征都是一次戰爭遊戲。

歷史上每隔一陣子就出現一個偉大的領袖，他們的體內爆發著不能停止戰爭的因子，只有把別人打敗，只有藉著侵佔，他們的血脈才能感覺安逸。他們戰無不勝，是軍事天才，但同時又是一名叫別人摸不著頭腦的霸主。欲望永遠無法被滿足，無論贏了多少場仗，他還是要繼續戰爭下去。

Tiara 在戰場上對拿破崙說：『你就像那些病態賭徒，就算贏得再多也無法收手。』

拿破崙放下手中的望遠鏡，瞄了瞄她：『也只有你才夠膽量對我說這種話。』

Tiara 從後環抱他，這樣說：『放心，我不會阻止我的男人享受他最愛的嗜好。』

Tiara眞的再沒與拿破崙分離，他甚至牽著她的手上戰場，二人如連體嬰，恩愛得形影不離。這兩年的小戰役中，拿破崙連番勝利，他的趾高氣揚都有她來陪伴。她故意讓自己笑得特別快樂，也不放過每次通宵達旦的慶祝。得快樂時且快樂，盡力掩飾憂鬱，是一個女人的責任。

橫豎愁緒不會有人明白，何必顯露出來？約瑟芬這角色還未演完呢！

原來眞正考演技是這種時候，心傷之時扮演開心；而她的寂寞不會有人明白。

當三胞胎來探望她，她就說：『我體會得到絕症病人的痛苦，等待一個死期的心情就該是這樣。』

阿大說：『安慰的是，你一直做得很好。』

悲從中來，Tiara 一聽便心酸。『我捨不得……』

然後，再也說不出下一句話。

捨不得捨不得，無辦法捨得。

阿二告訴她：『開心一點，別離也有歡笑的方式。想想回到二十一世紀之後的光景，你將會光芒萬丈，照樣人所共仰。』

阿三補充一句：『並且繼續財色兼收。』

Tiara 哭得更淒涼。要不是這樣一個念頭，她也不會走到這裡來。

阿大說：『別把憂愁散播，拿破崙並沒義務承受你的不快樂。』

Tiara 咬咬牙，哭著點頭。

理智地想想，阿大的說話眞的很對。拿破崙無義務陪伴她一起不快樂。Tiara深呼吸，她要自己使勁地活，她是影后，她所扮演的角色，每一秒都精彩出色。

在一次慶祝活動的遊戲中，約瑟芬當選了選美皇后，賽果絕對公正，無人異議。

也的確，在 Tiara 的照料下，約瑟芬的美貌日益艷麗，快將成爲一個活生生的謎。在那年代，四十多歲的婦人多數已老態盡現，而事實上，約瑟芬的一子一女也已二十多歲了，他們成家之後，她很快便會榮登祖母輩。Tiara才不會讓約瑟芬的外貌老去，她參考二十一世紀女性的美容心得，像好萊塢女星那樣保養得宜，四十多歲的女人，如莎朗史東、瑪丹娜、梅格萊恩，全部艷光四射，風華正茂。

拿破崙沒停止過迷戀她，每當他看著她的臉，總有那鑑賞名畫的神態，驚歎、欣賞、心曠神怡。而她的身體，他更是百看不厭，他沒辦法解釋那種心蕩神馳。她就是一種最神奇的靈藥，服用一世也效力不減。

她赤裸側臥在大床上，他又再次看得她入神。他輕觸她的胳臂，還有那圓潤嬌美如少女剛發育完成的胸脯。他那雙定神的眼睛溢滿溫柔，世上再沒有任何事物，比他此刻看見的更動人。

Tiara 從眼角濺出嫵媚，她問：『你看厭了沒有？』

他搖頭：『沒有。』

她咬了咬自己的手指頭，轉換了一個展覽姿勢，然後她問：『如果我的外貌變成另一個模樣，你還會不會愛我？』

他想了想。『幹嘛你的外貌會變成另一個模樣？』

她說：『如果，我變成一個東方女子的模樣……』

他把手伸到她的脖子旁又輕撫她的耳畔，他凝視她瑰麗無雙的容顏，然後說：『或許吧！你變成何模樣，那個都只是你。』

她就笑起來，她得到一個滿意的答案。

『笑什麼？』他問。

她躺下來，凝望色彩繽紛的天花板。『沒什麼。得到愛情，所以便開心。』

他也躺下來，伸手緊扣她的指頭，隨同她望向她所凝視的角落。那裡有火紅色的鳳凰在飛舞，繁花吐艷，如人間仙境。他莞爾：『我從來沒有看過那角落。』

她卻說：『你知不知道？宇宙間有很多奇異的空間，同一個拿破崙也會有不同的經歷。』

他笑。『星宿術士告訴你的嗎？』

她說下去：『而這一個拿破崙，就遇上我。』

他把她的指頭放到嘴唇邊吻了吻。她笑得很燦爛，她愛煞他這個吻她指頭的動作。

她告訴自己，她要記住他的一切。他的目光，他的神情，他的姿態他的語調。她永遠不要自己忘掉。

以後無論拿破崙做什麼，她都仔細地看，她從來沒有這樣仔細地觀察過一個人，這感覺就像把同一齣電影細看一萬次那樣。以後，她將會滿腦子都是他，合上眼時是他；一張眼，無論看到誰，也一樣會是他。

就算相隔二百年的距離，她也不要和他分離。想到這裡，她便在心頭滴出眼淚。

＊　＊　＊

一八〇八年，瑪麗華萊斯卡由波蘭來到法國，她得到與拿破崙見面的機會，她淒淒地對他說：『因著我與皇上的關係，我被丈夫所拒，我已無法待在波蘭了。』

拿破崙非常懊惱，於是便與Tiara商量。Tiara正與拿破崙玩紙牌，她垂下眼聽著他說的前因後果，而拿破崙結論的一句是：『她已經走投無路。』

她平靜地建議他好好安置她。Tiara把手中紙牌翻出來，事到如今，一切只好順隨命運的安排。有些事，要發生的終會發生。已經不容許她再阻隔些什麼。

瑪麗華萊斯卡當然不會放棄親近拿破崙，而事實上，拿破崙不能抗拒她。每一次自她住所離開之時，拿破崙都滿心迷惘，明明每次都不情不願，但卻又不由自主地走了又來。

而當面對Tiara之時，他就心痛又內疚。每次Tiara望住他那雙等待贖罪的眼睛，她就知道，一切距離結局不遠。

她反過來安慰他。『沒什麼的，皇上你放鬆一點吧！』

徘徊在妻子與情婦之間的男人，惶惶然無所依。戰無不勝的拿破崙，日子過得像魂離體外，每一天都心緒不寧，忐忑不安。

Tiara倒是平靜。這一天她已等待了許久，快點來臨就當是減少折磨。始於要分離，是不是？她始終會成爲被背叛和被遺棄的女人。

而不久，瑪麗華萊斯卡懷孕。拿破崙一聽這消息，整張臉立刻發青。喜悅的是他身邊一眾參謀，他們不斷建議拿破崙確立皇位繼承人的地位。

拿破崙不會給予瑪麗華萊斯卡名分，他沒愛上她，她又是別人的妻子；而他們的兒子，他決定只以私生子處理之。眾大臣持相反見解，他們很重視瑪麗華萊斯卡腹中骨肉，甚至有人建議把不育的約瑟芬休掉。

拿破崙懊惱非常，但覺已闖下大禍。後來，就有人提議，作爲歐洲最強統帥的他，該迎娶一名身分更尊貴的婦人爲皇后，而這名皇后，具備被上天賦予生育拿破崙後代的能力。他們甚至替拿破崙揀選了人選，奧地利那名十八歲的公主瑪麗露薏絲最有資格當上拿破崙的皇后。

事情的發展遠超他的意料。然而想深一層，又不無道理。

拿破崙從沒這樣爲難過。他煩惱抑鬱，心不在焉，有一次他把該簽署的文件隨手扔進燃燒廢紙的火爐中，當發現了之後，他卻破口大罵身邊的隨從。

Tiara 知道是時候了，年曆上說，這已是一八〇九年。某一個夜裡，她走進拿破崙的書房中對他說：『皇上，聽說你要與我離婚。』她決定，與其等候發落，不如採取主動。

拿破崙否認：『你聽了什麼閒言閒語？』他站起來，牽起她的手，與她一同坐到長沙發上。

Tiara 說：『皇上一定會與我離婚。』

拿破崙問：『爲什麼你這樣說？』

Tiara 微笑：『因爲歷史這樣說。』

拿破崙聽罷，面露不悅。『我就是歷史！我說不離婚就不離婚！』

Tiara 見是這樣，就不再把話題延伸。

二人裝作相安無事，又過了數星期。然後，聽說瑪麗華萊斯卡的肚子日隆，Tiara不想再等下去。她再次主動對拿破崙說：『我們始終要離婚的，面對現實吧！』

拿破崙煩惱非常，他按著額頭擺了擺手。『親愛的，你讓我再想一想。』

Tiara嘆了口氣，望牢他，這樣說：『就算你不與我離婚，我也始終會走。』

她深呼吸，決定了走這一步。

拿破崙問：『走？你走到哪裡？』

Tiara告訴他：『我會回到二十一世紀。』

拿破崙皺眉。『哪裡？』

Tiara重複。『二十一世紀。皇上，我們現今是十九世紀。』

拿破崙靜默半晌，忽然失笑。『你最近看了神怪小說？』

見他根本無法接受，Tiara便不想說下去。她轉身就走。『算了吧！皇上，你早點休息。』

還以爲拿破崙不會把她的話記在心，他卻在半夜走進她的寢室。Tiara正在鏡前卸妝，從鏡中反映，她看得見拿破崙那張凝重的臉。她把下人支開，寢室內只餘下他們二人。

Tiara說：『皇上這陣子這麼晚還不睡。』

他倆手牽手坐到窗前的Love Seat上。

拿破崙端詳她的容貌，然後說：『抹去化妝後還是這麼明艷。』

Tiara把手按到臉龐上，借題發揮：『外貌只是軀殼，也是時候歸還別人。』

拿破崙說：『我就是來問你，爲什麼說此古怪的話。』

Tiara垂下眼，抿了抿唇，才又再抬起眼來。『皇上，我根本不是我。』

拿破崙笑著皺眉。『那麼你是誰？』

Tiara顯得非常幽默：『是一名更漂亮的女子。』

拿破崙仰面高笑。『我該一早知你頑皮！』然後他站起身。『我還是返回寢室，你也早點睡。』

Tiara卻拉住他，激動地說：『不！皇上！我要你看看我原本的樣子！我再不講清楚就無法安樂！』

拿破崙便逗留在原地，Tiara則跑到一個裝飾櫃之後，她伸手往櫃後的牆壁開啟暗格。然後，她的雙手便捧著一本厚厚的大書。

她遞給他說：『我的照片簿。』

『照片……』拿破崙翻開照片簿，他看見一幅又一幅東方女子的照片。他以指頭觸碰，然後說：『這種是什麼顏料？像真度這麼高！』

Tiara坐回那張Love Seat之上，說：『這是將來的科技之物，稱作攝影。』

『攝影？』拿破崙望了望她，依然未能領會。『你由哪裡學懂這個名詞？』

Tiara這樣告訴他：『由我來自的世界學懂而來。我是來自將來的人，比皇上晚生二百多年。』

拿破崙望牢她，分不清楚她是說笑還是認真。

Tiara微笑，繼而這樣說下去：『我不是這個年代的人，我甚至不是約瑟芬。我是照片簿中的女子，我的名字是Tiara。』

拿破崙想了片刻，就把照片簿快速地翻了翻，他看見照片中的人不獨衣著奇怪，那些照片的背景更顯得不可思議。

Tiara 留意得到他正注視著一架飛機，於是便對他說：『這是一種會飛上天的交通工具，大約在一百年後發明出來。』她又指著另一張照片的背景說：『這裡是紐約，你看，高樓大廈林立。』然後她翻到另一頁。『我站在凱旋門前留影。皇上，你看到吧，我們正興建的凱旋門，完工之後就是這模樣。』

拿破崙望著 Tiara，他意識到他必須要相信她的說話，直覺告訴他，這個女人並不在開玩笑。當其他人無法相信這種事時，他選擇去相信。原因就皆因他是拿破崙，他有超越一般人的本事。而且是眞還是假，很快便會得知。他望著她，認眞地提問：『那麼，眞正的約瑟芬在哪裡？』

拿破崙立刻說：『爲什麼會有另一個拿破崙？』

Tiara輕輕一笑，她說：『眞正的約瑟芬正與拿破崙在另一個空間生活，他們也在鬧離婚。』

Tiara 搖頭：『我不知道。其實很多事情我也不明白……聽說，自我並不是一個實體，一個我可以分裂生存在不同的空間中，各有相異的命運……我也全是聽來的。』她溫柔地望著這個男人。『我只知道，我面前這個拿破崙很好。』

拿破崙凝視 Tiara 的臉。Tiara 說下去：『而我沒後悔來到你身邊。』

說罷，心頭就湧上一陣暖。她再輕輕說一遍：『我沒有後悔。』然後，她的臉上綻放出溫暖的笑容。這就是她的心底話。

拿破崙默然。他在她的笑容中尋找答案，他很想把事情弄清楚。『你由何時開始變成約瑟芬？』

Tiara 的笑意更閃亮，她沉醉在回憶中。『由我們當初認識的第一天。』

拿破崙也記起了那一天的片段。那是美好的一天，他初見她已愛上了她。他的眼眸內掠過柔情，也眞意想不到，那角色還未熱身，他就已經急不及待愛上了。他望了望身邊這個女人，與其遷怒她、懷疑她，不如更該佩服她。

他逕自笑了笑，然後問：『爲什麼要當上約瑟芬？』

Tiara 回答：『爲了與拿破崙談戀愛。』

拿破崙定神。他看見，她的琥珀色眼睛內閃耀著愉悅的光芒。

她沒有說謊；而他也知道，她一直說著眞話。共對多年，他怎會看不出？『爲什麼？』他只想問。

她就說了：『因爲我們都知道，拿破崙是一個懂得愛情的男人。我是來學習與一名大人物談戀愛。』

拿破崙仰起臉，嘆了一口氣，又溜了溜眼珠。他說：『我是不是被騙了？』

Tiara 垂下了臉。『有一點點。』繼而她再說：『但我眞的喜歡當上約瑟芬。而且……我是眞的愛上你。』

他看見她的眼皮輕輕跳動，這是他所熟悉的神情之一。而他，亦只知道面前這個約瑟芬。

如果世界上眞有另一個約瑟芬，無論那一個多貨眞價實，都只會陌生。

禁不住，他伸手輕撫她的臉。他說：『你假得很眞。』

頃刻，Tiara的嘴唇抖顫，眉頭一皺後，就落下淚來。

是的，假得很眞，而感情亦投入得太深。

他說：『告訴我，眞正的約瑟芬是怎樣的。』

Tiara深呼吸，然後回答他：『她的外型與你所看見的一模一樣，而在那個空間的你亦都深愛她。但在婚姻的頭三年，那名約瑟芬因爲與別人有染，以致你們的感情不穩，而你亦有其他情婦。自你稱帝之後，你倆的感情總算平穩和睦。然後，瑪麗華萊斯卡出現了，你又看上了奧地利公主，於是便要和約瑟芬離婚。我和她的結局，都是一樣。』

拿破崙用手指擦了擦鼻子，說：『聽上去我們這一對還好一點。』

Tiara破涕爲笑。『功勞都歸我努力呀！』

拿破崙看著Tiara的臉，不由自主地心軟了。這張臉的所有表情，他一向最愛看。他根本就是Tiara的臉的崇拜者。

他取笑她：『你是最眞的冒牌貨！』

『不！』她反對。『我是用料更靚的冒牌貨！』她流著眼淚說：『我是全心全意地與你一起。我是全心全意來與拿破崙談一場戀愛！』

他問：『那麼結果如何？』

她說：『非常美滿！』

望著這雙永遠愁思鬱結但又情深款款的黑眼睛，她忍不住就撲進他的懷裡去。『我還想一直與拿破崙愛下去！我還想還想愛著你！我還想還想被你所愛！』

他撫摸她的背，聽她淒淒地說：『我再也找不著比拿破崙更好的男人！』

他聽得見，然後把她抱得更緊。他也想說，他找不著比她更好的女人……

而忽然，她的心一怔。她從他懷中抬起眼來，這樣問：『你是不是說了些什麼？』

戀人的心靈感應又來了。

他望著懷中的她，告訴她：『你若是聽得見，就記住它。』

她輕輕應了一聲，繼而溫柔地微笑，合上眼，就埋進這個男人的胸懷內。她是眞的聽見了，

戀人的愛意包圍著這二人，他們忘卻了猜疑、惶恐和憂傷，此刻除了綿綿情意之外，再沒有其他顧慮。還有什麼更緊要？愛情最強。

而且會永遠記住它。

* * *

拿破崙聽了這一個如一千零一夜般奇異的故事後，選擇去相信。就因爲相信了，他只能更珍惜這個女人。她會隨著日子一點一點地消失。還餘下多少時光？捉不住時間，只好捉緊身邊的人。眞的拿破崙與假的約瑟芬就更親密。

拿破崙對 Tiara 來自的世界萬般好奇。『二百年後的戰爭是何模樣？』

Tiara 想了想，告訴他：『二百年後的戰爭大規模得多，武器是今天想像不到的先進。單是

炸彈就有空對地導彈、聰明炸彈巡航導彈……又有生化武器、坦克車、巨型航空母艦、隱形戰機……士兵有傘兵、空軍、特種部隊……事實上，戰爭從未停止過。』

拿破崙莞爾。『你們一定會覺得我們的戰爭小兒科、可笑。』

Tiara立刻說：『不不不！拿破崙是一名軍事天才！你的軍事策略人所共仰。數百年之後的世界只不過是軍備先進。』

拿破崙的表情釋然。Tiara說：『你永遠都是英雄。』

拿破崙抱她入懷，問：『我的將來會怎樣？』

Tiara不想直說：『你真想現在就知道？』

拿破崙笑起來。『其實，我根本不想知。』

拿破崙對Tiara的真身非常好奇。他說：『東方女子何以也學貫中西？』

Tiara以手指捏他的鼻子，說：『別小看我，二百年之後男女平等得多，東方人的學識不會比西方人差，大家都受教育嘛，而且資訊發達，我們吸收信息的途徑很多！』

Tiara把她的數位相機拿出來，與拿破崙一起觀看：『看吧，當中有很多個我和你，由我們初相識到今時今日。』

拿破崙驚歎：『就連玩具也這樣厲害！每一格影像都是真相。』

Tiara笑著說：『看到沒有？我們都蒼老了！』

拿破崙說：『扮演一個角色十多年，很累吧！』

Tiara把臉貼著她的男人。『最初那數年的確很悶，所以我常常跳步不依正常運作過日子。

後來，愛上了你，就不捨得……』說過後，她就撇起嘴來。

拿破崙也惻然。他把她抱得更緊。

Tiara 數著手指過日子。『我們還剩下多少天？』

拿破崙說：『我與奧地利公主的婚期定在一八一〇年四月。』

Tiara 幽幽地說：『那麼，我們定在一八〇九年的最後一天離婚吧！你還有四個月的時間去適應新生活。』

拿破崙也不捨得，他的心很痛。

Tiara 告訴他：『你知道嗎？你仍然會看見約瑟芬，而且那還是眞正的約瑟芬。到時候兩個拿破崙的命運會合二爲一，眞的約瑟芬會繼續存在，而我所扮演的那位便會消失。』她輕輕說：『你不會太傷心。』

拿破崙按著額頭，神情苦惱。『我不知道。』

『放心吧！』Tiara 說：『離婚後，你與約瑟芬會由夫妻變好朋友，你們依然通訊無間。並且，你與新婚妻子的感情不錯，而瑪麗華萊斯卡會爲你誕下兒子，他們母子亦與你投緣。』她結論：『你是個有福氣的男人。』

『是嗎？』拿破崙苦笑。

Tiara 補充：『奧地利公主會爲你誕下兒子，你會封他爲羅馬國王。』

拿破崙的精神稍微抖擻起來。『小羅馬國王！』

Tiara 吻了吻他的鬢根。『皇上會得償所願。』

爲了準備返回二十一世紀，Tiara努力收拾心情，她每天對鏡催眠自己：『你始終要走！』而鏡中那雙水汪汪的黃金眼睛無時無刻都愁思滿載。看著這張臉，她千千萬萬個捨不得。

她對自己說：『回去後一樣是做皇后呀！Mr. Cocoa富可敵國，兼且他比拿破崙更英俊有型！』

然而話說完了，她的心情卻沒有好轉起來。當Mr. Cocoa的妻子，已不再是一個興奮的願望。

Tiara自言自語：『我又要花上多少年來重新扮演另一個角色？』

一想起會發生這樣的事，Tiara就沮喪得不得了。

Mystery三胞胎來看她，與她一同準備返回二十一世紀。

阿大問Tiara：『玩夠了吧！』

Tiara神情無奈。『要我說眞心話嗎？還未夠。』

阿二說：『Mr. Cocoa花了數百萬爲你請來名醫，你的肉身正樂觀地康復中，甦醒跡象日漸明顯。』

Tiara揚了揚眉。『他爲我花那麼多錢……』

阿三說：『你一回去便會得著愛情的保證。』

Tiara笑了笑。『由內疚生愛，我和他都是。』頓了頓，她逕自說下去：『他自覺欠了我，而我又不好意思騙了他。我和他，是在無選擇之下不能不生愛。』

然後，她輕輕說了句：『我與拿破崙是在有選擇之下仍然愛上對方。』

三胞胎明白她的心情，她們交換了一個眼神。阿大說：『今天，就當是一段愛情要完結。』

Tiara 淒然掩面。

阿二說：『又或是當作電影散場，你再捨不得，影片還是播完了。』

心一酸，淚水洶湧。『我是眞的捨不得……』

阿三說：『你要讓歷史順利前進。要發生的終須發生。』

Tiara 紅著眼哽咽。『是你們鼓勵我去愛……』

阿大義正詞嚴：『現在我們鼓勵你放手！』

Tiara 抱住頭，苦惱又悲痛。依然呢喃著這一句：『我捨不得……』

感到她的悲傷，阿二忍不住落下淚來，而阿三亦一臉惻然。她們一起望向阿大，這樣說：

『實在不忍心看到她如此傷心。』

阿大望著 Tiara，輕輕嘆息。她說：『我只能讓你和拿破崙的愛情故事完結得甘心一點。』

Tiara 抬起一雙淚眼望向她。

阿大就說：『你可以揀選一個晚上在他面前變回 Tiara，目的是令他明白你只是一個幻覺。他清醒了之後，你自然也容易放得下。』

Tiara 幽幽地嘆息：『是的，他不愛我，我就可以少愛他一點。』

阿三攤攤手。『愛情就是這樣子互動。』

阿大並且說：『在一八〇九年十二月三十一日的午夜十一時五十五分，你會搭乘一匹我們爲你準備的馬車。馬車會遇上意外，而約瑟芬的肉身會在意外中昏迷，當她甦醒之後，拿破崙就會得回他的眞正約瑟芬，而他亦會忘記曾經遇過你。』

Tiara 垂下眼。『我便要回到二十一世紀。』

阿大叮囑她：『要是這過程出了岔子，你回不了二十一世紀的話，你就要永遠成爲約瑟芬。』

Tiara 雙眼一亮。『永遠成爲約瑟芬？』

阿大說下去：『亦即是說，你的命運會如同約瑟芬那樣，在一八一四年死去，靈魂和肉身一同離開人世。』

Tiara 洩氣，半晌後才說：『我只有一個選擇。』

阿大說：『這亦是當初我們約定的選擇。』

Tiara 再沒作聲。她無意違反約定，只是，當事情越軌之後，就出現了太多意外狀況。

＊　＊　＊

當準備好了，Tiara 將會脫下約瑟芬的外殼，變回眞正的 Tiara。眞的，連她自己也久違了。她揀選了一個無雲的夜晚，月光亮得如一面白玉鏡子。這樣的晚上感覺最好，做什麼都教人安心。

拿破崙坐在床上，定睛盯住屏風不放，在屏風之後，Tiara 正對著長鏡脫下衣裳。她首先脫下外袍，再脫下裙子，當身上餘下內衣之時，她就對鏡散髮。她把頭飾拿下來，而當棕紅色的秀髮披散肩上的一刹那，那色澤就轉換爲烏亮的黑色。

Tiara 深呼吸，是時候了。

她脫去內衣。肌膚的色澤隨著她往下移動的雙手由雪白變成蜜糖色，骨架與身形亦不再相同，Tiara從鏡中看見，那雙均勻秀巧的東方女性胸脯，然後是薄薄幼幼的腰身。當內衣全褪去之際，Tiara 的修長美腿亦呈現了，她向下一望，看見了十隻嬌俏的腳趾頭。

『親愛的……』拿破崙在呼喚。

Tiara 望向鏡中，什麼也妥當了，就只餘一張臉。指頭沾上卸妝乳液，然後往臉上的脂粉抹去，當雪白溶掉後，東方女性的膚色就顯露出來；她合上眼睛，抹走眼影，把眼睛重新張開，就看見那明亮的黑眼珠；她來回地擦鼻子，鼻子就愈變愈小巧。最後，唇彩給拭去了，自然的唇色之下，是兩片稜角分明的小嘴唇。

梳妝台旁有一盆水，Tiara 俯身把水往面上潑，再往鏡中端詳後，她就看見那還原了的臉形。這樣子湊湊合合，逐分逐分地，Tiara 回來了。

Tiara 對自己微笑，實在太抱歉，把這個標緻的軀殼遺忘了太久。今夜，她與她的男人，會共同擁有最真的 Tiara。

拿破崙看到，從屏風後走出一名東方美女，她長得高眺，四肢修長；她的長髮貼服烏亮；她的五官精細雅致。她正向他微笑，渾身散發出一種閃亮的驕傲。她一直注視著他，黑眼睛晶亮懾人。

她已走到他的跟前，緩緩坐在床邊。兩張臉相對得很近，靜默地四目交投。拿破崙從那漆黑之中看到一個玫幻的世界，那裡很美很美，奇異又叫人興奮。他望進那個世界中，那裡流動著異色的艷麗，魔力如黃金般閃爍。實在太美太美了……而最美的是，當中的感覺絲毫不陌生。

他合上眼，擁抱她，一切都放心。

這個來自東方的女子已在他的懷內，他凝視著她的臉，又伸出手輕觸她的肌膚。蜜色的肌膚細滑如奶露，他由她的鎖骨撫摸下去，心情猶如觸碰世上最名貴的珍寶。他吻上她的唇，他在這種柔軟的魔力下逐漸呼吸急速。他的吻流瀉到她的下顎和脖子，最後停在她的胸脯。他的臉貼在她的胸脯上，他在異樣的興奮中喘息。

她的身體散發著一種迷人的體香，她的髮間是異國的氣味。眞是奇異極了，像幻覺一樣，這麼遠但又這麼近。

他進入了這副軀體，他所愛的女人對他說，這副軀體才是眞面目。他合上眼，把自己埋藏在這陌生的溫暖中。他嘗試忘記這軀體的模樣，也想忘記誰是眞誰是假，他什麼也不去想，有什麼緊要得過那感覺？只有感覺才是最眞。

他停下來，剎那間顯得憂鬱。她抱住他，輕輕地問：『怎麼了？』他笑了笑，樣子無奈。

『我怕我會在那裡消失。』

她也笑，接著搖了搖頭。『那麼，你跟我回到我的世界去。』

他不置可否。『或許。』

然後他就想，到什麼地方有何相干？只要有這個女人同在。

他望進那雙黑眼睛內，忽然心情就踏實起來。從她的眼睛中，他找到了一種實在的契合。無論那裡是琥珀色又或是黑色，她與她，也不外是同一個人。

當再進入之後，就覺得一切都好。有時候當男人與女人做愛，他的對手不是一個肉體，而是愛情。

很愛她很愛她很愛她。根本已看不見她是什麼樣子，他只要確定這個是他的女人。

還以為這會是極複雜迷亂的一晚，結局居然也頗為安寧。

隨後的半個晚上，他都十分靜默，她有點不安心。她問他：『你在想什麼？是否發現了這些年來只是誤會一場？』

他嘆了口氣，這樣告訴她。『我在想，無論你是什麼模樣，我都一樣愛你。』

頃刻，她雙眼發亮，愉悅地笑出聲來：『呵呵呵呵呵——』

她花枝亂顫，興奮莫名。忘了這些日子，為的都是等他說出這一句。

他倆說笑嬉戲，直到大家都倦了，就相擁而睡。她把臉埋在他的胸膛上，她聽見他的心跳聲。世上再無其他聲音，她更想仔細聽。

怎麼，都不是三胞胎所預料的那樣。當他明白了她不外乎幻覺一場，卻依然無法不繼續愛她；而她，亦惟有繼續愛下去。Tiara的真身來臨了一個晚上，然後又消失，結局是令這二人愛得更深。

＊　＊　＊

沙漏的細沙沒停止過流瀉，距離分離的那天只有兩個月。

明明很想笑著說再見，很想嘻嘻哈哈地令自己過得好一點，但笑不了數秒，表情就會變得苦。有一回剛巧從鏡內看到自己的表情，立刻就叫她明白什麼是強顏歡笑。眞是難看得不得了。身體也變得很虛弱，她不清楚是因爲時間漸逝又或是心情太哀傷，她發現，她無法不貼著他來過日子。他變成了她的生命儀器，少見他半天，她就失去生命的鬥志。像個絕症病人那樣，她虛脫了。

她軟弱無力地在花園中依傍著拿破崙，他們坐在草地上，他抱住她。雀鳥在藍天上飛過，四周都是玫瑰的香氣，而不遠處傳來樂師所奏的豎琴聲。

很快，她便要和這些古雅的韻味說再見。再回味的那天，身分可會是遊客？她會像一名遊客那樣這邊逛逛那邊瞧瞧，然後，當其他人拍照留念之時，她就會感懷落淚。

一想起緬懷一刻的淒涼，此刻她已忍不住淚流滿面。

將來還有漫長的傷心日子呀……以後每逢一想起這裡的一切，她可怎麼辦？她的餘生，都會在悲傷中度過。

每天會哭多少遍？會不會到老了仍在落淚？原來愛上過一個人，心會碎。

還以爲來一趟就餘生都榮華富貴，現在懷疑，將來財源滾滾之後，她面對著華衣美食，還能否懂得笑。

拿破崙默默無言地抱住她。他讓她靜靜垂淚，沒怪責她令他日子過得多麼沉重。他與她一樣，只希望時間可以過得慢一點，那麼二人的擁抱，就可以更漫長。

Tiara 說：『對不起，一切是我不好。』

他抱緊她輕輕搖頭。『不，不。我要感激你才對。我感激你來過。』

Tiara 痛苦地合上眼睛，嘴唇顫抖。

拿破崙說：『我會永遠記得有這樣一個女人，與她一起的時候，我總是很快樂……』

Tiara 掩臉嗚咽。還能再說什麼？有開始就會有結束。笑著來編一個故事，結局是哭著離開。

* * *

後來，拿破崙需要往奧地利數天，他便和Tiara在清晨時分於城堡中分離。他千叮萬囑她要保重身體，吃多睡多。她的臉色青白，神情呆然，像個扯線娃娃那樣向他揮手送別。他看著，心惻然，只好加快步伐但求早去早回。

卻又在同一天的黃昏，拿破崙的馬匹隊伍悉數歸來。他不發一言，穿過左右列陣的侍衛，由城堡的大門直走到二樓偏廳的休息室，他坐在火爐旁的沙發上，神色嚴肅沉鬱。

Tiara 趕緊走到休息室與拿破崙見面，她關切地問：『皇上，奧地利出現了什麼問題？』

拿破崙托著腮凝視壁爐內的烈火，沉默不語。Tiara見是如此，便吩咐侍從稍後送來熱茶，然後她安靜地坐在他身旁，默默陪伴他。

半晌，依然望著火燄的他這樣說：『我很怕你會在我離開這裡時消失……』

頃刻，Tiara 的心一陣抽痛。

拿破崙再說：『我已經不能失去你。』

說過後，他把臉埋在手心中。這火爐旁的身影，僵硬而悲慟。

Tiara 皺住眉合上眼，忍著淚不要流下。她把臉貼著他的背，又把雙臂環抱他，就這樣悲傷地把二人牢牢封住。在熊熊烈火旁，有一對爲分離而哀慟的雕像，是上帝的巧手把雕像雕琢得這樣悲哀。雕像與看著他們的人，都一同心碎掉。

自此，拿破崙足不出戶，他承受不了一刻的分離。窗外飄來一陣雪，他就說：『連上天也覺得淒涼。』

Tiara 在玻璃上呵出霧氣，又在霧氣上以指頭畫出一朵小花。『我來的地方沒有雪。』然後她側起頭望向他。『也沒有你。』

她的鼻子發酸，強忍著淚。

拿破崙捉住她的指頭來吻，她就苦笑了。『幹嘛你硬是這般愛我的指頭，不如切下來留給你。』

拿破崙就點了點頭，從後抱緊 Tiara 的腰。抱得那麼緊，緊得二人都快要窒息了。

Tiara 的鼻尖輕輕擦在他的脖子旁，她說：『皇上的傷心會隨著我消失而消失，當我離去後，你就會忘記我，我只是一縷煙火。看著另一個約瑟芬，你會同樣地喜愛她，你根本不會知道你曾經遇上過我。』

他撫摸她的臉，吻向她的眼瞼。他說：『不，我只要這個你，我要以後神魂顛倒都只因你。』

Tiara內心安然。『謝謝。』她說：『世界上只有你才會這樣愛著我。我以後會日夕記起。』

拿破崙說：『答應我，我們會在某一個空間再相見。』

Tiara心頭悸動，但願如此。

拿破崙看著悲傷消瘦的她，心痛地說：『就算軀殼是一樣，但那愛情亦不同樣。』在她沒回答他之前，他就吻在她的唇上，吻得很深很深，纏綿激盪，天長地久。

當他放開了她，她就按著心房喘氣。在她張開眼睛後，她就想到這樣的一句話。『只要有過一刻的愛情，就已是永恆。』停頓半晌，她再說：『而我們，必定延續到永永遠遠。』

她的表情是那樣溫柔，而她的笑容，如一個旋轉的幻夢。就因為這樣美，他只好相信她。

* * *

一八〇九年十二月三十一日，沒有颳風也沒有下雪，天很高很藍，空氣有種冬季的清甜冰涼。怎麼說，都是漂亮美好的一天。

Tiara自床上醒來，朝窗外一望，然後就微笑了。拿破崙整夜沒有睡，他抱著她，但願見多一秒得一秒。

Tiara說想往花園走走，拿破崙便與她同行，他扶著步履不穩的她，走在兩行長青的植物之中。時為寒冬，花不開但草還算綠。Tiara一邊走一邊微笑，心情倒不是太傷感。

拿破崙覺得氣溫太冷，提議返回室內，待午後太陽猛了才再出來散步。Tiara顯得無所謂，於是就隨拿破崙轉身。當身一轉，他們就看見，剛才走過的小徑兩旁的植物，全部凋謝枯萎，淒涼萎縮地凋零在泥地之上。他倆看見了但沒作聲，Tiara垂下眼，被拿破崙扶著走回寢室，知道她要走了，植物都傷心得至死，遍地道別的屍骸。

Tiara躺臥床上，眼睜睜地凝視拿破崙，琥珀色眼睛內閃亮著愛意。侍從送來早餐，他倆便在床上喝咖啡和用早點；繼而，拿破崙為她抹臉梳妝。不久，Tiara但覺精神爽利了，就坐起來說說話，她告訴拿破崙：『我把一批珠寶運回二十一世紀去，你不介意吧？』

拿破崙怒目而視。『你敢！』

Tiara神情無知。『敢啊！為什麼不？你送了給我的，就當然歸我所有！』

拿破崙用手指抬起她的小臉，說：『你偷了我的心又偷走我的珠寶。』

Tiara狡黠地笑起來。『回去之後，我就富可敵國！嘿嘿！』

拿破崙輕撫她的臉，說：『你以後要好好愛你的男朋友，知不知道？』

Tiara立刻眉頭緊扣，這不是她想聽的話。

拿破崙說下去。『忘了我。』

Tiara的心情立刻跌至谷底。怎可能要她愛別人？也怎可能忘得了他。拿破崙這樣一說，她就滿心淒涼了。她垂下了臉，咬住唇，默然不語。

拿破崙說：『這才對你好。』

不由自主，心內一陣惻然。她的嘴唇開始顫抖，鼻子發酸，熱淚湧上眼眶。

分離就是分離，永遠只有哭別，無人做得到笑著說再見。

『我不要。』她說。

拿破崙溫柔地說：『你要乖，要好好愛護自己。』

眼淚流了下來，她不停地搖頭。『以後，是否要我扮成你去愛我自己？』

拿破崙的心很痛，他的眼眶亦已濕潤。『他也會很愛你。』

Tiara 嘆氣。『但我的心卻會一直留在二百年前……』

他擁抱她。『不……不要這樣。』

剎那間，她就崩潰了。『你明不明白？要走的是我，永遠傷心的也是我……』

說罷，她就放聲痛哭，抱著這個她即將失去的男人，哭得激動淒厲。

拿破崙合上眼，他發現他什麼也不能做，唯一能爲她做的是好好抱住她。他讓她哭，又輕掃她的背，在她的哭泣聲漸漸微弱之時，他就決定說些話來逗她高興。『將來，我會蒙著奧地利公主的臉來與她做愛。』

Tiara 破涕爲笑。她一邊流眼淚一邊張大口高笑數聲。『哈哈哈！你很變態！』

一哭一笑，她開始抽噎。

拿破崙目光堅定。『再變態我也做得出。』

『譬如呢？』她問。

他說：『逼她改名做約瑟芬又或是 Tiara 。』

『啊……』Tiara 望著他，然後伸出她的尾指。『一言爲定喲！』

拿破崙與她勾手指，繼而嘆了口氣，又再抱住她。

Tiara說：『以後要對約瑟芬慷慨，她要什麼就給她什麼。』

拿破崙說：『我一向都是如此。』

Tiara逕自笑了兩聲，又說：『但又不可以像對我那樣慷慨，我永遠排第一，其他女人就要擠破頭爭第二！』

拿破崙發出『嘖嘖』的聲音，冷眼望向她：『女人與女人之間，總無法手下留情。』

Tiara笑得很高興。『我喜歡做贏的一個。』

拿破崙與她鼻子碰鼻子，這樣說：『你一直都在勝利中，贏盡其他女人，也贏盡了我。』

Tiara軟弱地笑，軟綿綿地躺進他的懷中。

說著說著，累了之後就雙雙入睡。Tiara作夢，夢見Mr. Cocoa牽起她的手，領著她走下病床，他倆一起站在窗前，窗外的陽光好白好白。她躲往西裝筆挺的他的背後，然後就感到非常安心，這個背影為她遮擋了猛烈的陽光。她伸手放在他的肩頭上，忽然，手心就灼熱起來。她訝異地張大口，手心真的很熱很熱……

醒來後，她隱約聽見窗外傳來歡呼聲和奏樂聲，除夕日，舉國有慶祝活動。

拿破崙不在寢室內，Tiara坐起來，吩咐侍女替她梳洗更衣，作為皇后，每一次都有兩名侍女替她梳頭結髮髻，另外兩名替她穿衣服，化妝修甲的又是另外二人。什麼是奢華？奢華就是再微細的事也不用自己動手處理。因為矜貴，自然有人來侍候。

侍從前來通傳拿破崙要召見，不久，Tiara就走到書房內，她看見桌面上放有一份文件，那是他們的離婚書。她翻到最後一頁，簽上名字，大臣在名字上蓋印，她與拿破崙的夫妻關係從此終結。

拿破崙伸出手來握住她的手，Tiara垂下臉苦笑。

晚上，在皇宮之內有一場舞會，慶祝一八一〇年的來臨，Tiara穿上華麗的衣飾，展示皇后華美瑰麗的最後一夜，她戴上冠冕，頸上掛上耀眼的巨型美鑽，手中握著小型象牙骨扇子。當她步進禮堂時，在場所有人均向她下跪。忽爾，離愁別緒又在心頭煩擾，十二時過後，她將與這一切訣別。

那波光流動的琥珀色眼珠內，說不出的悵悵然。

拿破崙上前以皇上的身分牽起皇后的手，二人四目交投，一切盡在不言中，他把她的手握得很緊，她覺得痛，但忍著不作聲。她不介意痛，她只想在餘下的每一秒都貼著他。在場的貴賓全朝他們的皇上皇后望去，禮堂上的氣氛纏綿但沉重。皇上皇后一直沒說話，他們在深深地專注地凝視對方。十秒二十秒三十秒……是否要天長地久了？探視進對方的靈魂之後，是否就能走進那個世界中？走進去，就可以把一切都忘掉吧！忘掉現實，忘掉身邊這班人，忘掉分離的痛。

拿破崙的眼睛內掠過一剎那的激動，他踏前一步，激烈地吻在她的唇上，他捉緊她的雙臂，以一個強悍的姿態深吻她，頃刻，全場掌聲雷動，樂師也奏起了樂曲。

這個吻很長很長，他們忘記了身在何方，也忘記了身邊圍繞著的人，他們只知道這一刻誰也不能奪走。當這個吻完結了之後，他們的神情都顯得那麼哀傷。如果能由一個吻就此吻到永遠那該多好……

皇上和皇后都沒有笑。當樂曲飛揚起來後，他倆便起舞。他們跳一支不用交換舞伴的舞，當轉了一圈，其他賓客就跟著拍子加入。

Tiara細細注視著拿破崙的臉，她記下了他的眉他的眼他的鼻子他的嘴唇，然後她就想，午夜之後，拿破崙仍然會看見約瑟芬，但Tiara已不會再見到拿破崙了。哭泣的衝動又再湧至，實在無法忍受別離的煎熬。

Tiara決定合上眼，隨著舞曲帶著她旋轉。一圈一圈再一圈。繼而眼淚就在眼角滲出來，滑流在臉龐中。

她告訴自己，別張開眼別張開眼，她不要看見，誰也不要看見……只要看不見他的臉，大概就沒那麼苦吧……

然而……

她在心內低嘆一聲。還是算了吧！她皺著眉，重新張開眼睛。淚流滿臉的她對他說：『我以爲痛苦皆因看見……但當我合上了眼，卻仍然能看見你……』

拿破崙的心一陣痛。他擁著她，緊緊不放。

『而以後，就算離開你，但每分每秒，依然會看見你……』

『你說，我以後的日子該怎麼過……』再也說不下去，她伏在他的懷內啜泣。他抱住她，悲痛不已。

其他人都看見了，這裡有一個傷心的皇帝和一個落淚的皇后。

除夕夜的舞會，是那樣華麗又蒼涼。

Tiara仍然在哭，拿破崙伸手拭去她的淚，卻總是抹也抹不掉。從來，沒見過有人的眼淚可以掉落得那樣急，一串一串，搶著跑出來表露哀傷。

她望著他，淒淒地說：『如果我仍然能有願望，我但願眼淚能把你帶走，它們流盡了之後，我就能從此忘掉你。』

拿破崙痛苦地搖頭，把她擁入懷中，他的眼淚不由自主地掉下來，但覺已愴痛得無法言語。有沒有辦法令分離不這麼悲痛？而又爲什麼相愛的人總得分離。

她哽咽地說：『終於，我也是惟有忘掉你。』

『忘掉你……』

『不……』男人落淚的臉沉痛悲愴，他只能哼出這個字：『不……』

實在淒涼得令人無法承受。禮堂中的賓客，全部停下來朝他們的皇帝皇后望去，他們懷疑，要是有一天亡國了，皇上也不會傷心得如此。大臣看見這般情形，便上前把他倆攙扶離開禮堂。當皇上皇后舉步離開，禮堂上所有人全部下跪。有一些心軟和眼淺的，就在跪下來的一刹那偷偷掉眼淚。皇上皇后的悲傷，隨著樂曲飄盪到每一個人的心間。

拿破崙和 Tiara 坐在沙龍內那張愛情椅上相擁，Tiara 斷斷續續的哭，拿破崙燃起一支煙，吸兩口又遞給她。煙絲麻醉了她的感官，瞬間似乎眞的沒那麼傷心，她揉了揉臉龐，坐直了身子。橫豎始終要走，不如就走得儀態萬千一點。

隨後，他倆握著手依傍著對方，沒再哭也沒說一句。

時間就在他們的疲累和木然之間溜走。不久，侍從前來稟告皇宮外有一輛馬車在等候，於是他們便雙雙站起來，緩慢地朝結局的終點走去。Tiara 一邊走，她的心就一邊叫：『不要……不要把我送死……』但她的腳沒停下來，臉上的表情也沒動半分。就算心想反抗，理智也叫她不必了。

城堡外停著一架粉紅色的馬車，Tiara 一看見就愣住。拿破崙倒是沒什麼反應。Tiara 又向車伕望去，她看見那是穿男裝戴假髮的Mystery女服務員，而那兩匹拉車的白馬，更被裝飾上長羽毛。忍不住，她呢喃：『我回去之後，就會變成 Barbie。』

她徐徐走進馬車內，坐穩了，便把手伸出窗外，讓拿破崙好好握住。拿破崙吻著她的指頭，吻不了數秒，就開始崩潰痛哭。她輕輕說：『不要哭不要哭。』但他卻哭得五官皺著，彷如快將失去母親的小孩。Tiara 再說：『你乖你乖，不要哭不要哭。』但他不聽話，他哭得張大了口，痛苦惻然。

馬車開動，他仍握著她的手不放開，她惟有把手愈伸愈出，最後，她連頭和上身都伸出車窗外。馬車的速度開始加快，拿破崙還不肯放手，他急步跑，淒苦地試圖留住她。她只好說：『你放手吧！』

他不肯放。她惟有再說：『放手吧！放手吧！』他還在跑，他不想聽。於是，她高聲叫起來：『你放手！你放手！』

他已經快跟不上了，她看著，眼淚又再湧上。她用盡全身力氣向他嘶叫：『你放手！』

她的手很痛，而他的心更痛。別無他法，他放開了她。

她的上身擠在車窗之外，她朝追不上來的他望去，從來，她沒看過有比這張更淒慘的臉，他哭得面容扭曲，嘴張大，悲傷已吞噬了他。

馬車轉向拐彎，他倆都得知了，這會是最後一眼。他已喘得不能再跑，而她，輕輕說著：『不……』車身一擺，她就再也看不見他。

她坐回車廂內，掩面嚎哭。

從此，她會失去這段愛情，她會失去這個男人……從此，她該怎麼辦？

怎麼辦怎麼辦……

埋在手心中的那張臉，愁苦悲慟。她知道，再哭下去，她就會哭出血水。

馬車一直往前跑，而她一直嚎哭，獨自一人呼天搶地。聽得見自己的哭聲，淒厲如同鬼魅的嘶喊，連綿的，漫長的。

『拿破崙……』她淒淒地叫著。『拿破崙……』

『Tiara－！』忽爾，車窗外傳來叫喚。『Tiara－！』

她心神一定，從手心中抬起臉。

『Tiara－！你不要走！』車窗之外，是拿破崙那張鍥而不捨的臉，他騎著快馬追趕她。

Tiara的上身從車窗外伸出去，她恐怕他跟來會有危險。『你回去吧！這條路不是你該來的……』

他沒把她的話聽進去，他只管高聲叫喊：『你留下來你留下來你留下來……你別走！』

Tiara哭著搖頭。『不……』

拿破崙仍然在哀求：『我不要你走……不要你走……』

馬背上的他眼淚飄揚，那張哭泣的臉猶如一張怪異的面具，Tiara從未看過世上有更悲苦的臉，這根本是一張痛苦得不像人的臉。這種痛苦，亦已超越了拿破崙。

怎可能，爲了愛她，他落得如此。

『Tiara……你不要走……』

她就在他的叫聲中心碎。

『Tiara……不要走不要走……』

她仰臉悲叫：『不——』

路的前方，白光晃動。

Tiara 望向那強大的白色光團，忽爾，她決定——

她急忙推開馬車的門，而同一時候，拿破崙亦明白了，他一手抓住她伸前來的雙手，繼而抱緊她的腰，他把她俐落地拋到他的馬背之上。

Tiara 抱緊拿破崙的腰身後，他就減慢了速度。就在數秒之後，馬車就跑進了那團白光之中。

白光在拿破崙與 Tiara 眼前熄滅。

拿破崙的馬匹停步，Tiara 伏在拿破崙的背上，又哭又笑。

——從此，她不再有機會回去。

Tiara 會變成永遠的約瑟芬。而後果是，她會在一八一四年死去。

不回去不回去。爲了愛情，她寧可只多留四年。

她選擇了這個男人，寧願四年後身心俱裂，也不願在此刻少看他一眼。

相愛的人互相對望，在對方的眼眸中，他們得到了全世界。

＊　＊　＊

小蟬對畢卡索說：『你知不知道你的錯處是什麼？』

畢卡索咬著煙斗，狀甚無所謂地搖了搖頭。

小蟬告訴他：『第一，當你愛上一個人時，你就會完全失去安全感。你覺得愛上一個女人，你就比平日虛弱了，因爲這虛弱，就恐怕會被女人傷害，你討厭這種強不起來的狀態。』

畢卡索呼出煙圈，揚了揚眉。

小蟬說下去：『第二，表面上你對女人極鄙視和仇恨，而內在原因全因你怕被女人控制和傷害。你根本就怕愛情，因爲害怕，於是就裝出不屑和恨意。當你大大聲對別人說：「我最憎恨女人！」之際，彷彿就掩飾了你對女人和愛情的恐懼。』

畢卡索沒作聲，但小蟬知道他是同意的。

小蟬說：『第三，你天生就競爭性強，你害怕輸給別人。而因爲愛情，你總覺得會輸給女人。愈是怕輸，你就愈要逞強，因此，你在愛情中的態度總顯得乖戾暴烈。』

畢卡索大笑，他無法否認。

小蟬續說：『第四，你欠缺了人類應有的溫情，你整個人都活在一種「無人性」的狀態之中。當別人受到傷害，你不會被觸動，反而繼續欺壓下去。你感受不到別人的痛，你只在乎自己的感覺。你太冷酷無情。』

畢卡索這才反駁：『我不認爲我是如此。我爲了西班牙的戰爭而掉下眼淚，我爲同胞的苦難而衷心哀慟。』

小蟬想了想，也是的，畢卡索是著名的和平分子，他在西班牙內戰時繪製的《Guernica》格爾尼卡，表達了他對戰爭的痛恨和恐懼，而在第二次世界大戰後，他描繪了白鴿作爲和平的標記。

她說：『那麼，這即是說，你內心擁有仁慈的一面，只是不對女性顯露。』

畢卡索的表情有點沾沾自喜。『我有的是大愛。』

小蟬駁斥他：『這只證實了你害怕女人，心理不平衡。』

聽到別人這樣剖析自己，畢卡索就仰面大笑。『哈哈哈哈哈！』

小蟬說：『別對我說些「別以爲你有能力了解我」這種話。』

畢卡索擱下了煙斗，徐徐地說：『不。你是百分百了解我，心理學家也推測不出的準確。』

小蟬心裡安慰。『要知道，你是我的頭號偶像。』

畢卡索微笑。『但你知道嗎？如果你是一個活生生、有血有肉的眞人，我就不會容許你跟我說這番話。』

小蟬也笑。『是的，我明白。我就會如其他女人那樣，變成門口地墊。』

畢卡索把雙臂放在頸後，舒適地依在椅背上，這樣說：『就因爲你是不存在的，我們才能這樣子交心。』

小蟬靠在他的椅子旁邊，說：『這就是因爲你沒安全感，不能放開胸懷與別人相處，亦因此，你的每一段感情都失敗，女人由愛你變成怕你，然後恨你。』

心血來潮，畢卡索對小蟬要求：『你現身讓我看看你。』

小蟬立刻臉紅，慶幸他看不見。『我才不會這麼蠢。你在未學會對女人好之前，我才不要被你虐待。』

畢卡索問她：『我學會對女人好，你就願意現身？』

小蟬不置可否。『或許吧！』

畢卡索說：『我做得對的話，總該有些獎勵啊！』

小蟬說：『獎勵就是讓你從此學習如何去愛！』

畢卡索皺眉。『不不不！我要特別大獎！』

小蟬奈他不何。『你讓我想想。』

畢卡索問：『幹嘛你不肯現身？你長得像妖怪嗎？』

小蟬逕自微笑，沒回答他。

畢卡索說：『就因爲你不現身，管家常常見我自言自語，已偷偷聯絡了精神科醫生。』

小蟬瞪大眼。『是嗎？』

畢卡索聳聳肩。『如果有天我被關進精神病院中，就全是你所害。』

小蟬走到他的跟前，跪了下來，把頭伏到他的大腿上。她溫柔地說：『你放心，我會保護你。』

一陣暖流貫通畢卡索的血脈，這暖意悠悠然的，令人很放鬆。他合上眼，掛上舒泰的微笑，享受著此時此刻。

平靜、溫暖、滿足、了解。有她在，他總是說不出的安心。從來沒有一個女人做得到，眞的，從來沒有。就如她所說的那樣，每一個女人，每一段愛情，都危機重重，撕裂又暴戾。那些女人傷心時，他也不見得快樂。

小蟬在幹著些什麼？小蟬有沒有形貌？小蟬會走會跳嗎？如果用一種顏色去表達小蟬，她該屬於哪一種？

小蟬成爲一個想像空間，一個無數的可能性。

他喜愛她，相信她不是一個瘋癲的幻覺。

他說：『有一天你若是站到我面前，我答應你一定會對你好，我的心。』

她笑起來，快樂得眼睛閃閃亮。她抬起頭來看他，不說一句話。

現在不是很好嗎？就因爲他看不見，她才高高在上。

或許在感情裡頭，人都是沒有安全感。怕輸、怕被操控、怕受傷害。在愛情中犯錯，何止畢卡索一個？

*　*　*

自從范思娃離開之後，畢卡索的生活習慣也改變起來，有時會睡至中午，就算走進畫室都無心情作畫；他會抱著他的山羊寵物發呆半天，又或是走到花園中餵白鴿剪草修葉。七十多歲的他活得倒像他的年紀，這頭黑豹疲累又惘然，沒有任何衝勁和鬥志。傳說中不老的男人，因為一個女人，變得與平常老人無異。

小蟬在陽光下取笑他：『你看你，十足十老人家。』

畢卡索說：『你說過我遲些會遇上我的第二任妻子。』

小蟬冷笑兩聲，繼而這樣說：『我敢擔保，她看見你這副尊容，寧可走到老人院做義工也不願意與你一起。』

畢卡索放下修葺樹葉的剪刀，說：『你怎可以把我與老人院那些廢物相提並論？』

小蟬說：『你猜世界上有多少女人希望你變作廢物？』

畢卡索一怔，神情憤怒，但沒作聲。

小蟬看得見，她就是喜歡他永遠拿她沒辦法。『妻子、情婦、忘記了名字的情人、口頭上傷害過的女人……太多，不能盡數。』

畢卡索說：『我的女人都很愛我！』

小蟬笑出聲來。『你以為吧！』

畢卡索望著一朵盛開的花，滿有自信地說：『我的心也愛我。』

小蟬沒作聲，靜靜地望牢著他。她看見，他正似笑非笑。

小蟬不會給他佔上風。她說：『我看見數年後朵拉的遭遇。對不起，我沒能力愛上你。』

畢卡索問：『朵拉怎麼了？』

小蟬問：『你有興趣知道嗎？』

畢卡索仰臉瞇起眼睛看著陽光。他說：『我也念舊情的。』

小蟬就上前拉起他的手，說：『那麼，我們就去看吧！』

當畢卡索感到手心一股溫熱之後，立刻就眼前一黑，正心慌以爲自己有不測之際，忽爾他又看見從黑暗中有一抹光團續漸散開，只消數秒，光團內的影像就由朦朧變作清晰。畢卡索看到，他正置身一所面積甚大的餐廳中。

侍應、客人來來往往，但沒有人看見他。

小蟬在他的耳畔說：『你看左邊那一桌客人，當中有你。』

畢卡索走到左邊去。果然，他看見了自己，那是一個年紀更大，但看上去精神奕奕的自己；這個將來的畢卡索，正與同伴舉杯談笑。

畢卡索立刻安心下來。在未來的日子，自己仍然那樣魅力無限。

他說：『你看我，偉大的男人始終那麼偉大！』

小蟬一臉鄙視。『我眞想你看到我此刻的表情。』

不久，有人前來告訴席上的畢卡索，朵拉正在餐廳的另一端用膳，於是，他就興致勃勃地走往朵拉的所在位置，笑意盈盈地把她領到他的同伴的餐桌前；朵拉茫然卻又驚喜，她實在也有多年沒與畢卡索見面，想不到，他一見她就那麼熱情。

畢卡索向他的同伴介紹：『這位就是朵拉，我從前的女人。』

朵拉怯生生地向大家問好。

正當所有人以爲畢卡索會與朵拉一同坐下來之時，畢卡索卻扶著朵拉的手臂，領著她轉身走向餐廳的另一個方向。畢卡索的神情開懷，邊走邊微笑，一直沒與朵拉說話。而朵拉，望著畢卡索這種表情，忽然，不祥感頓生。她熟悉這個男人，合該有事發生。

果然，他帶著她一直走，最後，他推開餐廳的大門，二話不說就把朵拉推往餐廳之外。再見也沒說一聲，甚至不望她一眼。接著他愉快歡暢地沿路返回他與同伴的餐桌位置，他大笑兩聲若無其事地坐下來，繼而又開始風花雪月談笑風生。同桌的人互相對望，一同爲他剛才那種令人愕然又殘酷的行爲咋舌，然而，無人敢過問一句，也無人在席上提起可憐的朵拉。

朵拉站在餐廳之外，呆呆然的。原本坐在餐廳中的友人，走出來把她送回家去。

小蟬問站在她身邊的隱形畢卡索：『你說你是否發瘋兼變態？』

連畢卡索自己也不明所以。『我爲什麼要這樣做？』

小蟬說：『因爲你無人性，以傷害愛你的人爲樂。』

畢卡索沒作聲，他皺住眉看著餐桌旁那冷酷的自己。

小蟬說：『自此之後，朵拉自覺深受侮辱，從此足不出戶，在巴黎過著隱士的生活。但她一直深愛著你，就算你死了之後，她也不肯賣出你的任何一張照片與畫作，縱然她的晚年潦倒落泊。她守住你餽贈給她的所有作品，彷彿爲了守住你與她曾經有過的愛情。』

畢卡索的心揪動，神色惻然。

小蟬嘆了口氣，說：『無論你對她再無情，她還是對你忠心不二。她對你的愛沒減退過半分。』

按捺不住，畢卡索眼泛淚光。他衝動地走上前，意圖對另一個自己說些什麼。

小蟬拉著他。『沒用的，他聽不見。』

畢卡索掩住了臉。小蟬說：『將來的畢卡索應該由過去的畢卡索改變。』

畢卡索眉頭深鎖，雙唇緊閉，神情顯得悲傷。

小蟬說：『現在，你也討厭起你自己吧。』

畢卡索低聲說：『我聽你的話。』

小蟬微笑，以雙臂圍住他的脖子。『放心，有我在，你想變得多好就會有多好。』

畢卡索的表情漸漸放鬆，他相信小蟬的說話。他看著那厚顏無恥的自己，這樣問：『爲什麼我會這麼差？』

小蟬告訴他：『你從來不肯讓其他人知道你對某個女人有愛情，你硬是覺得，其他人一旦知道你肯去愛，你就輸了。朵拉孤寂又可憐，你就更加不想其他人認爲你會肯對這樣一個女人好。你的冷酷令你認爲，朵拉配不起你的任何善待。』頓了頓，小蟬說下去：『你的態度亦分明表示，曾與你一起的女人別妄想有機會佔你便宜，你畢卡索強悍又精明，你會盡力打沉所有以爲自己稍佔上風的女人。你虐待朵拉，意圖殺一儆百。』

聽罷，畢卡索就抽了口冷氣。

小蟬說：『愛一個女人、對一個女人好，對你來說是件沒面子的事。』

『天呀……』畢卡索不斷搖頭。

小蟬拉起他的手，說：『不要怕，我們先回去，然後，一切重新開始。』

小蟬拖著畢卡索的手，帶他走出餐廳，繼而穿過神秘的黑暗，再返到他家的花園中。剛才，花王發現畢卡索中暑躺在草地上。

『老爺……醒醒……』花王搖晃他的身體。

畢卡索睜開疲弱的眼睛，呢喃說出這一句：『幫助我……幫助我……』

小蟬站在一旁，笑得饒有深意。

* * *

小蟬帶領畢卡索重溫他與朵拉的愛情。一九三五年，朵拉剛剛二十八歲，是一名已成名的攝影師，但她吸引他的，不是她的才華，而是那驚世的美貌，以及一口優雅流利的西班牙語。他倆在一所餐廳中相遇，畢卡索經友人介紹下認識了她，而他發誓他從沒遇過一名更像女神的女人。她的舉止美麗迷人，她那雙深邃的大眼睛憂怨又閃亮，她的個性文靜敏感，極喜歡思考。最重要的是，她的確很美很美，是芳香馥郁濃烈醉人的那種美。她如一個沉靜凝重的夜間，性感又張力無限，充滿著神秘又不可思議的可能性。

一看見她，就能湧上成千上萬的靈感。偉大畫家需要的女人，莫過於此。

那時候，他已開始厭倦剛生下女兒的瑪莉特麗莎，這個金髮的健美女郎，已激發不起他的創作慾望。朵拉極富藝術天份，她能給予的比瑪莉特麗莎更多更豐富，她的美麗夠資格當上畢卡索的模特兒；她的愛情可以滋養這個男人的心靈；她的知性令他的靈魂不寂寞；她的工作能力讓她成爲他的工作伙伴。

彷彿她就是他的最完美伴侶。在那最美的時候，他的確令她感覺到，事情只有如此。世界上，不會再有女人比朵拉更匹配畢卡索。

一九三六年，故鄉西班牙內戰爆發，小鎮格爾尼卡的平民遭受轟炸，七千人的小鎮中，一千六百人喪生。畢卡索深感哀痛，於是，就著手創作二十五呎高十一呎闊的大型油畫《Guernica》，亦即是《格爾尼卡》。在作畫的過程中，朵拉一直在旁協助，她以照相機把創作過程記錄下來。

而這亦是二人相處最親密的時刻。

小蟬與畢卡索就站在一九三七年之中，未完成的《格爾尼卡》放在他倆跟前，畢卡索在畫作前揮筆，朵拉燃起煙，站在後一點的距離注視。

畢卡索對小蟬說：『我記得創作這幅畫作時的心情，那是我的曠世巨作。』

小蟬問他：『但你能否記起你和朵拉有多相愛？』

畢力索望向倚在牆角形神瀟灑的朵拉，微笑起來。『我那時候想，終於讓我碰上一名完全與我溝通無阻的美麗女人。』

小蟬說：『你又記不記得，你怎樣傷害過她？』

畢卡索垂下了頭，聳聳肩。『要是我能記得起，那就表示我在意我的行徑。然而我相信，我是一個更糟糕的人……對不起，對於朵拉的眼淚，我已忘記了原因。』

說罷，畢卡索也惘然。

小蟬牽起他的手，帶他走出這房間。她說：『我讓你重溫。』

她帶他走進另一個房間，推門而進之後，畢卡索發現，這個房間，同樣是剛才那間畫室，但時空不同，他創作的不再是反戰傑作，而是一系列的《哭泣的女人》。

輪廓分明的女人被畢卡索以大小不一的三角形表達，看上去似倒插在臉孔上的玻璃碎片。一張臉究竟可以表達多少悲痛？那種破碎分離、彷徨恐懼、崩潰失控，全由一張臉湧瀉出來。一張臉，代表了一個國家的淪陷，也代表了全人類的眼淚。這個哭泣的女人所流下來的淚，彷彿永遠流不盡。

畢卡索對模特兒朵拉說：『你再傷心一點！再傷心再傷心！要傷心得表達出全世界的苦難！』

朵拉不停地哭泣，那些眼淚，全是眞實的。太多事情可以叫她盡情的哭。畢卡索已與她一起兩年多了，他對她由最愛變成無可無不可，他多番縱容瑪莉特麗莎對她作出羞辱與傷害。他亦公開地表示過，他不會只與一個女人作樂，世上無女人對他眞正重要。

朵拉剛與他攜手把《格爾尼卡》的博愛和偉大呈現世人眼前，然後，畢卡索就急不及待剝奪她的功勞；他把她降級爲一名平常的女人，她的作用只供他作樂，只供他睡，畢卡索才不願意與她分享他的任何光榮。在畢卡索心目中，朵拉變成一名意圖沾光的無恥之徒，他生平最討厭人家佔他便宜，於是，他看著這個女人，就益發不順眼。

他最痛恨別人說：『畢卡索創作《格爾尼卡》之時，紅顏知己朵拉給了他很大的助力……』

他才不會讓女人沾他的光。想與他同在歷史上留名？拋頭顱灑熱血吧！他總認爲身邊的女人對他付出得太少。

就這樣，充滿畢卡索風格的憎恨席捲了他倆的生活，他開始毫無保留地打沉她。他鼓勵朵拉無時無刻處於抑鬱悲慟中，他辱罵她，取笑她，每天替她的哭泣臉孔造像。

『你哭吧！你哭吧！你哭吧！』

對，她憑什麼歡笑？她有資格笑嗎？以爲當畢卡索的女人是件輕易的事嗎？不不不，他就要看她何時哭出血水來。

就這樣，在日復日的哭泣中，朵拉意識到，要留住這階段的畢卡索，她只能夠無止境地傷心悲哭。既然她的痛苦給他靈感，她就惟有一直苦下去。

也是從這時候開始，朵拉陷入了一個不健康的精神狀況，她不願意令自己快樂。經典地，她成爲了用眼淚留住男人的女人。

小蟬對畢卡索說：『因爲你，她覺得痛苦是她的人生責任。』

畢卡索不願意承認：『她天性就憂鬱易哭！』

小蟬沒好氣地說：『但你可以教導她快樂地生活啊！』

畢卡索覺得煩厭。『明明是她日日夜夜要自己流淚，根本不關我事！』

小蟬就義正詞嚴地斥責他：『男人的責任是要令女人一生幸福！』

畢卡索怔住，彷彿從來沒聽過這樣的話。『什麼？男人的責任？』

小蟬告訴他：『男人的存在目的是要令女人快樂。』

畢卡索瞪大眼，無法接受。『你說什麼？男人的生存是爲了讓女人開心？』

『是呀！』小蟬扠起腰。『這才是最有男子氣概的行徑！』

畢卡索擺擺手。『別說笑！』

小蟬向他訓話：『眞正強的男人是不會虐待女人的；眞正強的男人會令女人眞正幸福。而這種男人，就是世上最威猛的男人。』

畢卡索失笑。『你要我當老婆奴？』

『別曲解我的意思。』小蟬瞪了他一眼。『我問你，你明白什麼是男子氣概嗎？』

畢卡索回答：『有勇氣、成功、令人敬佩的男人。』

小蟬說：『還有呢？』

畢卡索想了想：『爲國爲民、偉大的男人。』

小蟬點了點頭：『還有其他嗎？』

畢卡索說：『強壯、除惡懲奸的男人。』

小蟬的神情不置可否。她這樣告訴他：『有男子氣概的男人，亦是不欺侮弱小的男人。你毒恨法西斯主義殘害西班牙的子民，皆因法西斯主義恃強凌弱，剝奪了人民的快樂。而男人對女人也一樣，眞正令人崇敬的男人從不會剝削弱小的女人，不會令女人受傷害，不會剝奪女人的快樂。』

道理淺白易明，畢卡索無從反駁，但爲了不立刻居下風，他兇惡地反問：『別浪費時間！你要我做什麼！』

小蟬說：『你要這樣子告訴朵拉，她的眼淚只在你作畫時才有需要，而平日的生活，你要她儘量放鬆開心，因爲你愛她，所以不忍心看見她不開心。』

畢卡索覺得很難爲。『這些事，我不說她也知道的吧！』

小蟬搖頭。『她只知道當她流出眼淚，你就立刻當她如珠如寶。你令她完全扭曲了愛的意義。她一直以爲，爲你痛苦就是愛；她也一直以爲，開心起來就是不愛你的表現。』

畢卡索納罕，『她怎會這樣傻？』

小蟬氣結。『是你一手一腳造成的！』

畢卡索說：『我從沒有迫她哭！』

小蟬跺地。『那麼，你由今日起要她笑！』

畢卡索問：『迫她笑？迫她笑就是有男子氣概的表現？』

小蟬但覺忍耐力已到了極限。她指著他說：『我知你明白的！你別裝糊塗！』

畢卡索大笑。『哈哈哈哈哈……你要我說出那些令人毛骨悚然的話，你可別忘了當初答應我的事。』

小蟬說：『你做得出色我自然就會守約現身。』

畢卡索滿意了。他擺了擺食指，『我試試看。』

小蟬見他準備好了，就走在他背後，雙手按著他的肩膊，推使他走近一九三七年的畢卡索，畢卡索意識到即將會發生什麼事，但還是忍不住要說：『你要我……』

『對啊，上身！』小蟬說罷，就把兩個畢卡索二合爲一。

在一九三七年揮動著畫筆的畢卡索渾身一震，神態有些茫然。

朵拉倒是哭得很淒涼，未進來畫室之前，她才與畢卡索吵了一場。

而朵拉的哭泣聲，聽進畢卡索的心裡，是前所未有的可憐。這一刻，有異於任何一刻，畢卡索居然心軟。他緩緩地轉頭望向淒楚的她，忽然完全不能理解，爲何他要這個女人受這麼多苦。

於是，他放下畫筆，走到一旁倒出一杯水，然後把水放到朵拉的手中，又愛憐地輕撫她的髮頂。

朵拉接過了水，訝異地望向他。

畢卡索說：『傻女，我不想看見你每天哭哭啼啼，看著你哭，並不會使我快樂。』

朵拉瞪著淚眼望著畢卡索，這個男人昨天才在畫室喝罵她，他說，如果她不是仍會掉眼淚，他早就攆她走。

朵拉怯怯地問：『你不要看我哭？』

畢卡索跪在她身邊，又拉著她的手。『我更想看見開心的你，我想你快樂。』

說過後，他與她一同愕然。畢卡索驚異著自己說這話時的溫柔，而這樣的溫柔出奇地令他感覺舒服；朵拉驚訝他的體貼，她想不到，原來畢卡索也會關心她的感受。

他與她的表情，同時候變得柔和溫暖。

畢卡索說：『你當我的模特兒時可以傷感，但平日的生活，我要你開開心心。』

朵拉連忙抹走自己的眼淚，從那腫腫的臉上綻放出美麗的笑容。『我……還以爲是我一直做得不好。』

畢卡索吻了吻她的手背，說：『你要學習調整你的情緒。《哭泣的女人》只是一幅畫，並不是人生。』

朵拉深呼吸，緩緩地搖頭：『以往你一直嫌我哭得不夠。』

畢卡索撇了撇嘴，這樣說：『從今之後，你要答應我每天開開心心。』

朵拉望進畢卡索的眼睛，她依然無法相信。『還以爲你已經不再關心我。』說罷，淚水又再澎湃起來，愛哭的女人始終忍不住眼淚。

畢卡索擁抱她，輕撫她的背。他輕輕說：『放心，我會令你每一天都幸福……』

朵拉又哭又笑；畢卡索也微笑起來，他享受著此刻由自己而來的關愛與熱情。令別人快樂，也可以是一件感覺不錯的事。

二人擁抱良久，小蟬站在一旁觀看，滿意得很。既然進展順利，她就決定把這個合二爲一的畢卡索留在這裡，她會讓他學懂更多。

小蟬說：『遲早有一天你會變成百分百好男人。』

畢卡索聽得見，他抱著朵拉朝空氣中擠出一個趣怪的表情。

如是者，畢卡索把朵拉呵護備至了三天，到了第四天，他的老毛病又發作。他去了瑪莉特麗莎的住所睡了一夜，而原本，那個晚上該是屬於朵拉的。當他回到朵拉的住所後，朵拉就對他說，她等了他一整夜，煮好的食物變壞了不能再吃。

朵拉的語氣溫和平靜，並不是要怪責他，但畢卡索一聽就反感，他把身旁茶几上的東西伸手掃到地上，並以兇狠的眼神朝她辱罵：『你以爲你是誰？你有權管我嗎？你們這些女人，在我未得到之前，總顯得那麼可愛，但爲什麼我得到了之後，你們一個二個就賤得連妓女也不如？既然是妓女了，我睡在哪一個身邊有何關係？』

朵拉掩著耳，退到牆邊角落。

他怒氣未消，指著她高聲大叫：『走！走！你給我以後從此消失！』

朵拉按住胸膛深呼吸，她看著他那雙如殺人狂那樣殘暴的眼睛，決定找地方暫避。如他所願，這個女人消失在他的視線範圍之內。

小蟬都看見了，她走近畢卡索，對他說：『你喝了毒藥嗎？幹嘛不再喝多點？喝死了就天下太平。』

畢卡索是眞的喝醉了才歸來，他頹然地坐在地上，雙手抱頭，頭痛欲裂。

『女人很煩。』他說。

小蟬說：『你有多過一個女人，當然就煩。』

他說：『我最恨女人管我。』

小蟬笑出聲來：『哈！她根本沒管你！是你太敏感，怕被女人控制！於是，你反來一個下馬威，用意是嚇唬一下她。』

又被說中了，畢卡索揚了揚眉毛。

小蟬再說：『現在回到一九三七年，你年輕得多，一個朵拉如何滿足到你？』

畢卡索暗笑。『我一向都說女人可怕。』

小蟬蹲到他面前望著他。『你可以有很多女人，多少個都可以，但問題是，你要學懂對每一個女人好，她們才會在受盡委屈後一樣愛你，而你，就會充滿男子氣概，成爲所有男士的偶像！』

想想也有道理。於是他說：『那我去哄回她。』

『對，這樣才是高手嘛！』小蟬說：『用平常心去愛你的女人，不等於就此被她們管制，堂堂畢卡索，無女人管得了你。』

畢卡索很快就與朵拉和好如初。應付這兩個女人向來沒難度，只看他肯不肯去做。小蟬督促著他，他跟著她的指示實行，大家都舒服。

事情其實很簡單，畢卡索處於一個選擇性的局面，他可以選擇對女人好，又或是對女人不好。

從前，他以爲他只有待薄女人一個選擇，如今他嘗試另一個做法，感覺居然不錯。

一日，畢卡索對小蟬說：『果然，對這兩個女人和顏悅色之後，她們兩個也對我加倍服侍周到。朵拉不再無故發神經，瑪莉特麗莎也少了囉囉唆唆。眞神奇，男人只要三言兩語哄一哄女人，最後得益的也是男人。』

小蟬說：『嘩！你開竅了！就是嘛，男人令女人快樂，最後更快樂的是男人。』

畢卡索說：『既然我開竅了，你就要現身！』

小蟬說：『你距離合格仍然很遠呢！』

畢卡索不同意。『我覺得我已是一百分的好男人！』

小蟬笑：『那麼我考考你。』

畢卡索說：『隨便。』

小蟬問：『你帶朵拉又或是瑪麗特莉莎去見馬諦斯時，你會怎樣表現？』

畢卡索說：『我會與她們手牽手，不會故意冷落她們，我不會再害怕向別人展露我的愛情。』

『是嗎--』小蟬懷疑。

『是。』畢卡索堅定地點頭。

『那麼，我們現在就去探訪馬諦斯！』小蟬說罷，下一秒朵拉就走進畫室，她對畢卡索說：『馬諦斯先生剛致電，希望與我們吃中午飯。』

畢卡索逕自笑起來，然後對朵拉說：『十分鐘後我們外出。』當朵拉步出畫室，他就望著空氣說：『我的心，你的試題非常突如其來。』

小蟬說：『日常生活題最能考學生的反應。』

畢卡索笑得很自信。『保證非現身不可。』

那天中午，小蟬跟著畢卡索和朵拉探訪當代另一位大畫家馬諦斯的居所，她細心地觀察畢卡索的言行，果然，他全程牽住朵拉的手與馬諦斯談天，又不忘每隔一陣子向朵拉拋來一個滿有愛意的眼神，逗得朵拉飄飄然，換作是以往，他會當著其他人面前故意對自己的女人裝出冷酷。公開刻薄自己的女人，彷彿已成爲一種在友人跟前表演的節目。

今天，畢卡索知道小蟬在監視，於是，好歹也要忍下去。他抑壓著體內那些兇悍的殘酷因子，一直保持著一種罕見的溫和與關愛。他故意放緩語調說話，又不忘當著馬諦斯讚賞朵拉。到最後，馬諦斯忍不住說：『老兄，看來你真的找到愛情了！』

畢卡索聽見，起初的反應是怔住，他試圖找尋馬諦斯的說話的破綻，看了馬諦斯半晌，證實了他沒有嘲弄之意，畢卡索才放心。

小蟬輕輕說：『輕鬆一點，他是在祝福你。』

畢卡索點頭，笑得很安心。

後來，他們討論這次會面。小蟬說：『讓其他人知道你正在戀愛中並不難受吧！』

畢卡索喝了一點酒，說：『還好。』

小蟬又說：『告訴我你的心情。』

畢卡索不諱言：『我覺得自己似在演戲……但當我想到，故意奚落伴侶，其實也是一場戲之後，我就想，不如轉一轉演出的內容……』

『嗯……』小蟬覺得這個答案很特別。

畢卡索說下去：『演一幕對伴侶關愛的戲，感覺還不錯，笑咪咪的，就連情緒也放鬆平和起來。好！好！有助養生。』

小蟬揚起眉毛。『這次你是演戲，但下次你就要眞心。』

畢卡索笑著說：『演戲也要有心的！我肯去演，你已該拍手稱好。』

小蟬其實頗滿意，但仍覺得有需要點醒他：『從馬諦斯給你們的反應，你便知道，表露愛意令伴侶有面子，而同時候你亦不會失去面子。令別人覺得你溫情、有人性，不會是件難受的事。況且，朵拉在任何場合也給足你面子，你令她好過，是絕對公平的做法。』

畢卡索想了想。『對，我重視公平。對對對，很簡單，朵拉對我好，我就要對她好……』

然後，小蟬奸笑。『嘿嘿，就因爲你對朵拉好，她之後回報你一億噸的熱情！』她偷看了他們回家後的親熱節目。

畢卡索瞇起眼睛，笑得很開懷。『那你一定很羡慕朵拉！』

『自大狂！』小蟬揶揄她。

忽然，畢卡索的表情收歛起來，他認眞地說：『是時候你實踐你的承諾。』

小蟬企圖賴皮：『什麼……』

畢卡索說：『別裝蒜！』

小蟬也自知避不過。她說：『那麼，別眨眼！』

頃刻，畢卡索看見在他前面的地板上出現了一雙黑色的平底鞋和一雙足踝。

畢卡索瞪大了眼，驚異得嘴巴微張。

小蟬俏皮地說：『這個就是我！』

畢卡索問：『這雙足踝是你的嗎？』

小蟬跳動。『漂亮吧！』

畢卡索笑逐顏開。『這就是你的腳！不可思議！了不起！』

小蟬以跳芭蕾舞的姿勢站立。『多謝讚賞。』

畢卡索很興奮。『再來再來！』

小蟬就像舞蹈員般躍動，並且逕自哼出音調：『啦啦啦，啦啦啦，啦啦啦啦啦……』

畢卡索雙手按在額頭前，不斷地搖晃腦袋。『難以置信！眞的難以置信！』

小蟬再次站定。『滿意吧！』

畢卡索要求，『快顯露你的小腿、大腿、腰肢……』

小蟬奸笑。『嘿嘿，哪有這樣便宜的事……』

畢卡索雙拳緊握。『哎呀，我最痛恨等待！』

小蟬說：『那麼你懂得要好好表現了吧！』

『好！』畢卡索霍然站起來。『爲了見你的全貌，我會努力對女人好！』

從來，要令一個男人改變，女人總要出一些法寶。

* * *

朵拉的攝影事業如日方中，也因爲她替畢卡索的《格爾尼卡》作出攝影記錄，因此就更聞名；但同時候，畢卡索向她遊說放棄攝影事業，他常說，攝影是一種低層次的藝術。朵拉多番與他討論此問題，最後得到的答案是：『如果你堅持攝影，你就不再是我的女朋友！』

朵拉明知道畢卡索不合理，但爲了愛情，她願意放棄最熱愛的事情。畢卡索高興極了，他又再一次成功地控制他的女人。從此，朵拉棄影投畫，她受教於畢卡索，學習成爲一名畫家。

她會對別人說，有機會涉足其他藝術領域是一件好事，而自己有畢卡索做她的導師，實在難能可貴。但眞相任誰也知道，放棄攝影是一種犧牲，朵拉的攝影事業，該可以再上高峰。

神態酷極的朵拉，總是一次又一次被擺佈於畢卡索的掌心中，冰美人的外表下，是一顆脆弱得一握便碎的心。

小蟬看得眼睛冒火，這個重新年輕的畢卡索，重複地打擊愛人的事業。

她對畢卡索說：『你知不知道你在幹些什麼？』

畢卡索說：『我在扶助朵拉成爲出色的畫家！』

小蟬冷笑。『哈！才不！』

畢卡索正在繪畫他最喜歡的動物：鬥牛。

小蟬說下去：『你在摧毀她原本的事業。』

畢卡索瞄了瞄小蟬現形了的那雙足踝，這樣說：『我的心，別小人之心度君子之腹。』

小蟬說：『就算你有志讓她成爲畫家，你也不應該令她放棄原本的事業。』

畢卡索停止揮動畫筆，說：『她也覺得事業不再重要呀！』

小蟬說：『所以你要重新令她知道事業的重要！』

畢卡索皺眉，神色鄙夷。『爲了什麼我要這樣做！』

小蟬以腳尖拍了拍地板。『因爲有天你會拋棄她。』

畢卡索便無話可說。小蟬說出重點：『你要幫助朵拉自立，令她有自己的人生。』

畢卡索以指甲抓了抓臉龐，一直以來，他就是最討厭讓女人有她們自己的人生。

畢卡索說：『我會給她足夠的照顧，你也知道的，我餽贈了她大量禮物，當中包括珠寶和我的畫作。』

小蟬走近他，說：『由今天起，你要學會給女人有她們人生的自由，你要扶助女人獨立於你。』

畢卡索瞪大眼。『你說笑！哪有男人會令女人獨立於自己？』

小蟬坐在放在一旁的安樂椅上，這樣說：『只有女人獨立，她才能在被男人拋棄時自救。而你，百分百會拋棄她，所以她更加需要有自己的人生去幫助自己。』

畢卡索重申：『她有我的畫作。』

小蟬搖頭。『不足夠的，只有事業才能令女人眞正自救。她有事業才可以完全情緒獨立，事業會讓她明白，她也是個有能力的女人，她不需要一生依附你。她假如只擁有你的財產，她會覺得一生也擺脫不了你。』

畢卡索望著安樂椅下的那雙小腳，這樣說：『她根本不想擺脫我！』

小蟬努力說服他：『你還不明白？只有幫助她擺脫你，一天你拋棄她了，她才不至於沉淪！』她嘆了口氣。『你也看到她年華老去時的悲哀吧，她一生也走不出你的陰影。你若是有心令她眞正快樂，你就要把握這些機會改變她，令她有一個更堅強的下半生！』

畢卡索仍然頑固：『從來沒聽過男人要幫助女人擺脫自己！』

小蟬沒好氣。『其實你是懂的。』

畢卡索盯著她的腳，抓了抓頭。

小蟬說：『既然你可以叫她放棄攝影以便讓你去操控她，你也必然明白如何可以使她獨立於你。』

畢卡索定了定。他發現他實在無法在她面前假裝任何事。

小蟬也不怕說下去：『你也討厭女人有成就，萬一有一天她眞的成爲一流的攝影名家，你怕你會妒忌得要死。』

畢卡索爭辯：『我怕什麼？我是最偉大的藝術家！』

小蟬說：『不，你怕，因爲你什麼都妒忌。』

對，這就是畢卡索。

畢卡索說不過她，只好噤聲。但爲了不讓自己居下風，他這樣說：『我肯做，只爲了看你的全相！』

小蟬才不怕他。『你說什麼我都不介意，你的行爲正確最要緊，我不要你毀掉朵拉。我把你帶回來不是讓你多毀她一次，我是要你救活她，以及其他女人。』

畢卡索不耐煩，他做了一個代表煩厭的手勢。『好好好！別煩我！』

小蟬從安樂椅中站起來，地板上有一雙小腳正步離畫室。畢卡索的目光現在終於有焦點了，他可以看清楚小蟬來去的方向。那雙走動的小腳太趣致，他忍不住笑得勾起了嘴。

這雙小腳的主人專門左右他的行徑，但這小小的腳委實太可愛了，可愛得令他無法不屈服。

畢卡索倚在畫室的窗前，他把他與朵拉的事情反覆想了又想，最後決定接受小蟬的建議。午後，當朵拉努力地在畫室作畫時，畢卡索觀察了她片刻，繼而說：『算了吧，你還是走到浴室畫你的手指甲好了！』

朵拉驚惶地握著畫筆，臉色由白變青再轉紅。她屏息靜氣地問：『是不是我無天分？』

畢卡索搖了搖頭，說：『是我不忍心。』

朵拉面露疑惑。

畢卡索說：『事實是，你的眞正天分是攝影。』他望著他的女人，說下去：『你若是繼續發展你的攝影事業，你會有成就。』

朵拉定定地望著他，問：『你眞是這樣認為？』

畢卡索嘆了口氣，然後微笑。『你想畫畫我可以教你，但你要答應我，你不可以放棄攝影。』

朵拉見他和顏悅色，便放膽問下去：『可以告訴我原因嗎？』

畢卡索走上前，把手放到她的臉龐，對她說：『我希望你能有自己的事業。』

頃刻，晶光閃亮在朵拉的眼睛內，她說：『我……我不知應該怎樣說……』

畢卡索取笑她：『怎麼了？』

朵拉綻放出開懷的笑容。『你眞是個特別的男人！』

『是嗎？』畢卡索說。

朵拉說：『其他男人不會做的事，你會做。』

『啊——』畢卡索很高興。

朵拉再說：『很少男人會支持女人的事業。』

畢卡索擺擺手。『是他們迂腐罷了！呵呵呵呵！』

然後朵拉就這樣說：『我答應你，我會永遠愛你！』繼而，她給了他答謝的一吻。

這一吻只是輕輕的，卻教他無比的心花怒放。他望著自己的女人，忽然很快樂很快樂。

原本，他想著的是，他已毀掉了這個女人一次，這次隨小蟬回來，又再毀掉她多一次，實在無意義兼無趣味。他一早體會到握碎她的人生是如何滋味，他無必要再多品嘗一次。

原本，就連放過她這想法也是殘忍的。現在望著這個女人的眼睛，他卻快樂得很。這眞是愕然的一回事，扶助一個女人的人生，居然直接令他心情大好。

這是爲了什麼？是因爲心中有善意，人就自然會快樂嗎？

忽然，畢卡索覺得自己充滿使命感。這個女人的一生，是好是壞全依靠他。

控制一個女人，目的是想她一生依靠他；但居然，扶助一個女人，也會構成一種令男人很有尊嚴的依靠。他依然是這個女人的創造者，關鍵只在乎他想把她創造爲悲慘還是幸福。

男人可以是神，也可以是魔鬼。就因爲他已經當過魔鬼，這回，他要當上神。

當上神之後，會不會就如小蟬所說的那樣，令男人更加有男子氣概？實在拭目以待。

而畢卡索亦因此得到他的獎勵，小蟬展露了她的小腿，黑色平底鞋之上，是一雙穿著貼身彈性黑長褲的修長小腿。

『很奇怪很奇怪！原來看著一雙小腿走路是這樣奇怪的事！從今之後，你不再是我的心，你是我的怪小腿！』畢卡索吃吃地笑。

小蟬說：『努力吧！你會不斷地多看一點又一點。』

畢卡索與朵拉的感情日趨穩定，他也對她作出大量的餽贈，他一直知道，朵拉是最懂得保存他的作品的女人。

他對朵拉說：『這些我創作的珠寶首飾和畫作你要好好保存，他日你有需要可以自行處理。它們的價值等同黃金，我不會介意你變賣。你要記住，你要做出令自己開心的事，而我最希望你生活舒適。』

朵拉感動得緊緊擁抱著他不放，她感歎著說：『我從來沒遇過比你更大方的男人！』

畢卡索有很奇妙的反應：『你遇過的男人都是壞男人呀！』朵拉快樂地抱得他更緊，而畢卡索狡猾地想，原來偶然做一次好男人，就會變成一世的好男人，這樣子也可說是如意算盤。

以往，當他向一個女人作出餽贈之後，他一定會找機會大肆侮辱她一番，要不然，他就覺得便宜了她們。無女人可以白佔他便宜呀！但今日，他已無興趣要她們以眼淚作抵償，畢卡索嚮往新奇，他更有興趣看看她們如何得到幸福。

『未見過女人幸福，很想見見。』就成爲畢卡索的新思想。

就等於既然人一世物一世，有機會當然要見見外星人那樣。

小蟬非常高興，她把大腿現形出來。而畢卡索的評語是：『天呀！你看上去太高！我不喜歡又高又瘦的女人！可怕！恐怖！慘不忍睹！』

小蟬氣結：『那以後你就只看我的一雙腿好了！我怕再現形多一些的話，你會難過得想死！』

畢卡索嬉皮笑臉。『我又不至於那樣變態……我不會只想要女人的下半身。』

小蟬就追打他。畫室內有一雙長腿在跑動。

畢卡索邊躲避邊說：『你看你！像兩枝竹竿那樣怪異！』

小蟬叫嚷：『所有人都說我的雙腿線條優美……』

本來還想說下去，卻又說不出口。小蟬站定下來，她記起了一個人。

阿光。

阿光是第一個稱讚她雙腿線條好的人。也因爲他的稱讚，小蟬以後常常穿窄身褲和短裙。不知怎地，忽然記起他。Mystery不是有一個忘懷舊情的服務嗎？她來到畢卡索身邊這麼多年，都未想起過阿光。難道……

『我的竹竿長腿，你怎麼了！』畢卡索叫喚她。

『沒什麼。』小蟬搖了搖頭，低聲說：『我懷疑我們要趕快一點，恐怕時間不夠。』

Mystery的沙漏計時器，就在小蟬心中開始流瀉。

* * *

小蟬把腰肢顯露的一天，畢卡索做了一件很聰明的事，他成功收服鬧情緒的朵拉。

那一天，瑪莉特麗莎趁畢卡索外出，就走到他與朵拉共住的居所中作出一次具攻擊性的拜訪。朵拉讓她進來，但沒爲她侍候茶點，朵拉並不打算與情敵假裝友好。

閒話家常數句之後，瑪莉特麗莎開門見山地說：『你別以爲你可以代替我。我替他生了孩子，我才是與他不能分開的那一個。』

朵拉微笑，說：『他也有提議要我生孩子，是我不想生。』繼而，她的笑容燦爛起來。『女人以孩子來縛住男人，未免太落後，也太悲哀。』

瑪莉特麗莎按捺著脾氣，這樣說：『如果我是你，我就會爲自己鋪好後路。他告訴過我，他

愛的是我，他一點也不愛你，他與你一起，皆因你也算是個好助手。你也明白他的吧，以他這種節儉的個性，最好所有助手都是免費的。』

朵拉眨了眨眼，表情倒有點啼笑皆非。『我不清楚你來我們家的目的是什麼。但我倒是不怕讓你知道，他這陣子對我極好。』說罷，她聳聳肩又嘟嘟嘴。

『是嗎？』瑪莉特麗莎故意瞪大眼睛，又提高了聲線。『他對你很好嗎？』然後，她由手提袋中掏出一疊信，遞到朵拉跟前。『我這一次來這裡是想你了解你目前的狀況。畢卡索對我是一心一意的。』

朵拉接過那疊信，她隨手翻出一封，看不了兩行便臉色驟變。這疊全是畢卡索寫給瑪莉特麗莎的情信。

瑪莉特麗莎不忘加上一句：『這些信都是近兩個月寫的。』

會面完畢，瑪莉特麗莎不懷好意地帶笑離開。朵拉就花了一小時把這十數封信讀完。當抬起眼來之際，她的眉頭鎖得極緊，表情也拉得長長。她的樣子像塊朽木。

畢卡索回來後，朵拉就對他說：『下午的時候，瑪莉特麗莎來過。』

畢卡索神色安然鎮定。『她來做什麼？』

朵拉把那些信放到他面前。『她要我看這些信。』

畢卡索撥開信紙看了一眼，然後說：『那又怎樣？』

朵拉皺住眉問：『你究竟有沒有愛過我？』

畢卡索的表情帶著一種謊話的無知：『當然了！』

朵拉說：『你愛著我之餘，也可以這樣愛她嗎？』她指著那些信：『你對她說她是世上唯一你所愛的！你又讚賞她是世上最富女性美的女人！還有……你看看你寫了些什麼，你說，一天你老了，你每天清晨張開眼來的第一刻，你想見的人只有她！』

說罷，朵拉激動得喘氣掩臉。

畢卡索瞪大眼，看了看那些信，又望了望朵拉。他的神情一直帶笑，他根本不當一回事。他說：『情信就是這些內容嘛！有什麼出奇？』

朵拉掩臉搖頭。『但爲什麼你說你只愛她一個……』

畢卡索就說：『談情說愛就是說這種話呀！』

朵拉嘶叫：『但你從來沒對我說過這些話！』

畢卡索啼笑皆非。『那麼我由明日起對你說！』

朵拉仰臉嗚咽。『不！不！你根本一直不愛我……』

『唉……』畢卡索嘆氣，上前抱住她。『你一早知道我不止有你一個女人。』

朵拉抽泣，沒回答他。

畢卡索說下去：『這數個月以來，我已盡力去對你們好。我對她好，也對你好。我對你的心意你也感覺得到吧！』

朵拉掩住臉，她的心情很迷亂。

畢卡索說：『她要看情信，我便給她寫情信……正如，你想要我的畫作，我就餽贈給你一樣。』

朵拉想了想，又覺得事情不失公平。

畢卡索說：『那麼以後我送她我的作品，而你，我就寫情信吧！』

朵拉才不肯理虧，她拍打他。『我兩樣都要！』

『好好好！』畢卡索哄她。『不要再哭。』

朵拉抹去眼淚，問：『爲什麼你不能夠專一愛我？』

畢卡索望進她的黑眼珠內，然後他決定這樣說：『我不怕告訴你，我不是世上最好的男人；但我在你面前，會成爲世上對你最好的男人。』

頃刻，朵拉愣住。她可以發誓，從沒聽過這樣中聽的甜言蜜語。就這樣，她的神情一點一點放鬆下來，最後，在漂亮的臉孔上，綻放出一朵嬌美的鮮花。

她輕輕說：『這也是我最想得到的。』

朵拉的眼神溫柔脆弱又敏感，這個女人才華最高，卻又是他所擁有過的女人中最不堪一擊的。畢卡索看著她，眞的不忍心再做出傷害她的事。他輕撫朵拉的黑髮，刹那間，他很想很想對她作出最眞誠的承諾，但心事滑至嘴唇邊，又說不出口。

朵拉看懂了，她問：『你要說什麼？』

畢卡索輕輕搖頭，低聲說：『我想答應你，我以後都不會傷你的心。』

朵拉笑得很開懷：『謝謝。』

畢卡索嘆息。『如果你遇上的是其他男人，你就不用分分秒秒害怕被愛情傷害。』

朵拉說：『但他們不是畢卡索。』

畢卡索揚了揚眉。是的，這就是一切的最終答案。

畢卡索的女人爲愛上畢卡索付出代價；而畢卡索已立下決心，讓她們的代價減至最低。她們怎樣也要有一定的付出，只是，他已不貪求她們的全部。

搾取她們的全部來幹什麼？他也不需要那麼多的愛。

爲了鼓勵不斷進步的畢卡索，小蟬把腰肢現形。

畢卡索卻對小蟬的腰肢興趣不大。『沒什麼特別，也並不性感。』

小蟬說：『我並不是尤物型女人。』

畢卡索說：『醜女人我見得少，不介意偶然見見。』

小蟬大笑：『哈哈哈哈哈！』她也不知道爲什麼被踐踏後仍然這麼開心。

隨後，她問：『你究竟更愛誰？』

『你。』畢卡索敏捷地回答。

小蟬繼續笑：『哈哈哈哈哈！』畢卡索終於看到，她笑彎了腰的樣子。那截小蠻腰會左右扭動，花枝亂顫呢！

畢卡索把問題認眞想了片刻，才對她說：『其實兩個都差不多……一個具母性又有肉感，簡簡單單，令我很舒服……一個充滿藝術細胞，與我很能溝通……但肉感的那一位從來不會明白我的作品，我也不好意思帶她出外交際見人；具才華的另一個，個性又憂鬱得令人難以開懷，一想起她那種靜止的陰鬱，我就以爲這是世界末日的前夕。』

『結論是，』他聳聳肩。『兩個都不愛。』

小蟬說：『有些人是不會愛上人的，我也明白，感覺這回事無人可以營造。但今日也不錯，最低限度，你沒愛上也肯對她們好。』

畢卡索說：『原來你的要求也不高。』

小蟬說：『可以愛上當然更好，但你這種大魔王……一步一步啦，你肯不虐待女人，我已覺得自己有成績。記住我這一句：「男人的使命是去令女人幸福。」』

畢卡索說：『但女人也要令男人幸福啊！』

小蟬說：『她們每一個早已盡力令你幸福。』

畢卡索想了想，無從反駁。

小蟬笑起來。『我明白你，你不肯付出得比別人多。放心吧，你的女人愛你，一定比你愛她們多，起碼多十萬八千倍。』

畢卡索豪邁地張開雙臂，激昂地說：『無辦法，藝術是我的第一位！世上所有事物，包括我自己，也要爲藝術犧牲！』

小蟬失笑。『又是這一句！』繼而再說：『你要犧牲隨便犧牲吧！但對你的女人你要盡一個男人的本分。』

畢卡索彎下了嘴角。『你看，做男人多痛苦！』

小蟬說：『別誇張。你有什麼苦受過？』

畢卡索望著這條小蠻腰，忽然這樣說：『你一定是那種御夫有術，受盡男朋友疼愛的女孩子。』

小蟬一怔，她抓了抓頭。『我像嗎？』

畢卡索說：『要不然，你怎會這麼懂得教男人如何去愛女人？』

小蟬眨了眨眼，沒作聲。她慶幸畢卡索尚未看到她的臉。她的臉上帶著害怕被識穿的神情。

畢卡索再說：『你的男朋友全部都經你改頭換面吧！我猜你一定是個控制狂！看來，你與我是同一種人。』

小蟬苦笑，十分無奈。

畢卡索問：『怎麼不作聲？被說中了嗎？未來世界的女人眞的難侍候，什麼女性主義、男女平等……』

小蟬這才說話。『我從來不說什麼女性主義、男女平等。我一直只想你對你的愛人好。』

『現在我還做得不夠嗎？』畢卡索瞪大雙眼。『我開始害怕女人會反過來虐待我！』

『夠夠夠！』小蟬拿他沒辦法。『我給你一百分！獎你一百隻小白兔！』

後來，小蟬靜心細想畢卡索對她的誤解，眞的，她自己倒沒想過，爲何她會在男女關係上懂得教導畢卡索。

一切是否願望投射？她渴望由阿光身上所得到的，全部投射到畢卡索的戀情中去。

其實，可以教曉畢卡索，爲什麼不去教曉阿光？

小蟬雙手托著臉龐，刹那惘然。

＊　＊　＊

一天中午，畢卡索忽然心血來潮，對朵拉說了以下的話：『你明知我會不斷尋找新的愛人……』

朵拉心一慌，連忙從飯桌上抬起眼睛來。

畢卡索擺了擺手。『別緊張，我不是說現在。』

朵拉就暗地呼了一口氣。

畢卡索說：『我雖然有你、瑪莉特麗莎，還有……奧爾佳……』提起髮妻的名字，他就禁不住皺眉。『但世上仍然會有別的女人吸引我。』

朵拉放下手中叉子，帶著笑說：『我知道你每隔一陣子會風流一次。』

畢卡索輕輕搖頭。『或許，在將來的某一天，不止是一夜風流。』

朵拉的臉孔就拉長了。畢卡索說：『我會遇上其他心心相印的愛人。』

朵拉急急拿起酒杯喝了一大口，然後問：『到了那時候，你會拋棄我嗎？』

畢卡索沒打算說謊：『我也不知道。』

朵拉放在桌面上的雙手，不知不覺間握成一個拳頭。她發現，她已開始呼吸急促。

畢卡索用餐巾印了印唇角。他說：『所以，我要你有心理準備。』

他這樣一說，她的頭就立刻疼痛。她伸出右手托著沉甸甸的額頭。她彎下嘴，語調帶著激動：『你要我由今日起準備些什麼？準備收拾細軟被你趕走嗎？』

畢卡索這樣說：『我要你有心理準備另外找一個男人。』

朵拉怔住放下了右手，不可置信地抬眼望向畢卡索。

畢卡索說：『到時候，我要你有你自己的感情生活。我不想拖累你的下半生。』

朵拉的心一陣悸動，神色訝然。

畢卡索沒再說話，在四目交投間，他微笑。朵拉看得懂他的笑容，它代表了溫柔，以及關愛。

一股酸和暖，夾雜在心房內旋動。朵拉伸手按住自己的心，嘴唇微抖地望著這個男人。

畢卡索微笑依然，他說：『我想你好。』

瞬間，所有澎湃激動一湧而上，由心頭直衝上鼻尖與眼眶，哭泣的衝動席捲了她的所有血脈，已無法按得住了，朵拉就在畢卡索跟前掩面嚎哭。

畢卡索趨前捉住她的手，安慰她：『乖乖，別哭。』

她一邊流淚一邊搖頭，漸漸，就哭得渾身抖震。

畢卡索說：『當我幸福時，我也想你幸福；當我照顧不到你，我想有人代我照顧你。』

她掩住悲哭的臉，想說但又說不出話來。

畢卡索上前擁抱她。『我不要愛過我的女人沉淪，不要爲了我待薄自己，到老了，你也要開心的活下去。』

朵拉懇求他。『別再說……別再說……我的心好痛……』

畢卡索輕吻她的髮頂。說：『你要記著，有一個男人，希望你一生都活得好。』

她聽見了，哭聲變得更響，那抓住畢卡索襯衣的手，用力大得青筋暴現。爲了他剛才的一番話，就算當畢卡索的女人再沉重，也無比值得。

畢卡索再說：『當有一天我放棄你，你就要同時候放開我。』

朵拉嗚咽著不住地搖頭，她實在無法想像她會有放開畢卡索的一天。

畢卡索吻著她的臉。『世界上，自有很多好男人願意去愛你。我對你別無所求，我只想你一生都快樂。』

畢卡索並不是信口開河，他眞的願意跟著自己的話去做。

她沉淪半生對他並無益處，倒不如鼓勵她尋找自己的快樂。當他不再想要這個女人的時候，他沒意思去霸佔她的人生。

他從不知道，他願意這樣無私地放開一個女人。當他發現了自己是願意之後，感覺原來也不壞。當上一個無私的人，居然有一種偉大美好的感受。

說穿了，一個男人的好與壞，眞的只繫於一念。

一念之間，他眞心想對她好，又有機會說了出來，她聽過後感動了，他就會有實行這念頭的力量；一念之間，無數的可能性接連地發生。而命運，從此就被改寫。

小蟬眞的很對。只要抱住要令女人幸福的信念，男人在愛情中就會有方向。

畢卡索樂得簡簡單單。他寧願跟著這指標去做，餘下的心神，便可全花到創作上去。

而因爲中午發生了這件事，晚上就相應地發生了更大的一件事。

畢卡索與朵拉出席巴黎一間畫廊的開幕典禮，席間記者與朵拉閒談，朵拉表現得春風滿面。畫廊展出的正是數名法國畫家以『愛』爲主題的作品，記者問朵拉與畢卡索的愛情生活，一向愼言的她以『**Superb**！』一字形容之，並且公開說：『女人不會再找到一名比畢卡索更懂得愛情的男人。他是男人中最無私……也最性感！』

翌日報章紛紛報導了朵拉讚賞畢卡索的話，標題變成『世上最性感男人畢卡索』、『畢卡索，女人的夢中情人』、『雌性動物的共同偶像』……

畢卡索拿著報紙，看得眉開眼笑。小蟬就在一旁說：『傳媒簡直是瞎了眼！』

畢卡索用報紙覆蓋自己的臉，笑著說：『沒辦法，畢卡索統治世界！』

小蟬在畢卡索的身邊坐下來，這樣對他說：『從今之後會有更多女人愛上你。』

畢卡索挪開臉上的報紙，仍然興奮得很。『想不到哄一哄朵拉，就會產生這出色的宣傳效果！』

小蟬說：『所以，男人對女人好，得益一定是男人。全世界女人所仰慕的男人，都是本性不羈才華超卓，卻又會情深款款愛著身邊女人的類型。你朝著這方向前進，你的名聲必定更上一層樓！』

畢卡索點了點頭，繼而問：『我會成爲二十世紀的男性偶像之首嗎？』

小蟬回答：『那就要看看以後女人對你的評價。朵拉與瑪莉特麗莎之後，還有不怕與你作對的范思娃；你在晚年遇上的賈琪琳洛克不會對你有什麼意見；但在奧爾佳在生時，她常常對別人口出怨言；而朵拉鬱鬱終老，瑪莉特麗莎以自殺了結生命；這些都會爲你帶來負面影響，給人寡情的印象。』

畢卡索苦惱地抓了抓頭。

小蟬說：『對女人好不是一年半載的事，而是一生一世的事。大家對你的爲人已經算寬容，無人要求你專一，世人只想你對你的女人善良關愛。』

畢卡索聳聳肩又攤攤手。『那麼多謝各位！』

小蟬笑了笑。『看來你仍不願意屈服。』

畢卡索伸著懶腰。『我已經盡了全力！真心話倒是，我是享受做好男人的。對一個女人好可能很彆扭，但糟蹋一個女人，亦不是什麼特別快樂的事……算了吧，對女人好，感覺新鮮一點。』

小蟬結論：『對女人好，贏的都會是你。』

畢卡索望著小蟬那古怪的腰肢連同下半身，說：『我也覺得事事順利，心情愉快。』

小蟬說：『對別人好，永遠是雙贏的。』

畢卡索又開始嬉皮笑臉：『我聽話當了好男人，來，快給我獎勵！』

小蟬就如他所願再現了身。腰肢之上是她的上半身和雙手，在黑色緊身衣和緊身褲包裹之下，她的全個身形就放到他的面前：只剩一個頭，她還是不肯讓畢卡索看她的臉。

小蟬等候他的反應。畢卡索的表情有種不好惹的嚴肅，小蟬看著，大概已猜到他會說些什麼。果然，畢卡索說：『你這種算是什麼身材？男孩子似的！哎呀，令人大倒胃口！』

小蟬不甘示弱。『我這叫做模特兒身材！我來自一個全民瘦身的年代！』

畢卡索呱呱大叫。『恐怖！恐怖！與飢民無異！』

小蟬啼笑皆非。『我明白你，你喜歡女人豐腴多肉。』

畢卡索轉身，一臉鄙夷。『令人大失所望！』

小蟬氣結：『一早告訴過你我不是尤物。』

畢卡索誇張地抱住頭。『但也不必平胸吧！』

『平胸穿衣服才好看！』小蟬說。

畢卡索叫嚷：『你們常說我所重塑的美感怪異，但總怪異不過女人在未來世界流行的身形！怎麼可能……哎呀！』

小蟬失笑。『你要學習接受我們這種美的標準。』

畢卡索指著她的胸脯說：『你一定要補償我！一定要！』

小蟬向後退了半步，又故意用雙手擋著自己的胸前位置。『我不會隆胸的呀！』

畢卡索笑。『我是要你把臉孔呈現出來，然後與我談戀愛！』

小蟬說：『你休想！』

畢卡索迫近她。『你是我的心，你終必歸我所有！』

小蟬大叫：『傻瓜才會與你談戀愛！』

畢卡索把她的身體推向牆邊。『你不是已經改造了我嗎？肥水怎能流向外人田？』

小蟬用手掌隔著自己和畢卡索的胸膛。『你讓我想想。』

畢卡索退後一步，狐疑地望著她。『我還以爲你是天不怕地不怕的女人。你敢回來我的世代改變我，卻又不夠膽與我愛一場。』

小蟬沒作聲。

畢卡索狡猾地笑。『你說過我是愛情懦夫，看來你也不遑多讓！』

小蟬更加無話可說。

畢卡索說：『我警告你，你快些把臉孔放到你的脖子上！我實在忍受不了要把視線焦點繼續放在你的平胸之上……』說罷，他就一臉厭惡，兼且發出『嘖嘖嘖』的怪聲。

小蟬把雙臂繞在胸脯前，腳尖在原地拍打。就這樣，他倆對峙了一會。

繼而，小蟬伸直手臂指向畢卡索說：『哪有男人這樣向女人示愛？真是笨蛋！』

說過後，她就故意氣沖沖的走開，畢卡索望著她的身影，吃吃地笑。

* * *

畢卡索對小蟬說：『如果我能夠把你的樣子畫出來，你就要給我看你的臉。』

小蟬覺得合理，便讓他猜想她的樣子。無頭無臉的她坐在模特兒慣坐的椅子上，身體朝向畢卡索。畢卡索以銳利的目光瞪著她，似乎胸有成竹。半小時之後，畫布上就出現了畢卡索心目中小蟬的臉。

小蟬走到畫布前看了一眼，立刻彈跳開去。『這個就是我？很失望呢！毫無想像力！』

畫布中的那張臉，臉圓圓，眼細細，鼻子塌下來，嘴唇又橫又厚。

小蟬又說：『你不用這麼神似地模仿高更！』

畢卡索擺出無所謂的神情。『你不露面，以後我就看著她來幻想你。』

『不可能吧！』小蟬嫌棄極了。

『那你露面吧！』畢卡索說。

『啊！你故意把我畫成原始野人那樣，爲的是迫使我露面！』小蟬抗議。

畢卡索說：『我總不成天天與一個無頭女人來談戀愛嘛！』

小蟬立刻說：『誰與你談戀愛！』

畢卡索試圖捉著她的手，但失敗。『你好歹也與我愛一次嘛！難得這些日子我們心靈相通。』

小蟬一邊退後一邊呢喃：『才不……』

畢卡索問：『你究竟怕些什麼？』

小蟬含糊地說：『說不定我露面之後，你又大大地打擊我……』

畢卡索纏下去：『不會了，其他女人的臉重要，但你的臉一點也不重要。』

小蟬望著他，他的樣子倒不像是說謊。

畢卡索說：『每一個人都想與自己的心來一場戀愛。』

畢卡索的神情認眞又誠懇。

剎那間，小蟬動搖，很想立刻爲他展露自己的臉。

畢卡索忽然說：『你是不是從來未談過戀愛？』

小蟬說：『我有男朋友的呀！他還打算娶我爲妻！』

畢卡索問：『是順利的戀愛嗎？』

小蟬說：『不知多順利！』

畢卡索隨即大笑：『哈哈哈！大話連篇！』他氣定神閒地作出分析。『戀愛順利的女人怎會懂得一堆又一堆的戀愛理論？只有戀愛不如意的女人才會花腦汁去思考愛情。你愛得一點也不順利。』

小蟬大聲地叫嚷：『你上次才說我像是那種懂十八般武藝的女朋友！』

畢卡索瞪了她一眼。『我想，到了如今，我才真正看穿你。』

小蟬不作聲。

畢卡索說：『笨女人，給我猜中吧！』

小蟬撇起嘴。

畢卡索問：『告訴我，你有什麼愛情願望？』

立刻，小蟬就綻放了一個笑容，然後說：『殺死我的男朋友！』

畢卡索連忙向後退了一步，瞪大了眼。『嘩！』

小蟬繞起雙臂，囂張地說：『怎麼了，怕了嗎？』

『哈！』畢卡索仰臉哼了一聲，繼而說：『我怕什麼你心理變態？我才是始祖！』

又真的說得很正確。

畢卡索還有以下一句：『我的心，你正正經經地露面吧！你幫助了我，我也想好好幫你一把！』

畢卡索伸出了手，小蟬把他的大手看了半晌，才決定把自己的手也伸出來。當兩手一握之後，心頭就湧上哭泣的衝動。

是的，她從來是最無勇氣的一個人。只有活得像幽靈一般，她才得到自由。

＊　＊　＊

其實結果只得一個，小蟬始終會向畢卡索露面。我們總希望喜歡我們的人會完完全全地接受我們。

在露面前的一刻，小蟬對畢卡索說：『我下了很大決心才讓你看我的臉，你要答應不可以取笑我！』

畢卡索望著她，這樣說：『我等了這一天太久！我已經無法再忍受望著一個無頭女人來過日子。』

小蟬說：『我知你不怕恐怖的事。』

畢卡索說：『我不怕不等於我會欣賞。』

小蟬深呼吸，畢卡索看見她的胸膛在起伏。也是時候了，小蟬合上眼睛別過了身。畢卡索定睛地望著她的背影，他看見，在那粉嫩的後頸上，正有一點一點的黑色匯聚起來，而不久，他便看到她的髮鬢；看樣子，她是結了髮髻。然後，頭的形狀續漸明顯，單薄的黑色漸變得實在而清晰；小蟬的頭形很圓，而她的耳朵尖尖的，並沒有耳垂。

這是一個合比例而好看的頭形，也十分適合結髮髻。畢卡索微笑了，心中蕩漾出很好的預感。他靜靜地等待這個女人把她的臉轉過來。

小蟬仍然背著畢卡索站著，她的心情緊張得不得了。這是她一生中最重要的決定，她的臉孔將會暴露在世界上其中一雙最苛刻的目光跟前。她告訴自己不要害怕，然而，全身的肌肉已全然僵硬，而腦袋，更是眞空一片。

也不知過了多久，她才懂得轉身，那速度緩慢如電影中的超級慢鏡，十多秒才移動一毫釐。

畢卡索集中精神，眼也不眨地瞪著這個史上最神秘的背影。

懸疑得像希區考克的電影情節。在令人屏息靜氣的氣氛下，他看見那小小的顴骨，繼而是眼眉、眼珠、鼻子、下巴。當她的側臉全讓他看見之後，那轉動的速度就加快了；不久，畢卡索就看清楚小蟬的一張臉。

小蟬抵受不了畢卡索的注視，把臉垂得很低很低。

畢卡索一直在看，默不作聲。

小蟬偷偷抬眼望了望他，見他神情極嚴肅的，她的心立刻就慌張起來，連忙以雙手掩住臉，繼而神經質地大叫：『天呀！我又做錯事，天呀——』

畢卡索走上前捉住她掩臉的一雙手，用力扳開，他喝止她：『幹嘛似個被毀了容的女人！』

他用右手按住她的雙手，再用左手握緊她的臉龐。小蟬一直使勁地瞇起眼，表情痛苦又不自在。

畢卡索要把她仔細地看得一清二楚。世界上每一個女人都有一張臉，但只有這個女人的臉，畢卡索發誓不會錯過。她的臉很白很白，額頭平坦廣闊，皮膚幼嫩，沒有皺紋；眉毛細巧，經過人工的修飾；眼睛的形狀細緻修長，雙眼皮的線條深而明顯；鼻子筆直優美，在臉部的比例上顯得略長；嘴唇薄薄，有種寡情的狠毒；臉形漂亮，是百分百標準的鵝蛋型。

這不是一張絕色的臉，看上去有點怪怪的，但正因爲如此，反而蘊含了一種奇特的韻味。

『嗯。』畢卡索哼了一聲。

小蟬張開眼，漆黑的眼珠溜向他。畢卡索的臉上帶著笑意。

畢卡索說：『還可以。』

小蟬舒了一口氣。世上再沒有另一句話，更能教她安心。她站直了身，又伸手撥開畢卡索握著她臉龐的大手。她一邊揉著自己的臉一邊問：『我……眞的不難看？』

畢卡索說：『你長得像日本那種浮世繪內的女性。』

小蟬失望極了。『天呀！』她再次以雙手掩臉。『你認爲我長得醜！』

畢卡索啼笑皆非：『我沒有那樣說。你的樣子看上去很特別。』

小蟬在指縫間偷望他。

畢卡索伸出手指在她的臉上指指點點：『眼可以移下一吋，鼻子可以分成兩截；嘴唇可以由左邊切割至右邊……重新在畫布上組合後，也不失爲一幅畢卡索式的美人圖。』

小蟬放下掩臉的手，謹愼地觀察畢卡索，他的目光亮亮的、愉快的，像是眞的衷心欣賞她的臉。

畢卡索用手指輕撫小蟬的耳畔，對她說：『你該信任我的審美觀。』

他的手指在她的肌膚上摩擦，耳畔這位置，向來是女人的敏感地帶，不消數秒，她就放鬆下來，甚至合上了眼睛，陶醉在這個男人的魔術手中。

畢卡索微笑，他喜歡極了她的神態，比一頭貓更像貓。而當小蟬重新張開眼睛後，她便看到畢卡索溫柔的神色。

四目交投，忽爾有種說不出的浪漫。良久，二人沒再說話，他們相視而笑。笑容由旖旎轉變爲開懷，最後小蟬笑出聲音來。『別這樣望著我啊！』

畢卡索抱住她的腰，笑著說：『要望的要望的……起碼要望足一世紀！』

小蟬忽然覺得害羞，臉上一熱，她就垂下了頭。

不得了，她知道，往後一定會有很多害羞的時刻。她抵受不了這男人望著她的目光，那豹一般的眼睛，銳利得像要把女人呑進肚子裡……

畢卡索又再抬起她的臉，他投訴：『有什麼理由你可以看我，而我不能看清楚你？』

小蟬回答他。『因爲我是你的心，你該永遠看不清你的心。』

畢卡索望牢她。『那麼，我的心，我們愛個天昏地暗好不好？』

小蟬溜了溜眼珠。『怎樣愛？』

畢卡索的神情有點苦惱。『朵拉……瑪莉特麗莎……』

驀地，小蟬靈光一閃，她提議。『不如——』

畢卡索望向她，在同一秒立刻接收得到。『我們——』

『返回過去的年代！』二人齊聲說。

小蟬興奮地叫嚷：『我們返回藍色時期的畢卡索階段！』

畢卡索點點頭。『我也正有此意！那時候，我更年輕，該可以給你最精壯的愛情！』

小蟬掩住嘴笑。『好啊好啊！』

畢卡索抱住她的腰，搔她的癢處，逗得小蟬笑聲震天。畢卡索說：『你這個女人，多好福氣！』

小蟬掙扎。『說什麼好福氣……』

畢卡索便說：『我把我一切最好的，全都送給你。』

畢卡索放開了她，她就站定了，牢牢注視畢卡索。這個剛說過話的男人，臉上有一種情深的認眞。

小蟬以雙臂環抱自己，嘆了一口氣，之後，就逕自傻笑。是的，她也知道自己是不可理喻的好福氣。

＊　＊　＊

一九〇一年，畢卡索剛滿二十歲，從西班牙來到巴黎已一年。他長得黑黑壯壯，個子不高，但樣子極英俊，濃眉大眼，輪廓深邃，無論站立與坐下都半故意地流露出一種男子氣概與優雅，十分在意別人對他的外表的觀感。

那時候他還不太會說法語，才華初露卻乏人問津。他刻意結識在藝術圈中有影響力的朋友，當中包括一些藝術商人，他們對畢卡索作出了經濟上的援助。

而初到巴黎最難忘的事，是好朋友的逝世。那名與他結伴離鄉背井闖天涯的小伙子，爲了愛情的不如意而自盡。

之後一段日子，畢卡索在西班牙與巴黎之間來來回回，他抑鬱又狂亂，憤怒又迷惘。他對自己的才華很有信心，然而身邊發生的所有事情，都是那麼不受控。這是畢卡索一生最不如意的日子，孤獨、徬徨、經濟拮据、不受重視……他知道始終有天必定出頭，只是不知道會是哪一天。

這就是他的藍色時期，他繪畫了著名的畫像，另外還有一些街頭賣藝人的淒苦生活，此外就是咖啡館內那些貧窮潦倒愁苦的人的臉。年輕的藝術家，自覺與這些人的心靈有著共同的語言。

當小蟬與畢卡索手牽手走進這時空之際，一九〇一年的畢卡索正在繪畫那幅對小蟬來說極有意義的自畫像。畢卡索就如畫布上的自己那模樣，唇邊與下顎都留有于思，雙額凹陷，目光銳利但不快樂。他有一種二十歲大男孩不該有的滄桑。

畢卡索看著那年輕的自己，對小蟬說：『要活到這時候嗎？會不會太落泊潦倒？』

小蟬說：『你放心吧，有我在，起碼三餐無憂。』她擔心的是另一個問題：『但要你重回這年代重新摸索藝術風格，你會不會覺得太沉悶？』

畢卡索聳了聳肩，又笑了笑。『誰說我是回來畫畫？我回來是爲了談戀愛嘛！』

小蟬聽了很高興，她的雙眼閃閃亮。『那麼……』她朝畢卡索俏皮地眨眨眼。『你給我上他的身？』畢卡索替她接下去。

於是小蟬就走到畢卡索身後，用雙手按著他的肩膊，把他推向年輕的畢卡索的身體內。兩個年代的畢卡索立刻合二爲一，坐在畫布前的英俊大男孩，隨即渾身一震，目光內掠過彗星一般的光芒。

小蟬走到他跟前，笑著問：『還好吧？』

畢卡索站起身湊近她，似笑非笑地說：『哪裡來了一個東方美女？』

小蟬還未來得及做出任何反應，年輕強壯的畢卡索已一手抱她入懷，摟住她瘋狂激烈深吻。她意圖反抗，但因爲他抱得她實在緊，也因爲他的深吻無比性感，她便只好欲拒還迎，隨他吻著她在房間內旋轉，最後雙雙跌倒在那張凌亂的木床上。

慾火焚身。要發生的事情終於發生。

他急不及待地掀起她的上衣，她見他的姿態有點笨拙，便索性自己動手脫去。他趁著雙手正空閒，便急急忙忙除下衣服和長褲。兩人脫衣的動作俐落急速，像正在比賽脫衣速度那樣。只花了十數秒，他們便在對方面前脫個精光。

像兩個赤條條的小孩子，他倆嘻笑叫嚷。笑過了之後，就把對方注視了一會，接著，便相擁糾纏到被單上去。

他和她都想得太久。今天，大家的身體都匹配了，還不極速把握相擁的一刻？

小蟬咬著唇，望著起伏她身上的畢卡索，那感受就如作夢一樣。怎會如此？這個男人怎會潛進她的身體？畢卡索的臉孔就在她的掌心中，畢卡索給她的身體帶來奇妙的快慰，明明入肉入骨，卻又無法教她覺得眞實。

後來，他倆並排躺下來，雙眼朝那剝落的天花板上望去，畢卡索就像世上的一切男人，問著同一個問題：『你覺得怎樣？』

她想說覺得虛假，但又不忍心這樣不禮貌，於是，她選擇了另一個答覆：『再多試一次才知道！』

這回是她爬到他的身上，起勁地追尋答案。

畢卡索大笑，那笑容率眞得似個孩子。

而自此，這一男一女就火熱地戀上，成爲一雙狂野的情侶。

在巴黎的咖啡座之內，西班牙小子擁吻從東方而來的怪模樣少女；他們在大街上跑，追逐不肯接載他們的馬車；畢卡索走到低級的妓院找靈感，小蟬打扮成男孩子去參觀；他們混在同樣潦倒的藝術家圈子中，胡說八道，喝酒喝到天亮。而每當他們需要金錢，小蟬總能從口袋中掏出錢幣來，數量不多，但已足夠二人結伴作樂。當他們手牽著手的時候，生活永遠無憂。

小蟬的打扮如當地的婦女，梳著鬆鬆的髮髻，戴著小巧的帽子，穿花邊襯衫和打摺的半截長裙。那年頭仍然流行束腹內衣，是故她也訂做了幾套，在畢卡索的房間內走動時穿著。起初畢卡索繪畫她穿衣服的樣子，後來他就要求她脫光衣服。小蟬赤裸地橫臥在他的跟前，成爲他的御用模特兒。

他描畫她的身體，一幅又一幅，有些寫實有些扭曲，什麼姿勢都有，每天不停地畫，完全不厭倦。他說：『眞不相信，我居然愛上這副瘦骨嶙峋的身體！』小蟬笑著回應：『你該爲自己的審美觀高興，你超前了一百年！』

他們常常親熱。一隻鴿子飛過窗前圍欄，也能激發起他們的熱情。小狗在後巷中吠叫，熱情之火便立刻被燃燒。喝過咖啡後肉慾會旺盛；如果喝的是一杯酒，便更一發不可收拾。他們沉迷在相戀的體溫內，世上所有事情，沒有比相擁更重要。

畢卡索抱著小蟬說：『你說，有形有相，多好。』

小蟬燃起煙，吸了一口，形神慵懶。『二十歲的男人眞是了不起！』

畢卡索一聽，身心的衝動又旺盛起來，他沉醉在她的身體內，享受著二十歲才配有的爆炸力。

日子就是如此燃燒，瘋狂而無憂，什麼也不愁，只怕浪蕩得不盡情。

小蟬最愛研究他的畫作，她亦完全體會得到作爲大畫家筆下模特兒的光榮。只要畫作能流傳後世，畫中人的姿容就成爲不朽。

當中一幅素描眞實得如同攝影，小蟬對畢卡索說：『很少看見你用這種風格繪畫。』

畢卡索說：『我六歲的時候已懂得把所見的人與物鉅細靡遺地描畫出來，孩童時期的我已畫得一手如米開朗基羅般的好畫。隨後，我花了一生時間，把所繪的畫回復一個孩子該有的狀態。』

小蟬把頭依偎在他的胸膛上，讚賞地說：『你是天才。』

畢卡索回答：『而天才愛上了你。』

小蟬抬頭望進他的眼睛內，那個世界晶光閃亮，看得人心花怒放。小蟬笑得很燦爛，她向這個剛說過愛上了她的男人問道：『天才會愛我多久？』

畢卡索說：『一生一世。』

小蟬眨了眨眼，就像世上的一切女人，無法爲太完美的情話而感動。她嫌棄他的樣子不夠誠意。『你以爲我會相信？』忽然，女人的情緒突變，她質疑他。

畢卡索反應愕然。『女人會期望男人說出另一個答案嗎？』

氣氛開始僵起來，小蟬從床上坐直了身，也收斂起臉上所有笑容。『就因爲由你所說，所以分外不可信。』

畢卡索嘆了口氣。『我是眞心愛你的。』

小蟬撇起嘴。『我們回來一九〇一年才兩個月，你當然就愛我啦！』

畢卡索懊惱。『那你想我怎辦？』

小蟬皺起眉。她也不知道。只覺得，忽然地，她極想刁難他。

畢卡索說：『我答應你，我會盡心愛你。』

小蟬不想放過他。『每個女人都聽過你這番話，但每個女人都得不到。』

畢卡索保持著耐性，努力安撫她。『我盡力，好不好？』

小蟬發脾氣。『才不！你不會做得到！』

就這樣，終於惹惱了畢卡索。『你別這樣庸俗可以嗎！』他向小蟬咆哮。

小蟬瞪圓杏眼。『你說我庸俗！』

畢卡索氣沖沖地走下床穿回衣服。『原本好端端的晚上，你硬是要破壞氣氛。』

小蟬說：『每一個女人都想與自己的男人天長地久！』

畢卡索轉過頭來，怒目而視。『我不是已經答應了你嗎！』

小蟬抓住床單，苦著臉說：『但是你不會做得到！』

畢卡索把衣服穿好，指著她的臉說：『你那個住在不知名小島的男朋友又做得到嗎？』

小蟬一怔，他居然提起了阿光。

畢卡索一臉鄙夷：『他不也是做不到！』

阿光的樣子和神情立刻清晰地浮現在小蟬的腦海內，她想得入神。

畢卡索冷笑。『無男人做得到。』

小蟬這才把眼珠溜向畢卡索的臉上，她平靜地說：『不，他做得到。』

畢卡索聽見了，他木無表情地望了小蟬半晌，這樣的神情，叫人猜不透他的下一步。時間凝住，氣氛膠著，最後，畢卡索轉身，悶聲不響地拉開大門走出走廊外，而那關門聲暴烈又刺耳。『砰！』小蟬隨那關門響聲渾身一震，她猛地搖了搖頭，阿光的臉這才從她的腦袋中消散。

她抓了抓頭皮，然後跑到露台上向下望，夜間的街道上有畢卡索怒氣沖沖的步行身影。

她知道這個要面子又倔強的男人不會從街上抬頭望她。於是，她看了數秒便從露台走回那張木床上，她緩緩躺下來，咬住指頭好好想一遍。

阿光縱有十萬樣不好，但他專一，除了她之外，他從沒想過別的女人，而且，他有與她一生一世的打算。

指甲都咬破了。爲什麼從前不覺得阿光這些優點是優點？

小蟬用雙手使勁揉著臉，非常苦惱。

百分百憎恨阿光的日子反而不苦惱，她只需要集中想像謀殺他的情形，時間就能安然度過。苦惱的永遠是，這個人給她的感受複雜起來，不再單一。

小蟬以枕頭蓋面。這麼傷腦筋，不如首先殺死自己算了。

而當情侶間只要開始了第一場爭吵，以後就會源源不絕。畢卡索與小蟬每隔一天就來一次針鋒相對。

畢卡索說：『我容忍不了女人與我一起時心裡頭有其他男人。』

小蟬抱著披肩在擤鼻子，巴黎正步入秋季，天氣清涼。『我並沒有常常想起他。是你日夜在提起他。』

畢卡索瘋狂地亂撥自己的頭髮。『你令我的日子太難受！』

小蟬揉著眼睛，冷冷地笑。『又來了又來了，你要開始詆毀我了。』

畢卡索張開雙腿坐在木椅上，他嚴肅地向小蟬說：『你一定要告訴我，他有什麼比我好！』

小蟬失笑。『根本無法比擬！』

畢卡索便說：『那麼是我比他好！』

小蟬點頭：『當然了！』

畢卡索說：『這樣子，你永遠留下來跟我一起！』他的語氣如頒布命令。

小蟬立刻反應：『你別胡說！』

畢卡索指著她怒罵：『你看你！對這份情完全沒誠意！』

小蟬望著情緒激動的畢卡索，這樣說：『讓我們現實一點……你認爲我們可以在一起多久？』

畢卡索不假思索地說：『要多久有多久！』

小蟬緩緩搖頭。『我們沒法長相廝守。』

畢卡索固執起來：『是我去控制的！我要與你一起多久就多久！』

小蟬合上唇，靜靜地瞪著他，她等待他緩和了憤怒後，才對他說：『你始終會遇上費爾藍德

還有其他與你畢生互相影響的女人。』

畢卡索仍然是一貫的橫蠻。『你分明是掛念你的男朋友！』

小蟬被他氣結，她擺了擺手，頹然躺到床上去。望著天花板說：『面對現實吧，你不是一名可以專一的男人。你回想一下你的人生，你何曾決意專一過？但凡你愛上一個女人，你便失去安全感，你要以多情來平衡這種喪失自我的感覺。當你面對朵拉與瑪莉特麗莎的時候，我也沒要求過你去專一，作爲你的愛情導師，我一直都只在誘使你盡力善待女人。一心一意，不是你這種男人做得到的。』

畢卡索何嘗不明白？他抵受不了的，其實是這回事：『我不要你離開我！』

小蟬在床上轉過身來，望向站在床邊的畢卡索，這個男人的神情既焦急又可憐，活脫脫是個撒野不遂的孩子。

小蟬從床上坐起來，她張開臂彎，畢卡索就走進她的臂彎之中。小蟬擁抱他、安撫他又輕吻他的耳畔，她說：『我只是一個路過的女人。』

畢卡索痛苦地說：『我不想失去你，你是我的心……』

小蟬的心抽動，她也傷感。惟有這樣說：『假如你肯放膽去愛，每一個與你有緣的女人，都會成爲你的心。』

畢卡索沒作聲。沒多久後，小蟬感覺到他的肌膚微震，她用雙手捧起他的臉，發現他在抽泣。

她心痛了，重新把他抱得更緊。

畢卡索哽咽著說：『從來沒有一個女人，能像你那樣進入我的心……』

小蟬輕輕搖頭，撫摸他那寬闊的背部，對他說：『你知道嗎？當你的心決定了歡迎一個女人，她們才能走進去。我能走進你的心，只因爲你放膽放我內進。』

畢卡索悲傷得掩住了臉。

小蟬說：『很多女人夢想走進你的心內，她們全都希望爲你驅散寂寞，令你快樂。』

畢卡索一直在哭，悲傷不盡。而抱著他的女人，是一個非常特別的女人，他從來不會讓自己當著一個女人面前哭得這樣無助。

＊　＊　＊

這一男一女仍然在巴黎手牽手，但日夜談論的內容，卻是另外一個人。他們討論著阿光。對於小蟬的男朋友，畢卡索好奇得不得了，無論那個人是強又或弱，他都想知道更多。

畢卡索要求小蟬告訴他關於阿光的事，起初小蟬不肯說，然而，自從某次她透露了一點之後，就一發不可收拾，無時無刻都在說著阿光，忍耐得太久，機會一到，就決堤氾濫。

在咖啡座中，小蟬說得神情激動。『他是一個很俗很俗的人……其實，男人庸俗是平常事，但他的最差之處，是迫使別人信服他那些庸俗的觀點……

『他一點也不體貼，這一點，比得上你。他的世界就是全世界，他從未想過要把心靠近我的世界……

『很難才碰上一個像他那樣毫無靈性的人，他對一切藝術都抱著一個反感的態度，我完全無法與他分享我的世界……』

畢卡索對整件事十分感興趣，他問：『那麼爲什麼你還要與他一起？』

小蟬喝了口咖啡，神情無奈起來。她說：『你也明白的吧，女人與男人永遠無法在愛情中平等，男人輕易就能找到女伴過日子，但女人，要找到一名有誠意、一起生活的男人是件困難的事。』

畢卡索便說：『也就是說，你只爲了有男人相伴過日子而留在他身邊？』

小蟬羞於承認，但事實就是如此。『除了他，大概沒人會娶我。』

畢卡索一邊喝著熱巧克力一邊說：『像你這種女人，活該被男人虐待。』他瞪了她一眼，說下去：『還好意思走到我的世界來教訓我，你最應該日日對鏡罵醒你自己。』

小蟬低下頭，她的確就是這種人，有勇氣調整別人，沒勇氣改善自己。

畢卡索問：『那麼你有什麼打算？』

小蟬沒精打采地說：『殺死他。』

畢卡索聳聳肩：『就這樣吧！』

小蟬抬起疑惑的眼睛。『你也認爲只有這個辦法？』

『對呀！』畢卡索語調輕鬆。

小蟬捧著咖啡杯，非常洩氣。

看到她這副樣子，畢卡索就笑起來，然後說：『你該回去，殺死那個對你不好的阿光，繼而讓新的阿光重生。』

小蟬定定的望向畢卡索，畢卡索就說下去：『殺掉他的所有缺點，重塑一個新的阿光。』

小蟬皺住眉，完全無信心。『可以嗎？』

畢卡索大動作地擺手。『怎麼不可以？你可以把我殺掉，為什麼不可以把世上其他男人殺掉？』

小蟬垂下眼，眉頭仍然皺著。

『要點是，』畢卡索說：『你要捨得。如果他改不好，你便不要他。女人只要抵受得到孤獨，便有資格殺死任何對自己不好的男人。』

『捨得……』小蟬呢喃。

畢卡索說：『你得到過我，世上還有什麼男人你會捨不得？』

小蟬心頭一震，他說得再對不過，既然她已得到過世上最困難又最有魅力的男人，還有誰會放不下？

留過在畢卡索的身邊，已了結了所有心願。

『是的，我的最大問題是，從未考慮過自己一個人終老。』小蟬低聲說。

畢卡索擠出反感的表情。『別說得那麼可憐！你怎麼會肯定餘生就只有阿光一個機會？』

小蟬輕輕搖頭。『我就是從來沒勇氣放手。』

巴黎街頭的賣花姑娘在各咖啡座中往來，一名捧著花籃的褐髮少女向畢卡索遞來一朵淡黃色的山茶花，他接過了，把錢幣放到少女的手心內，然後把花送給小蟬。小蟬帶笑接過花，點頭道謝。

畢卡索站起來，望了她一眼，說：『走吧！來自未來世界的門口地墊。』

小蟬連忙站起來，高聲抗議：『我才不要做門口地墊！』

畢卡索扶著她的腰往前走，笑著說：『我花了一生把女人比喻爲門口地墊，想不到原來形神最似的就是你！』

小蟬嘟著嘴拍打他。畢卡索笑著躲避，邊走邊說：『居然還自以爲是，教我做好男人！自己的男朋友卻是世上最差的！』

小蟬從後撲上，伸出手臂扣住畢卡索的脖子，高聲說：『你敢多說一句，我就要你人頭落地！』

畢卡索吐吐舌，繼而使勁地彎下身，就強行把小蟬揹起來。強壯的他，揹著小蟬在大街上跑，跑了半條街，抵受不了她的尖叫，才把她放下，身手笨拙的小蟬跌倒地上，畢卡索就指著她大笑。

小蟬爬起身，握著山茶花與二十歲的畢卡索在街頭追逐。路上馬車往來，小狗在跑，頭頂上鴿子在飛，時髦的人各懷著他們的人生與她擦肩而過。蒙馬特山頭的黃昏特別美，街邊賣藝人的小提琴聲如泣如訴，教堂傳來鐘聲，紅磨坊內的美艷女郎引亢高歌……

她與他就在樓梯的轉角處擁吻，那牆上闊大的影子把愛情渲染得偉大情深，而畢卡索年輕的身體散發著顏料的味道……

一切都在夢想以內，連最意料不到的都已成眞。

她得到過這一切，爲什麼還要在意阿光一年後是否迎娶她？

原來，勇氣，眞的靠經歷練就出來。小蟬取笑自己，到了今時今日，居然仍會爲了一個微不足道的人而費心。

＊　＊　＊

畢卡索咬著塗上鵝肝的麵包，對小蟬說：『告訴我，阿光有什麼優點……如果有的話。』

小蟬捧著湯，邊喝邊說：『他專一、重視婚姻、我有危險時他會表現得似個男子漢，他曾經奮不顧身地爲我搶回被賊人搶走的手袋呢！』

畢卡索點點頭，問：『還有呢？』

小蟬眼珠一溜，說：『他長得高大英俊，專業有前途，工作賣力。』

畢卡索說：『還算有些優點……但當然完全比不上我！』

小蟬伸出腳來踢他。『硬是要找機會自大一番！』

畢卡索用餐巾抹了抹嘴角，然後說：『你是爲著他的優點所以留在他身邊？』

小蟬的神情立刻無奈起來。『可以說是吧……但說眞的，恨他的感覺，比什麼都強。』

畢卡索便說：『那麼，我們就完全不用再理會他的優點，就算他優點再多，也補償不了你對他的缺點的恨意。』

小蟬摩拳擦掌。『想起他便自然充滿殺意。』

『但你們又不分手啊！』畢卡索隨即說。

『對啊！』小蟬點點頭，似乎一派理所當然。

畢卡索嘆氣搖頭。『女人要淪落，誰都阻止不了。』

小蟬說：『你不是女人，你不會明白。』

『所以我最看不起女人！』畢卡索說。

小蟬擠出不滿的表情。『夠了夠了，我要你幫我，不是要你奚落我！』

畢卡索捧著一盤甜品來吃，聳聳肩。『沒什麼的，以牙還牙罷了！』

小蟬再踢他一腳。『說得跟報仇似的，我們在互相幫忙！』

畢卡索喝掉一杯水，舒暢了胃氣才對小蟬說：『首先，女人要有不對勁便掉頭走的勇氣。』

小蟬立刻說：『你已說過一百次了！』

畢卡索伸出食指搖了搖。『不只如此！』他大義凜然地說下去：『女人也要懂得控制男人！』

小蟬瞪大眼：『控制男人？有這個可能嗎？』

畢卡索揚起眉，又點點頭，說：『當男人做了不對的事，提醒一個男人就成爲女人的責任！』

小蟬眨了眨眼，倒覺得滿有道理。

畢卡索解釋：『你若是不提醒他，日復日地忍受下去，你對他的恨意只會愈來愈深。』

一矢中的，小蟬的情況正是如此。

畢卡索說：『你不告訴他，他如何會明白你有多不快樂？男人見你沒有反對的態度，他們便會照舊以同一方式與你相處下去。你不告訴一個男人他有不對，他就一世也不會知道自己不對。你也明白的吧，對於感情事，男人懶得去想，亦不會自動自覺改進。』

小蟬茫然地說：『難道錯的是我？』

畢卡索說：『你想想看吧！要是有一天你眞的殺死阿光，法官也不會同情你，世上不會有人體會得到你日積月累的恨意。你所恨他的，其實只是百千樣小事，當中無任何一件事，足以構成他的死罪。』

小蟬彎下嘴，抱住頭，非常苦惱。

畢卡索又說：『況且，阿光都決定要娶你，從他的角度，他自覺已做足了男人的本分。你的逆來順受，他怎會有心思去關注？』

小蟬抓了抓頭，這樣問：『但就算我要求他改，他也未必會理會我。』

畢卡索指著她，目光瞬即凌厲起來。『這個就是重點！』他放下手指，換了個姿勢，開始發表：『每一次當他做了一些令你覺得一世都不能接受的事情時，你要找個機會向他表明你的不滿，繼而，講出你的期望，而最後，你要威脅他。』

『威脅男人？』小蟬斜眼望向畢卡索。

畢卡索就說：『對啊！你知不知道男人最忍受不了什麼？』

『你說吧！』

『男人最忍受不了女人有離開自己的念頭。因此，你只要告訴他如果他不肯改，你們就分手，那麼，男人就會把你的話放在心上。』畢卡索發表完畢，就做了個非常滿意自己的表情。

小蟬想了想，才說：『總不成日日都喊分手！』

『對！』畢卡索點下頭。『所以，當遇上一些小不滿，你表達了之後，可以這樣對他說：「如果你改了這些那些，你會更man啊！我會更喜歡你啊！」又或是，帶點撒嬌地告訴他：「我恨死你那樣做！」又或是出這招撒手鐧，哭著對男人說：「你欺侮我！」』

小蟬定了定神，簡直嘆爲觀止。『是嗎……』

畢卡索就說：『太不滿意的話就威脅分手，並且加多一句：「我們的關係不成功，都是你一手造成！」男人最討厭失敗，他聽到之後，一定會反省。』

小蟬搖頭驚嘆。『太厲害了……』

畢卡索得意洋洋。『無辦法，我是男人，我最明白男人。』

小蟬把他的教導念記於心。『好，你讓我消化消化。』

畢卡索最後說：『但一切的最基本，是要他愛你，只有當他愛你，他才會受你威脅，以及肯去反省改正。』

小蟬苦笑。『這一點我滿有信心，我知他對我是有心的，只是……』她嘆了口氣：『他眞的很糟很糟……』

畢卡索說：『既然他是眞心，那麼就有變好的可能。如果一個男人不眞心，他就恨不得你受不住氣快點消失。』

小蟬咬住牙想了想。『我信他是眞心……我也不知道……大概是吧……』

畢卡索抬起手聳聳肩。『如果他不眞心就更好辦，你乾脆離開他好了！』

小蟬笑了笑，望著畢卡索。『對啊，還是這樣子最方便！』

* * *

小蟬一直在思考殺死舊阿光的細節。當他恥笑她看的電影和小說時，她該有什麼反應？當他無緣無故拿她出氣時，她可以怎麼辦？當她發現他不體貼，她會如何教訓他？

畢卡索依照小蟬的描述，把阿光的樣子畫了出來，讓小蟬心情不好時朝畫布擲番茄雞蛋。而不消兩天，畫布上就滿佈紅紅黃黃的殘漬。

另外，他又鼓勵她：『想想你希望阿光變成何模樣，想好了之後，我爲你再畫一幅。』

小蟬便坐到窗台上凝望街角，好好地把她與阿光的關係細想，究竟，要一個怎樣的阿光，她才會活得不那麼憤怒。她垂眼望向巴黎的小街道，小石砌成的灰石地上有人在踏單車，有人拉手風琴，孩子與小狗玩拋球遊戲。對街的樓宇上有人澆盆栽，有人煮咖啡，老太太在打毛衣，叼著煙的婦女正在曬衣裳。這是一百年前的世界呢，而一百年後，所謂的平靜生活也是差不多的模樣，大家都希望，日子可以悠閒地度過。

有一天，當要回去了，小蟬想要的理想生活，不外是如此。做些愉快又簡單的小事，安安樂樂。如果眞的要與阿光結婚，她希望繼續工作，下班後，可以看一齣電影，吃一頓美味的晚餐。更完美的會是，阿光會摟著她在沙發上一同把電影看完，而洗碗的工作，阿光會自動請纓做妥。她要求的，向來只是這些。平靜愜意地過日子，而身邊的男人，愛護她又能與她分享。

阿光會做得到嗎？一直以來，阿光都似乎與這理想差得太遠，而這是否因爲，小蟬從來沒要求過阿光達成這種理想？

小蟬就如許多善良單純的女孩子那樣，一心以爲，只要有愛情，只要這個男人成爲自己的男朋友，他就會自動自覺懂得如何去愛她，去與她分享。

而當男人做不到，女人就逕自惱恨塡胸。女人就是沒想過，男人做得不好是因爲女人沒有好好教育他。女人硬是以爲，自己的忍耐，就等於教育。但女人的忍耐，男人從來看不到。

如果，她照著畢卡索所說的去對付阿光，他們的關係就可以改善嗎？抑或，統統只是一廂情願，這個阿光永遠只會冥頑不靈。

或許，對阿光做任何事，他都不會變得更好；但又或許，一經調教，奇蹟便會出現。

她是滿懷信心走到這個世界來教導畢卡索；卻沒有信心走回自己的世界整理一個無名小卒。

咖啡的香味隨風送至小蟬鼻尖，她合上眼，流露出滿足的笑容。是的，她一直很易滿足，她只要阿光體貼她，肯用心與她溝通，她便能很滿足。然而原來，這些小要求難度也可以很高，得不到便是得不到。

畢卡索從街上回來，帶來了食物和報章，那年頭，他的法文很差勁，他常要閱報認字。小蟬從窗台上跳下來，給他一個擁抱，然後她接過他買回來的材料，看看可以弄一個怎樣的午餐。往後的一小時，廚房之內會有沸水的聲音、切菜切肉的聲音、燒飯的聲音，而畢卡索會坐在畫布前，嘗試回到二十歲的心情，畫出一幅又一幅將會驚世駭俗的畫作。

這樣的生活，小蟬最享受，簡直就是人生的至高理想。簡單平靜而愉快，而身邊的男人愛她，又與她心靈相通。

忽爾，就心血來潮，她走到大廳而菜刀仍然握在手中。畢卡索看到她就叫起來：『你別弄錯！你要殺的人不是我！』

小蟬望望自己手中的刀，然後說：『我要告訴你我理想中的阿光是何模樣：他要愛我，以及與我心靈相通。』

畢卡索緊張地擺動雙手。『乖乖，放下刀！』

小蟬反而把刀提得高高，她說：『要是他達不成我的理想，我是否就要把他殺死？』

畢卡索退後三步，說：『不不不，你弄錯了！我是要你殺死舊日的他，即是說，不管如何，回去後立刻殺死他才再行動。』

小蟬垂下握住菜刀的手，忽然沮喪起來。『但他怎可能與我心靈相通？他除了山水畫與人物素描之外，什麼畫也看不懂。』

畢卡索走過去，摟住她的腰一起走進廚房。他說：『那麼你對他解釋畫的意境、技巧和美的角度。』

小蟬把刀放回砧板上，她說：『倘若他不願意學呢？』

畢卡索把湯鍋的蓋掀起，享受地嗅著那香氣。『那麼你就告訴他，要做你的男朋友，就算不是藝術天才，但至少也要懂得一些皮毛。』

小蟬覺得不可行。『他不會願意分享我的喜好。』

畢卡索便說：『藝術對你來說重要嗎？』

小蟬不假思索便點下頭。

畢卡索說：『那麼，他便要尊重你覺得重要的事情。正如，如果你覺得你的孩子是很重要的，你的男朋友便尊重你對孩子的愛，以及你的孩子。』

刹那間，小蟬驟然清醒，她跳起來說：『多棒的比喻！對了，就是尊重！就好像我尊重他的事業和他的朋友那樣！男女雙方要尊重對方覺得重要的人與物！』

畢卡索輕鬆地說：『你一直任由他鄙視你的興趣，因爲你以爲興趣不是正經事，連你自己都沒想過，你的興趣就是你的生活中最重要的事。』

小蟬說：『我實在不應讓步。』

畢卡索偷吃了一片火腿。『就算他不明白藝術，不喜歡藝術，也不該侮辱輕視。因爲這是你重視的。』

小蟬點點頭，如夢初醒。『對啊……其實整件事完全是態度的問題，阿光對著我，態度根本一直很差，不懂得欣賞我尊重我……其實，他的做人態度向來有問題……』

『女人步入男人的生活，同時候，女人也要教男人步入自己的生活。這樣才是健康地相愛。』畢卡索說。『如果你忍受不了男朋友的品格，你有責任令他停止對你加添傷害……』說到這一點，畢卡索忽然說不下去，他想起了自己對待女人的態度。

他合上嘴，不自在地擦了擦鼻子。

小蟬瞅著他：『你眞是很聰明啊！教人意想不到！』

畢卡索拖著她的手，說：『管人家的事自然就聰明。』

小蟬問：『那你有否走進朵拉她們的生活？那些女人，似乎一直都只在調整自己，以適應你的生活。』

畢卡索的眼睛溜向上，逃避回答。『嗯……我始終是不同的，我是畢卡索嘛……』

小蟬拍打他。『你說，要調教男人多困難！』

畢卡索教導她：『調教不成功就換一個囉！』

小蟬抓了抓頭。『這個嘛……』

畢卡索拍了拍她的肩膊，說：『女人，威猛一點，大不了獨自一個生活！』說罷，就擦過她的身邊走出廚房。

小蟬把肉放到湯鍋中。看來，這就是最不會委屈的打算。

但想起了畢卡索說一套做一套，小蟬就忍不住發笑，她朝大廳的方向喊：『你自己也要懂得尊重女人啊！不要講和做兩回事！』

畢卡索正調教顏料，他沒好氣地低聲說：『我怎會與其他男人一樣？畢卡索自然有特權橫行無忌……』

小蟬從廚房的木門邊伸出頭來。『什麼？』

畢卡索沒轉頭望向她，他甚至不打算回答她，他哼歌迴避她。

『嘻，畢卡索怎會一樣……』

*　*　*

小蟬很少在巴黎街頭流連，路人看見她是東方女子，總帶有幾分愕然和不友善。小蟬也不稀罕巴黎的景致，她來到這片天地，爲的只是畢卡索。

日常生活所需，畢卡索會爲她張羅。但當然，假如是與畢卡索一起的話，她不介意陪伴他在街上遛達。

這一天，小蟬捧著咖啡依在窗台，優閒地望向街外。這小街行人不多，男士們早上離家外出工作，在餘下的白天，進出的多是照料家庭的女士，和在街上跑動的孩子。女士們攜著食物籃走在街上，長裙的末端總是非常不雅觀，沾滿了灰塵泥濘，就連普通主婦也會穿束腹內衣和頭戴小巧的帽子；家務繁多衣著卻不輕便，小蟬單單看著她們，也體會得到那種拘謹和辛勞。當有空餘時，婦女們聚在一起說說是非，或是縫製衣飾，生活單調，看來也沒什麼啓發性。

電燈只在富裕的地區普及，夜間家家戶戶採用的是油燈。冬季來的時候，大家會燒煤取暖。每煮一餐飯都是體力的勞動，沒有煤就要砍柴。最糟糕的是，這年頭還未有電影，而藝術，就等於歌劇、音樂演奏、繪畫和文學。

如果不是畢卡索，小蟬會悶得發慌。她把畢卡索的一疊草稿捧到窗台前閱讀，兩隻鴿子擒在窗外的欄杆外注視她，她把麵包屑抛出去，就引來更多鴿子飛近。

小蟬覺得很有趣，因此再把麵包屑抛出窗外。不料，忽然來了一陣風，擱在窗台上的一張畫作草稿就隨風飄出窗外，輕盈地在半空飄動，不久降落在小石地上。

小蟬把頭伸出窗外俯望，她看見，那張畫作草稿飄落在一名戴著高帽子的紳士腳下，紳士彎身拾起草稿，接著向上望去。

小蟬看見這名紳士的臉，頃刻，她渾身一震。

『不會吧……』她在心裡叫嚷。

紳士只仰望了數秒，接著，他把草稿放到小蟬所居住的那幢樓宇外其中一個信箱中，然後他就繼續往前走。

小蟬在窗台上大叫：『先生，請留步……』

紳士再次向上望去。那張被帽子遮擋了三分一的臉，的的確確是——阿光。

小蟬屏息靜氣，立刻開門跑到樓梯間，她抓起累贅的裙腳，以畢生最驚人的速度往下跑。終於跑到街上來了，環顧四周，她已找不到那紳士的蹤影。

她喘著氣，背上冒出冷汗。一名傴僂的老伯走過她面前，並以怪異的目光望向她，她心一慌，飛快地轉身把信箱中的草稿拿走，急急跑上樓梯。

走進住所後，她立刻把門關上，然後背貼著門繼續喘氣，她按住自己的心房，臉色發青。

『不可能的，阿光怎會也走到這時空來……』

小蟬沒有把事情告訴畢卡索，她怕那只是她的錯覺。但因爲那戴高帽子的紳士的出現，小蟬就常往街上走，她希望再碰見他。

她不敢相信，一向對洋人又驚又怕的阿光會走到二十世紀初的法國來。她告訴自己這是不可能的事；但就因爲太不可能，她不得不弄清楚。

最終，她還是再碰見這個男人。

那是兩天之後的事。小蟬在早上時分往街上遛達，就在一家糖果店外，她再次碰上他。高帽子紳士自糖果店步出，繼而站定下來，小蟬那時正前往糖果店，她與他的距離約有二十步。小蟬看見他，便愕然地怔了怔，從這個距離望去，他的確長得與阿光一模一樣，奇怪的是，他以戴著黑色皮手套的右手拿起一盒糖果朝小蟬的方向搖了搖，更向她擠出笑容，笑得露出了牙齒。

沒有錯，這就是阿光，高度身形，甚至連笑容也同一模樣。曾幾何時，當他倆初相識之際，在每次約會中，阿光也以這可親的笑容站在街上，等待因遲到而跑過來的她……

『阿光……』小蟬呢喃。

忽爾，一個拉牛的人走來擋住他們，不合情理地，拉牛人把牛拉進糖果店內。

小蟬試圖越過拉牛人。但越過了之後，高帽子紳士就不見了。

整件事像極了怪異的夢境。

小蟬抓緊身上的披肩，皺住眉呆然站在大街上。阿光怎麼會來了？而來到這個時空之後，阿光連氣質也變了。他穿著前幅短而後幅長的修身西裝，翻領白襯衫配深色領帶，筆挺的西褲下，是一雙擦得發亮的皮鞋，更配有精巧的皮手套和高帽子。阿光就如他的一身打扮，文質彬彬，儀表不凡。

『奇異啊……』她喃喃自語。

而她隱約感到，她一定會再碰見他。

之後小蟬又在街上遛達了兩天，於一個下午，她走進一個公園。原本精神也算抖擻，但愈往公園的深處走，心情卻愈恍惚，悵悵然的，很不自在。不遠處有一名小男孩以長棒推著呼拉圈向小蟬的方向跑過來，小男孩與小蟬相隔大約三十呎。小蟬看著這小男孩，忽然從心裡發麻。小男孩並沒有望向她，那張小臉並無表情，他正專注地推著呼拉圈大步的跑。然後，小男孩跑近了，在與小蟬相距十呎的距離間，小蟬隨意抬眼望向小男孩身後的位置，就這樣，她再次看到阿光。

這一回阿光在三十呎的距離之外，朝著她脫下高帽子，對她作出一個紳士的敬禮。

小蟬正想回應，那推著呼拉圈的小男孩已跑到她身前，不可思議地，小男孩不打算避開小蟬，他是直直地向著小蟬衝過去。

小蟬想移開腳步迴避他，然而，她的雙腿重如鉛，無法走開。心一慌，她瞪大了眼，而那小男孩，連人帶呼拉圈穿過小蟬的身體。

小蟬驚叫：『呀——』

公園內聽見這叫聲的人都向她望去。她向後望又向前方張望，阿光與小男孩都不見蹤影。

『太可怕……』她掩住嘴巴，急步離開這個熱鬧的公園。

小蟬魂離體外般返回畢卡索的住所，她腳步浮浮，走上樓梯時，感到力不從心。她跌進她與畢卡索的木板床上去，臉孔埋在枕頭之內，全身乏力。她曾經以最自由最有朝氣的姿態穿梭在畢卡索的人生裡，她高高在上，沒有一刻的迷亂，也無任何驚恐，愉快又適然，佔盡上風，萬事皆能操控。小蟬實在不明白，為何此刻她會如此虛弱，手腳不聽命令，而一顆心驚惶失措。

是因為什麼？會不會是想阿光想得太多，因此有了可怕的後遺症？

小蟬伏在床上不動半分，心跳緩慢，精神恍惚。

二十多歲時的畢卡索原來有一個特別的行爲：他喜歡反鎖女朋友在家。費爾藍德就飽受被畢卡索鎖困在住所的煎熬，畢卡索討厭美麗的費爾藍德與其他男性接觸，當畢卡索外出時，他把愛人反鎖家中，如此這般，就保障了自己的安全感。

小蟬沒有讓畢卡索憂心過，她根本討厭外出，亦無興趣與其他人接觸，更重要的是，畢卡索知道，這個女人只是一個幻覺，他要鎖也鎖不住；他考慮過反鎖她，後來又打消了念頭。而這個令他放膽餽贈自由的女人，動靜一如小寵物，每次畢卡索把鑰匙插進木門中時，她便會準備好飛撲的姿勢；當大門一打開，畢卡索便會被她高高興興的抱住，然後，他倆會熱情地摟著對方親熱。

畢卡索愛煞小蟬熱烈歡迎他的行徑，他喜歡被女人狂熱地需要。

小蟬明白畢卡索每次歸家的期望，於是，她總會警覺地留意大門的動靜，準備來一次熱情如火的擁抱。

此刻，門鎖發出聲響，小蟬就從枕頭中仰起臉，她以手指梳了梳亂髮，然後起床，準備跳下床直奔大門前。

她是一個好的女朋友，從不辜負男朋友的期望。

然而當門一開，小蟬就感到十分意外。內進的人不是畢卡索。她掩住嘴，伸手指著進門的人，期期艾艾地說：『啊……是你們……』

內進的人有三個，她們分別穿著胸罩、睡衣和泳衣，她們是Mystery的三胞胎。

『阿大阿二阿三小姐……』小蟬走到她們跟前。

阿大張開手臂，說：『很久沒見，海藍寶石小姐。』

小蟬上前與阿大來一個擁抱，阿二阿三也圍上來，親切地擁抱她們尊貴的客人。

小蟬看見她們，心裡頭也著實高興。『再見你們，感覺恍如隔世……』

穿著少女味道半罩杯型白色蕾絲胸罩、內褲和花邊絲襪的阿大說：『也快三十日了。』

『三十日……』小蟬呢喃：『我快要回去了嗎？』

穿在阿二身上的是一件男裝條紋睡衣，她說：『你的肉身正躺在醫院中，不久之後將會甦醒。』

阿三穿著兩截式泳衣，上身是露肩的V型設計，泳褲則帶有六〇年代的風格，低腰平口，顏色是巧克力一般的深棕色，泳褲的前端綴有一個銀色圓形釦子。她說：『海藍寶石小姐會在這個空間逗留至後天，到時我們會安排送你回到原本的肉身和時空。』

小蟬立刻依依不捨。『我的旅程要完了……』

阿大說：『所以，你重複碰上阿光，他喚醒你歸來的意識。』

阿二說：『你亦一天比一天虛弱，你快將與這個空間作別。』

小蟬跌坐到椅子上。『我只剩三天的時間說再見？』

阿三說：『無論是三天抑或三十天，始終要講再見。』

小蟬雙手緊握，她說：『我會捨不得，十分十分捨不得……』

阿大告訴她：『有聚就有散。你回去之後，開始的是另一段旅程。』

小蟬抬起無助的眼睛，虛弱地說：『我已習慣了感受畢卡索的存在。我忘了我在這個時空有多久，我只知我所存活的每一刻，爲的是與他同在。』

阿二微笑。『那麼，回去之後你就有另一個學習使命：你要學懂爲自己而存在。』說罷，阿二就感嘆：『當女人學習爲自己而活的時候，我總是分外的感動……』

阿三說：『爲別人存在的旅程始終會完，只有爲自己存在，那旅程才會永恆不息。』

小蟬細細地呼了一口氣。『但回去之後，我就要面對阿光。』

阿大聳聳肩。『你始終要解決這個男人。』

小蟬把身挨向後，非常洩氣。『他眞是我的人生難題。』

阿二說：『我們信任你，今時今日，你必定會處理得很好。』

小蟬咬緊牙關合上嘴，一想起阿光她就皺眉。

阿三說：『後天會有一輛馬車把你接走，你會安全返回原本的時空。』

無法不傷悲。『我捨不得畢卡索！』

阿大輕拍她肩膊。『放下了不等於失去，他會常存你的心內。』

阿二說：『以後，你一想起他，便會充滿力量。』

小蟬撇起嘴，很想哭。

阿大阿二阿三風騷地說了一些話之後，就逕自開門離去。小蟬一直窩在沙發內，心情逐漸低落。究竟如何說別離才不那麼痛？她的嘴愈彎愈下，她實在不懂得怎去和一個相愛的人說再見。

＊ ＊ ＊

畢卡索回來時，雙手正捧著食物，小蟬上前擁抱他，想擠出笑容但笑不出來。畢卡索放下沉甸甸的紙袋，問她發生了什麼事，小蟬便告訴他，後天大家便要分離。

說著的時候，小蟬的神情很哀傷，畢卡索聽了就面色一沉。

小蟬把食物放進廚房內，畢卡索看著她擺放東西的背影，眉頭一皺，就打開大門走出去，他關門的手勢是一貫的猛烈沉重。

隨著那『砰』的一聲，小蟬的心開始痛，她瑟縮在廚房的一角，掩臉垂淚。那哭泣由默然漸變爲嚎哭。

分離究竟有多愴痛？哭不了一會，她的胃就翻了過來，她按住胃又按住心，她傷心得要嘔吐。

她以近乎爬行的姿勢走回大廳，勉強支撐起來，再扶著牆走到睡房，然後就一直伏在床上痛哭。除了哭泣之外，她實在找不到另外一個表達自己的方法。

半夜，畢卡索回來，她坐在床上向大門望去，看見他握著酒瓶，樣子有點昏醉。小蟬以手抹了抹面，然後以一種等待著一場爭吵的心情望著他，他正站在畫布前，木無表情地盯著她。目光內不帶任何感情，二十歲的畢卡索已懂得如何叫女人心寒。

『你，出來。』他對小蟬說。

小蟬走下床，蹣跚地站到他跟前。畢卡索看了她半晌，然後就吩咐：『拿兩只杯出來。』小蟬聽話地走進廚房拿杯子，放到畢卡索跟前的木檯上，她仔細注意他的神色，看來，他並無要發作的意思。

他倒酒，要小蟬喝下去，小蟬把酒一喝而盡，輕輕地放下酒杯。

畢卡索一連喝了兩杯，才對小蟬說：『你回去之前替我把費爾藍德找出來！』

小蟬覺得很爲難。『你與費爾藍德要在三年之後才會相識啊！』

畢卡索把酒杯大力按在檯上，語調嚴厲地說：『你總不成說走就走！你要我忘記你，就要給我找來費爾藍德！』

小蟬討厭畢卡索的強人所難。她斟出酒，喝了一口，然後悶聲不響走到睡房中。她倒在床上，合上眼睛，帶著醉意睡覺去。她無力氣與他爭論，寧可好好睡一覺，避開這個男人。

不久，在小蟬將睡未睡之際，她發現畢卡索也爬進床上來，她轉過身伸手抱住他，她感覺到他的肌膚微震。她在心中嘆了一口氣，在漆黑中吻走他的眼淚。怪可憐的，他以憤怒掩飾悲傷。她沒教訓他，沒拆穿他，只是溫柔地抱著他。她讓他哭，哭得累了之後，他與她都雙雙入睡。

複雜的男人帶動複雜的愛情，就連傷心，都來得不純粹。

翌日，小蟬與畢卡索往蒙馬特山頭走去，她知道三年之後，畢卡索會搬到這山上的一幢住宅居住。

小蟬與畢卡索邊走邊說：『未來三年，你會在西班牙與巴黎間來來往往，一九〇四年，就是你與費爾藍德相識的一年。』

畢卡索打量散佈各山頭的畫家陣形，然後笑起來。『我也差不多忘記了。你知道嗎？愈在這個空間逗留下去，我對往事的記憶愈模糊，彷彿是重新活過一樣。』

小蟬挽著他的手臂。『這樣很好嘛！』

從書本中，小蟬讀過畢卡索在蒙馬特山上住宅的名字，現今卻記不起來，而畢卡索則像是找尋前世記憶那樣，憑感覺茫然地在巷與巷之間遊走。當來到一幢名爲 Bateau Lavoir 的住宅跟前，小蟬便停了下來，而畢卡索脫下頭頂的扁帽子，帶點興奮地說：『好像是這裡……』

小蟬笑著說：『好……三年之後，你與費爾藍德在住宅外碰面，繼而你才知道，這名大美人是你的鄰居。』

畢卡索抬頭向上望。『聽上去很浪漫。』

小蟬則說：『邂逅美麗的女性當然浪漫。就算你住巴黎她住非洲，你也會覺得大家極有緣分，距離極近。』

畢卡索聽得出她的酸溜溜，於是說：『但也浪漫不過我和你的邂逅。』

小蟬低著頭，笑得很甜。

畢卡索吻了吻她。然後二人牽著手，倚在住宅的大閘前。小蟬明白他，他是意圖等待那名三年後出現的情人。

這山頭充滿藝術的浪蕩味道，隨處可見三五成群的年輕藝術家切磋討論，咖啡店和小酒館中，有人唸詩，有人演奏音樂，也有人繪畫和攝影，明媚慵懶又自在，非常動人。

畢卡索說：『我們活得貧窮但熱情洋溢。』

小蟬說：『你的一生都充滿熱情。你什麼都有，美女、名氣、成就、財富、才華……』

畢卡索望著她，這樣說：『但我就是不能擁有你。』

他的目光像個得不到心愛玩具的孩子，看得小蟬心裡惻然。小蟬彎下嘴，張開臂彎擁抱他，她怕他再多說一句，她就會在這山頭上落淚。

他們逗留了一會兒，然後畢卡索提議離開。差不多黃昏了，天在變色，走在山頭來作樂的人更多。他們步過一個大廣場，那裡有人耍雜耍、賣畫、奏樂、賣小吃。忽爾，畢卡索停下腳步，小蟬隨他的視線看去，就在不到二十呎的距離，費爾藍德就站在那裡。

她拿著酒和煙，在一所小酒館門外與三名男子聊天。那一年，她剛在巴黎混了數個月，以當畫家的模特兒爲生。費爾藍德長得貌美，臉蛋小巧，下巴尖尖，最別致的是一雙長長的眼睛，雙眼皮很深，眼珠子大大又水汪汪的，當眼波流轉時，非常嫵媚；眼睛下長有呈紫紅色的眼袋，別的女人長有眼袋不會好看，惟獨是她與眾不同，那暗紅的一圈，令她看來神秘又複雜。

她偶爾轉過臉來，目光落在正凝望著她的畢卡索身上，她朝著這英俊的西班牙小子笑了笑，然後繼續與自己的朋友談天。小蟬看見畢卡索的耳畔紅起來，他情不自禁掛上一個傻笑的表情。

眞了不起，再見一個相愛過近十年的女人，居然還會重新動情。小蟬先是訝異，然後，免不了有一點點妒忌。注定互相吸引的人，無論在什麼時空遇上，愛意總能一觸即發。

小蟬咬著唇垂下頭。命運中的相遇，沒有人能打亂。要相愛的人始終會相愛。

費爾藍德沒再轉過頭來。畢卡索看了她一會，就與小蟬繞道而行。他的目光閃爍又溫柔，這個美麗的女人，將會爲他一生多姿多彩的愛情展開序幕。

想起這樣美好的事，畢卡索就連走路的姿勢也散發出愛情的味道，悠悠然的，輕飄飄昏昏醉的。

小蟬撇起嘴說：『啊，立刻就忘了我！』

畢卡索嘆了一口氣，把手按在心房上，這樣說：『對不起，我實在按捺不住心頭的震撼。』他的神色夾雜著悲與喜。

小蟬挽著他的臂彎，把頭側放到他的肩膊上，她不願意顯得小器，於是說：『我不是爲了霸佔你才走到你身邊來。』

畢卡索感激地望著她，立刻牽起她的手又輕吻她的臉龐。『世界上沒有女人比你更好！』

小蟬指著他說：『你說過就當眞！將來有人問你哪個女人最好，你一定要回答是我！』

畢卡索不置可否，但他臉上的笑容倒是眞心的高興。

不知怎地，看過費爾藍德，就像看見了希望一樣。

喜樂地，畢卡索以圓滿的心情走回家。

晚上，二人喝酒用膳，畢卡索對小蟬說：『我看，你不用把我帶回去原本的時空，我不想回到范思娃離開我的那個年紀。』

小蟬問：『你決定再活多一次？』

『好不好？』畢卡索說。

小蟬笑：『可見你多麼自戀。』

畢卡索不否認：『我一生憾事少，惟獨是……』他抬眼凝望小蟬：『有些事情，我想再試一次。』

『費爾藍德？』小蟬試探。

畢卡索聳聳肩。『還有伊娃、奧爾佳、瑪莉特麗莎……』他認眞地說：『這一次，我想愛得不一樣。』

小蟬說：『你認爲你會做得到嗎？當你把藝術、個人意向、名利、面子、朋友……統統放在前排位置時，你便會忽視你所愛的人。』

畢卡索莞爾：『你不是一向要求我以另一個方式去愛的嗎？』

小蟬說：『你決定不回到原來的年紀是一件大事，反覆討論一下也是好的。』

畢卡索放下叉子，以手揉著前額，說：『再活一次，我早已了解到我的畫風的轉變，我不用再每天徹夜不眠地思考，我隨意便可以畫出同樣重要的作品。』然後他說：『當我再也不可以用藝術作爲藉口的時候，我可以花多些心神去愛一個人。』

小蟬笑問：『你願意？』

畢卡索說：『我想享受一些我未享受過的事。』

小蟬訝異地搖頭。：『眞想不到你會有這念頭。』

畢卡索緩緩地說：『待薄一個女人並不能令我眞正的快樂，但是……』

『什麼？』小蟬問。

畢卡索笑起來：『待薄一個女人能令我感到心涼，而心涼是多麼暢快的一種感受……』

小蟬叫起來：『死變態佬！』

『是啊，我變態！』畢卡索一手扣著她的後頸，另一隻手把酒強行倒進她的口中。

小蟬笑著反抗。『你休想……灌醉我……』

畢卡索把她拉起身，紅酒就濺瀉在她的衣衫上。『我畢卡索想要什麼就能得到什麼！』

小蟬甩開他，笑起來：『哈哈！別妄想得逞！』

畢卡索一手抓住她，然後把她推進睡房的床上。他猙獰極了。『我什麼也試過，就是未試過污辱女性！』

說罷，他就伏到小蟬身上使勁按住她，那擠出來的表情卻是誇張地瞪大眼睛。

小蟬看著他這個模樣，忽然想起一個人：『Mr. Bean……』

『是誰？』畢卡索假裝粗暴地把她的衣衫撕開。『不准想起別的男人！』

小蟬很高興，哈哈哈地高聲大笑。

畢卡索氣結。『你該反抗，然後欲拒還迎！』

小蟬就嚷出一句：『也媽爹……』

『說什麼？』畢卡索皺眉。

小蟬說：『交一個日籍女友便會知曉！』

說罷，她索性自己撕走身上的衣物。畢卡索見是如此，便又急忙把自己的衫褲脫去。當這兩個人一爬到床上，總要比賽鬥快脫掉衣服……

親熱完畢後，小蟬躺在床上調整呼吸，她流過汗又臉紅紅的，剎那間忘記了將要分離的傷感。畢卡索轉過身來與她調笑，一邊輕拍著她的臀部。她很愛與畢卡索赤條條地躺在床上，親熱也好，說笑也好，總是那樣無憂無慮。精力旺盛的男人在親熱之後，會閃亮著眼睛告訴她一些童年往事：他告訴她父親及家人對他的期望，身為繪畫教師的父親，向上天祈求畢卡索有所成就，並在畢卡索十三歲那年封筆不再畫畫，為求上天把所有天賦完全送給兒子；他又說過自小對鬥牛感興趣，從小就仰慕鬥牛勇士的男人味，發誓長大後要變成他們……

小蟬伏在床上，單手托著頭凝神聆聽畢卡索的小故事，這一刻，畢卡索說及他的妹妹。

『我十三歲的時候，妹妹八歲，她得了傳染病，我們都知道她命不久矣。我忍受不了看著平日傻氣活潑的她在病床上翻著白眼奄奄一息。我痛苦地向上天祈求，如果妹妹能夠痊癒，我願意以繪畫的天分作交換，妹妹康復的話，我就讓上帝把我的才華沒收……』

原本歡樂的氣氛，隨著畢卡索所說的往事一掃而空。瞬間，二人就被哀愁淹蓋。

畢卡索沉著臉說下去：『許過這樣的願之後，我走到妹妹身邊觀看她，果然，她不再翻白眼，也沒有沉重地喘氣，驀地，我就後悔了。我害怕妹妹會死，更害怕妹妹不死的話，我的才華會離我而去……』

小蟬聽得屏息靜氣，畢卡索頓了頓，把眼珠溜過來望了她一眼，然後說：『最後，妹妹還是死了，我反而覺得安樂，舒了一口氣。』

故事完結，畢卡索就默然，躺在床上的他木無表情，目光惘然。

小蟬伸手去握著他的手，她也不知該說些什麼。畢卡索感受到她的關懷，他勉強笑了笑，然後這樣說：『我就是這樣自私自利的人，自小已是如此。』

小蟬俯下臉輕吻他的手背，安慰他：『妹妹的死不是你的錯。而你，一直都極為珍惜你的藝術天分。』

畢卡索望了她一眼，繼而苦笑。『你以往說得對，我是一個賤人。』

小蟬把他的手掌貼著她的臉龐，心痛地說：『不，不要胡思亂想，別怪責自己。』

畢卡索把視線放到天花板上，然後說：『你知道嗎？在那一刻，我很想很想妹妹死……』說罷，他就由床上坐起來，垂頭掩臉。

小蟬溫柔地按著他的肩膊，又輕輕吻在他的脖子上。不久，她就感受到他的身體在微微抖震。畢卡索掩臉垂淚。

小蟬什麼也不再說，她張開雙臂，從後環抱這個她愛的男人。

如何去安撫一顆渴望懺悔的心？會不會是給予最有耐性的愛情？這個男人說好不好，說壞不壞，他沒有殺人放火，卻恃才傲物，冷酷無情。當女人因爲受不了他的殘忍而立心離開時，卻又突然被他的虛弱所軟化，這個男人，總令女人無法放手。小蟬看著他此刻的悲痛，對他的感覺全是愛憐，他再偏邪狠毒，她還是只能深愛他，就如他一生中所有女人那樣，不敢、不想，卻還是只能不回頭地愛下去。愛上了一個複雜的男人，還能怎麼辦？

她用指頭輕掃他的髮鬢，呵著氣對他說：『人世間無天使，我也不渴望你扮小天使。而我，你看我，不也像魔鬼嗎？千里迢迢地來介入你與其他女人的愛情。』

畢卡索從手心抬起臉來，問她：『你不是希望我變得更好嗎？』

小蟬捧著他落淚的一張臉，說：『我只求你不要虐待女人，但沒求你做聖人。』她笑起來：『男人沒有一丁點兒壞，女人不愛。』

她替他抹走眼淚，這個脆弱的畢卡索乖乖的一如孩子。

他仍然撇著嘴。『我不知道……』

與畢卡索一起的日子，總是一天如四季，喜怒哀樂從不缺，每一天都是各種情緒的混雜，上一秒才開開心心，下一秒就憤怒暴戾；而接下來的另一秒，又憂鬱情深……

沒有女人能預知會發生什麼事，只知道，望著這個男人，總是欲罷不能。

小蟬不忍心畢卡索沉溺在哀愁中，她所愛的這個男人不會是這樣的。她心痛得不得了，腦袋急速打轉思考該如何走下一步。最後，她決定吻他的唇，藉此撫慰他。當兩唇緊貼良久，肉慾又再燃起，他倆滿有默契地相視一會後，隨即又再讓身體擦出激情。這兩副身體有種不可言喻的合拍，小蟬不止一次懷疑，如果可以久留這時空，說不定會百子千孫。

小蟬後來累極入睡，臨近天亮之前她醒來，看到畢卡索站在畫布前作畫，畫布上是一顆心，鮮紅、血脈交纏、不平衡不規則，沒有被浪漫化，但也沒有被眞實化，完完全全是畢卡索風格的一顆心。

小蟬沒有驚動他，她只是躺在床上凝視他的背影。當畢卡索作畫的時候，那個世界就變得純淨無瑕，無人再理會他有多乖戾野蠻，亦不會有人計較他的冷酷無情，當畢卡索作畫，他表達的是單純的偉大和力量，揮動畫筆的時候，他就變成了一件由神派來凡間的完美工具。

他常說她是他的心，超越了容貌軀殼，一顆心比任何事物更高尙。想到自己在這個男人心目中的重要性，小蟬就不知不覺落淚，沒來錯他身邊，眞好。

有多少女人如此好福氣？有幸成爲自己所仰慕的男人的一顆心？

眼淚一串一串流瀉而下，小蟬掩住嘴，不讓自己發出任何聲音，她要仔細地把這個男人的形神烙入心坎中。

一小時、兩小時、三小時……街上的人聲開始煩囂。畫作完成了，畢卡索放下畫筆，轉過身來，就看到睡房中那個蹲在床上凝視他的女人，於是，他朝她一笑，而這笑容，是世上最溫柔的。

小蟬的心悠悠蕩漾，幸福的感覺滲入了全身的血脈，當那柔和的暖意匯聚到臉孔和腦袋之後，哭泣的衝動又侵襲了。在畢卡索溫柔的微笑中，她感動落淚。

畢卡索帶著這種溫柔朝她走近，她感受著這強力的磁場，心忽然就慌起來，她不知道究竟害怕些什麼，他愈走得近，她就愈退縮。當畢卡索伸出手來擁抱她時，她就崩潰了，眼淚如決堤般流瀉，她埋在愛情中嚎哭。

這是他倆相聚的最後一天，而在他的臂膀之內，全都是愛情。她一直哭，哭得淒然轟烈，不由自主地，反覆吐露出的話是這一句：『我不配……我不配……』

不知怎地連畢卡索都心痛起來，他把她抱得很緊，下巴抵在她的髮頂上，他咬緊牙關，強忍著悲慟。

抱著抱著，小蟬哭得倦了，畢卡索也有點睏，於是就雙雙入睡。你說，這種戀人日子不是極美好嗎？活得像兩頭小動物，要愛就愛，要睡就睡，想罵便罵一場，要和好時，又只需要送給對方一個吻……所有的行動都來自一種原始性，轉變急速，眼花撩亂，然而又用情最眞。

* * *

醒來後已過了中午，他倆決定不往外走，Mystery的人隨時會到來通知小蟬離開。

他們吃了一點東西，沒說什麼話，兩人的心情都沉重鬱悶。

小蟬捧著畢卡索為她繪畫的那顆心來看，然後她提議畢卡索為她畫人像畫，畢卡索示意她脫下衣服，於是小蟬乖乖依從，她光著身體側臥沙發上。

以往畢卡索偶然也會為小蟬畫人像畫，有的穿衣服，也有不穿衣服的。而在這臨離別前的最後一次，畢卡索卻顯得興趣索然，他畫兩筆就發一陣子脾氣，擲下畫筆又撕掉畫布，暴躁而不耐煩。

小蟬轉換了姿勢，用披肩遮掩身體。畢卡索忽然說：『眞是男人的恥辱！』

小蟬定神望向畢卡索，看到他一臉不屑。

她知道，又來了……

小蟬問：『你說什麼？』

畢卡索望著她，似笑非笑地說：『喜歡過一名不及格的女人，丟盡了男人的臉！』

畢卡索坐下來燃起煙，吐出煙圈，樣子冰冷邪氣。

小蟬悶聲不響穿回衣服，她知道這個男人又在故意撩是鬥非。

畢卡索以夾著香煙的手指指著她說：『這樣子的身材怎能見人？饑民一樣，毫無女性美！』

小蟬坐在沙發上把襯衣的鈕釦扣起，然後抬起眼來看他。她不甘示弱：『你放心，今天之後你不用再對著這樣一副身材。只是，他日你懷念起來時，別哭得似個沒娘親的嬰兒！』

畢卡索立刻臉色一沉，他咬著煙，轉身從雜物中尋找出一疊畫作，他把小蟬的裸體畫一張張抽起，惡形惡相地在她跟前撕碎。那手勢俐落，好像眞的絕不留戀。『毫無價値！垃圾！』

小蟬抱住自己的手臂，無法自在。她叫自己冷靜，別中這個男人的圈套。然後，她決定站起來，走進廚房倒出一杯水喝下去，繼而她就想到要對他說的話。她走到他面前，這樣告訴他：『我快要走了，我知道你忍受不了。但你放心，我會一生愛慕你，你永遠不會失去我對你的愛。』

畢卡索沒有望向她，他垂下眼，而撕破畫作的動作亦停止。

小蟬溫柔地說下去：『你知道我愛你，而你，愛上過我也並不羞恥。』

畢卡索僵住了表情，他不知該如何反應。

而忽然，從樓下傳來怪叫的聲音：『嗚嗚——嗚嗚——三樓住了個怪模怪樣的東方女人——』

畢卡索立刻跑到窗台上向下張望，繼而，他轉身直奔大門，急步跑到樓下去。

小蟬從窗台俯望，看見三名法國小男孩。她逕自笑了笑，太明白會發生什麼事。她也沿樓梯往下走，走到樓宇之外後，她就看見畢卡索捉住其中一名小童使勁地揮拳毒打，而其餘兩名小童已溜得遠遠。

小蟬拉開畢卡索，喝止他：『夠了！』

畢卡索發狂一樣，握著小童的脖子不放。

小蟬拍打畢卡索的臉，迫使他放手。『你是不是想被人抓入獄！』

目露兇光的畢卡索這才把小童放開，小童哭著跑掉，小蟬則半拉半扯地把畢卡索推回樓上去。

她說：『我知你緊張我……我是知道的。』

畢卡索的表情怪異起來，他由憤怒轉爲悲慟。『我不許別人欺侮你……』

小蟬把他扶進居所內，她說：『那你也不要欺侮我嘛！』

連環發洩過後，畢卡索虛脫了，他無力地倒到沙發上。

小蟬抱著他說：『你最會用憤怒掩飾傷感。有什麼理由因爲捨不得我而要發我脾氣？』

畢卡索神情痛苦地埋在小蟬的懷裡，欲哭無淚。『你不要走……』他淒然地說。

小蟬輕撫他的一頭濃髮，嘗試安慰他。『遲些你就會與費爾藍德談一場轟烈的戀愛，她會是你一生中戀愛的開始。』

畢卡索卻說：『不，你才是我一生中戀愛的開始……』

內心不禁淒然。小蟬吻著他的髮頂，她紅了鼻子，想哭又不敢哭。

畢卡索說：『對不起……』

小蟬望向懷中的他，他變成了一個懺悔的孩子。她說：『算了吧，我明白你。』

反反覆覆，令人無法捉摸，就是這個男人的特徵。

畢卡索嘆了一口氣，他歉意地說：『我答應你我會眞的變好，讓有日我們在一個神秘的時空相遇時，你會愛我更多。』

小蟬微笑，她說：『其實，我也是個笨女人，管你是好是壞，我也已經愛上了。我就如同其他女人，愛你愛得心甘情願。』

畢卡索聽見後，精神就抖擻起來，他眨了眨眼，然後說：『你別說，我眞覺得自己了不起，女人都爲我生爲我死！』

小蟬推開他，讓他跌倒在沙發的另一端。『討厭！』她瞪了他一眼。

畢卡索繼續纏住她賴皮。『不不不，你相信我，我會改。』

小蟬不讓他纏。『到時候改好了我又看不到！』

『我改我改我改！』畢卡索捉住她不放。『改改改，我們再來一次……』

『住手！呀——』小蟬尖聲大笑，阻止畢卡索的手在她身上遊動。

『啪啪——』是拍門聲。

二人望向大門的位置，表情一同垮下來。

Mystery 的人要來了。

『啪啪啪——』

小蟬垂下眼，不肯前去把門打開。畢卡索則皺起眉凝神望著大門口。

『啪啪啪啪啪——』

小蟬這樣想，如果不前去把門打開，裝作不在家，會不會就能迴避這次分離？

『啪啪——』

這拍門聲，聽得人心寒。

畢卡索的呼吸沉重起來。小蟬望了他一眼，最後還是站起身，上前把門開啓。拖下去，還不是要走？

早在來臨的時候，就知道會有離去的一刻。

門外站著 Mystery 的美艷服務員，她身穿二十世紀初的街頭男裝，縐縐的襯衫，條紋吊帶褲，長髮藏在帽子之內。

小蟬深呼吸，轉身把畢卡索畫給她的那顆心捲起來準備帶走，然後她望著畢卡索，對他說：『你送我走吧！』

畢卡索仍然坐在沙發上，他賭氣地別過臉，『不送！』

小蟬望了他一眼，決定不勉強他。服務員轉身往樓梯走去，小蟬就跟著走，在踏出大門的一剎那，心裡就千旋百轉，接著走下樓梯的每一步，心情猶如死囚步向刑場一樣，心頭沉重，卻又腳步浮浮。

每步下一級樓梯，都活像踏空，從來不知道，別離會帶動出這種異樣虛浮的恐怖感覺。

就在走了一半時，樓梯上就傳來急速的踏步聲，小蟬回頭一望，看見畢卡索邊披上外套邊跑下來，小蟬還未來得及微笑，畢卡索已經走到她身旁握住了她的手。

體溫傳送過來，她的心頭一暖，整個人立刻放鬆。

他倆手牽手走下樓梯，一直相視而笑，小蟬望著畢卡索那雙溢滿愛意的眼睛，禁不住覺得很溫馨。相處良久，還是頭一趟因爲他而覺得溫馨。

畢卡索撇了撇嘴，頃刻小蟬就心酸；當畢卡索紅了眼睛的時候，小蟬就在心頭滴出了淚。

樓梯終於走完，住宅外停了一輛看來平凡的馬車。面對分離的一雙戀人沒留意到，雖然時爲下午，但街道上一個人也沒有。他們的分離，喚來異樣的荒涼感。馬車的門被打開，服務員身手敏捷地跳上車伕的位置。

眼淚在眼睛內打轉，畢卡索仍不忘嬉笑。『看！終於有女人在我未虐待她之前就急不及待離開我！』

小蟬望著他的雙眼，說：『或許，有一天我會回來。』

畢卡索聽罷，不知怎地就怔怔的，瞬間，他的神情就由不捨變成厭惡。他怒喝小蟬：『回去！回去！回去了就不要回來！』

他把小蟬推了上馬車，並用力地關上馬車的門。

小蟬在車廂中伸出頭來，一臉淒酸地望著他，她明白他的舉動，他承受不了虛幻的諾言。她看見，他在強忍淚水。

馬車開動了，小蟬與畢卡索繼續四目交投，當看見他的身影在倒退後，小蟬就開始流出眼淚。畢卡索逐分逐分地變小，他雙手插著褲袋，站得穩穩地撇著嘴目送她。

正以爲畢卡索的身影會繼續變小下去，馬車卻驀地停下，小蟬望向服務員，看見她在鞭打不肯向前走的兩匹駿馬。心念一至，小蟬推開馬車的門，走下車。

看著她走下車，畢卡索的神情變得愕然。他與她，就隔著半條街互相對望。

她在想，該不該就此奔向他，然後一起跑掉？

他在想，該不該跑向前去抱起她，繼而帶她奔走天涯？

他倆一直凝望著對方，兩人的眼淚一直流，但是，無人說一句話，亦無人提起腳向前走。

他們深深地對望，而當中相隔的距離，彷彿就是他倆原本相隔的時空。

有沒有人向前踏出一步？

有沒有人敢說出一句，願我倆長相廝守？

有沒有人可以承諾，明天後天大後天，我也會讓你一直幸福？

他們一直互相對望，風吹來，眼淚就從臉龐給送走。

這可會是世上最長最長的一次對望？

以後，天各一方，遙遙百年，他們會在各自的時空中繼續凝望著對方。

風再吹來，小蟬的腳移動。她還是沒有走向前，她轉身走回馬車中。

馬有靈性，客人坐定了，馬車就開動。

車輪刮過石地，聲音淒然沙啞。畢卡索蹲到地上去，張大口崩潰地嚎哭。

小蟬靠在車窗旁邊，眼睛溜向後，她看了一眼就沒有再看。別告訴她，那個是畢卡索，如果眞是，她會傷心得窒息。

不是畢卡索不是畢卡索不是他不是他……

畢卡索怎會捨不得一個人？

畢卡索怎會用情用得這樣深？

怎會怎會……怎麼可能……

小蟬合上眼。然後，她鼓起生平最大的勇氣，再次把頭伸出車窗外向後望——

那如小豆點的人影悲愴地哭昏在地上。

『呀——』小蟬哀鳴。

『呀——』

怎會……怎會這樣？

回頭看他這最後一眼，怎會是這樣？

『呀——』

在連綿的哀號中，人就肝腸寸斷。

誰會想到？就連被愛，也會這樣的痛。

後記

決定以畢卡索作爲其中一名男主角之後，我就閱讀關於這名偉大藝術家的資料，當中包括他的生平、成就、畫風的轉變、與女人們的情史。

驚世駭俗的藝術風格固然教人讚歎不已；而畢卡索的另一個吸引人之處，是他對待女人的風格：所有他愛過的女人們，無不傷痕累累地被他驅趕離場。

正如朵拉說過：『作爲一名藝術家你可能很出類拔萃，但在品格上，你一文不值！』但朵拉也同樣說過：『沒有他，世界就只有空虛；畢卡索之後，就是神！』

女人都對他又愛又恨。而畢卡索，也對女人抱有同一個態度，他愛她們，又仇恨她們。

閱讀的資料中，有兩本傳記非常有趣，分別是《Loving Picasso : The Private Journal of Fernande Olivier》，作者是Fernande Olivier，費爾藍德，畢卡索二十多歲時的情人；以及《Life with Picasso》，作者是Francoise Gilot，范思娃，她是畢卡索六十多歲時的情人。這兩名女士爲我們提供了畢卡索的貼身資料，費爾藍德以年月的記事方式書寫她和畢卡索那波希米亞式的輕狂歲月；范思娃則辛辣又實在地回憶他們那先甜後苦的十年關係。兩個女人的年代不同，出身背景各異，但她們眼中的畢卡索卻有著以下的類同：精力充沛、創作力澎湃、以藝術爲第一生命、充滿魅力、渴望女人的愛情；而同一時候又陰晴不定、言行刻薄反覆、野蠻善妒、控制慾強。

畢卡索那既熱情又無情，富創意卻又具摧毀性的特徵，貫徹了一生。

我在小說中提及了多幅畢卡索的作品，在此圖文並茂與大家分享：

1.這是畢卡索在一九三二年爲瑪莉特麗莎 Marie - Therese Walter 所畫的《Girl before a Mirror》，中譯《鏡前的女孩》，現收藏在 The Museum of Modern Arts, New York 中。我們可以看到，畢卡索心目中的瑪莉特麗莎是一組又一組圓形的拼合，看上去青春可愛、豐盈愉悅。

《Girl before a Mirror》

2.一九三七年，畢卡索爲朵拉 Dora Maar 所繪畫的名作《Weeping Woman》，中譯《哭泣的女人》，現爲倫敦 Penrose Collection 所擁有。朵拉情緒不穩，常常哭泣，畢卡索就藉著她這張悲傷的臉去表達人類的痛苦。女人臉上的肌肉像已被沉重的眼淚所剖割，露出了白骨；把手帕放進口中的姿態猶如把三角形的尖削玻璃強行插進口腔中一樣；她的雙眼哭得昏花，近乎瞎了。觀眾看這幅畫作的同時，也等於步進痛苦之中。

《Weeping Woman》

3.一九四六年，畢卡索爲慶賀他與范思娃 Francoise Gilot 的愛情明朗化，他就繪畫了這幅《The Flower - Woman》，中譯《花女人》。范思娃的臉型被故意繪畫得圓圓，而綠色的葉子亦等於她的頭髮，構圖趣致亦嬌美。

《The Flower-Woman》

4. 這就是二十歲的畢卡索的自畫像《Self-portrait》，繪畫於一九〇一年。這幅藍色時期的作品表露出畫家自視爲複雜憂鬱、神秘、浪漫、波希米亞式的特徵。嗯，迷人吧！

坊間甚多關於畢卡索的叢書和資料，甚至連Anthony Hopkins亦拍攝過一齣名爲《Surviving Picasso》的電影，他扮演的正是畢卡索。當初我決定以畢卡索作爲其中一名男主角，就是爲了他性格上的可觀性，深具才華、亦邪亦正，性格出現偏差的男人，通常都魅力無限。而當我把重點放在他與女人的關係上時，畢卡索個性上的多情和乖戾，就構成了一股張力，讀著故事的發展時，分外覺得跳躍和豐富。

《Self-portrait》

在此，我派出小蟬介入他的生命。而你，又有興趣了解他更多嗎？

另外，接著出版的《二姝夢2》中，我們將會看見Tiara和小蟬在夢醒後的故事。Tiara仍然逗留在拿破崙的時空，小蟬則返回她最憎厭的男人身邊。命運仍然繼續，只是旅程已不再一樣。

在《二姝夢2》的後記中，我會分析拿破崙與約瑟芬的關係。歷史上出過不少曠世英雄，但甚少像拿破崙那樣，既崇尚野心同時又崇拜愛情。這個個子不高的男人，是一個偉大而能夠實踐宏願的夢想家。

【深雪作品08】

二姝夢 2

敬請期待《二姝夢》續集！2004年11月即將出版！

延續上一集的劇情，這回Mystery的VIP顧客是Tiara和蒙娜麗莎。為了與摯愛常相廝守，Tiara選擇逗留在拿破崙的時空，經歷過離別的椎心之痛後，兩人更加恩愛，足可媲美溫莎公爵夫婦……

而在另一個時空裏，蒙娜麗莎與亨利八世配成一對，兩人一個S一個M，正是天作之合。歷史上的亨利八世暴戾好色，然而為了得到蒙娜麗莎的愛情，為了讓她重獲心跳的感覺，他甘心為她付出一切，甚至粉身碎骨……

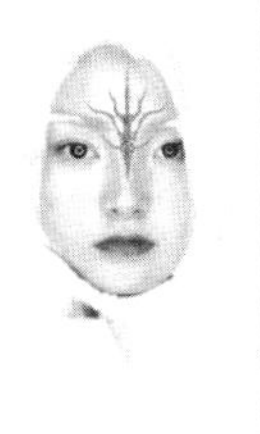

【深雪作品05】

愛經述異

《二姝夢》暢銷姊妹作！

深雪超越《第8號當舖》，再創魔幻愛情新高峰！

這裡是 Mystery ，一間讓女人實現愛情夢想的內衣店。
但凡光顧，就能得到必贏的愛情。
女人，光顧我吧！我給你性感、給你智慧、給你力量。
女人，你放膽告訴我，你還想要些什麼？

好吧好吧，我是 Amulet ，一塊美麗的護身符。
我來光顧 Mystery ，尋求你們魔幻般的愛情法力。
我愛上了吸血殭屍，他是世上最溫柔的男人。
而我的吸血殭屍，卻深深愛著他的睡公主。
請告訴我，我該怎麼辦……
救救我吧！我愛他愛得，快要斷氣了……

國家圖書館出版品預行編目資料

二姝夢／深雪著.
‥初版‥臺北市；皇冠，2004【民93】
面　；公分，‥（皇冠叢書；第3386種）
〔深雪作品；7〕
ISBN 957-33-2073-8（平裝）
857.7　　　　93010349.

皇冠叢書第3386種

深雪作品 7

二姝夢

作　　者—深雪
發 行 人—平鑫濤
出版發行—皇冠文化出版有限公司
台北市敦化北路120巷50號
電話◎2716-8888
郵撥帳號◎1526151～6號
出版統籌—盧春旭
編務統籌—金文蕙
責任編輯—宋佩玲
美術設計—王瓊瑤
行銷企劃—陳宜蓉
印　　務—林莉莉・林佳燕
校　　對—鮑秀珍・宋佩玲
著作完成日期—2003年7月
初版一刷日期—2004年6月

法律顧問—王惠光律師

讀者服務傳真專線◎02-27150507
皇冠文化集團網址◎http：//www.crown.com.tw
電腦編號◎427007
國際書碼◎ISBN957-33-2073-8
Printed in Taiwan

本書定價◎新台幣240元

相信您也跟我們一樣喜歡深雪的作品！為了支持深雪，也為了您可以持續地收到關於深雪的消息，我們誠摯地邀請您加入深雪的讀友會——『雪貓府』。只要您成為『雪貓府』的會員，未來就有機會與深雪面對面近距離接觸！我們有任何關於深雪的新書出版消息，也都會盡速通知您。
加入『雪貓府』很簡單，只要您詳細填寫您的基本資料並寄回皇冠（台灣讀者免貼郵票），您就是我們『雪貓府』的一員了。

1. 請針對下列各項目為《二姝夢》打分數

	5	4	3	2	1
A. 內容題材	□	□	□	□	□
B. 封面設計	□	□	□	□	□
C. 字體大小	□	□	□	□	□
D. 編排設計	□	□	□	□	□
E. 印刷裝訂	□	□	□	□	□

2. 您購買本書的動機？
   □封面吸引 □書名吸引 □內容題材 □作者知名度
   □廣告促銷 □其他
3. 您從哪裡得知本書的消息？
   □書店 □報紙廣告 □皇冠雜誌廣告 □書評或書介
   □親友介紹 □其他
4. 您能接受愛情故事裡較靈異、恐怖，甚至血腥的情節嗎？
   □很喜歡 □最好不要 □沒意見
5. 您最喜歡書中哪個角色？＿＿＿＿＿＿＿

讀者資料

姓名：＿＿＿＿＿＿＿ 生日：＿＿年＿＿月＿＿日
性別：□男 □女
職業：□學生 □軍公教 □工 □商 □服務業
□家管 □自由業 □其他 ＿＿＿＿＿＿
通訊地址：□□□＿＿＿＿＿＿＿＿＿＿＿＿
＿＿＿＿＿＿＿＿＿＿＿＿＿＿＿＿
聯絡電話：（公）＿＿＿＿＿分機＿＿＿（宅）＿＿＿＿＿＿
e-mail：＿＿＿＿＿＿＿＿＿＿＿

◎請沿虛線剪開、對摺、裝訂後寄出。

◎請沿虛線剪開、對摺、裝訂後寄出。

您對本書的其他意見：

北區郵政管理局登
記證北台字1648號
免 貼 郵 票
〔限國內讀者使用〕

105
台北市敦化北路120巷50號

皇冠文化出版有限公司　　收